Suknia ślubna

DANIELLE

STEEL

Suknia ślubna

❊

tłumaczenie
Adriana Celińska

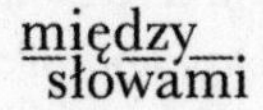

Tytuł oryginału
The Wedding Dress

Redaktor nabywający i prowadzący
Monika Kucab

Adiustacja
Agata Wawrzaszek i Anna Skowrońska / CAŁA JASKRAWOŚĆ

Korekta
Sylwia Kordylas-Niedziółka i Anna Skowrońska / CAŁA JASKRAWOŚĆ

Łamanie
CAŁA JASKRAWOŚĆ, www.calajaskrawosc.pl

ISBN 978-83-240-7432-7

Między Słowami
ul. Kościuszki 37, 30-105 Kraków
e-mail: promocja@miedzy.slowami.pl

Książki z dobrej strony: www.znak.com.pl
Dział sprzedaży: tel. 12 61 99 569, e-mail: czytelnicy@znak.com.pl

Wydanie I, Kraków 2021
Druk: Abedik

Moim ukochanym dzieciom:
Beatie, Trevorowi, Toddowi, Nickowi,
Samancie, Victorii, Vanessie,
Maxxowi i Zarze.

Bądźcie mądrzy, radośni i dobrzy.
Kochajcie i bądźcie kochani. Bądźcie szczęśliwi.
Z głębi serca
życzę Wam wspaniałego życia.
Pielęgnujcie miłość, którą siebie darzymy,
i nigdy o niej nie zapominajcie.
Uwielbiam Was.

Z miłością
Mama / d.s.

Słowo wstępne

Najdroższi Przyjaciele!

Akcja powieści toczy się na przestrzeni osiemdziesięciu dwóch lat i opowiada o losach czterech pokoleń nadzwyczajnej rodziny, które żyły w wyjątkowych czasach: od wielkiego kryzysu w 1929 roku przez atak na Pearl Harbor, drugą wojnę światową, lata siedemdziesiąte z ich przemianami społecznymi i rozpowszechnieniem narkotyków, aż do zaawansowanej technologicznie epoki 2.0 i współczesności. Kobiety z tego rodu – choć różniły się pod względem charakteru, cechowała zadziwiająca niezłomność, potrafiły utrzymać rodzinę razem mimo niespokojnych czasów. Połączone więzami krwi i wspólną dolą utworzyły nierozerwalny łańcuch przetrwania, a trzy z nich w dniu ślubu włożyły olśniewającą, starannie przechowywaną i przekazywaną po kądzieli, z pokolenia na pokolenie, białą suknię – symboliczne wspomnienie przeszłości, za każdym razem przywracanej do życia w tchnieniu teraźniejszości, a jednocześnie będącej pełną nadziei obietnicą jutra. Zahartowane wyzwaniami, które narzucało im życie – wojny, kryzys gospodarczy, bolesne straty i powrót do świata luksusu, jachtów i bajecznych posiadłości – na koniec wracają do odrestaurowanej rodzinnej rezydencji na Nob Hill. W tułaczce, do której zmusiła je historia, towarzyszy im suknia ślubna traktowana jak najcenniejszy skarb.

To opowieść o rodzinie i przeszłości, o tym, jak jedno pokolenie przechodzi w drugie, a każde dodaje własną cegiełkę do gmachu rodowych dziejów. O szacunku dla minionych tradycji, radowaniu się teraźniejszością i nieoczekiwanych próbach losu, a także darach, które ze sobą przynosi. O złotej erze i twardych, lecz zarazem pełnych czułości ludziach honoru, którzy nie zapominają, kim są i co dla siebie znaczą.

Mam nadzieję, że czytanie powieści sprawi Wam tyle radości, ile mi przyniosło jej wymyślanie i pisanie. *Suknia ślubna* jest wyjątkową książką o przymiotach, do których dążymy i które w sobie nosimy, oraz o tym, co ofiarujemy teraźniejszości i zostawiamy przyszłym pokoleniom. To wyraz zachwytu nad ciągłością życia i siłą, która pozwala kroczyć do przodu przy przychylnych, ale też niesprzyjających wiatrach, tak by nie tracić z oczu tego, co było, i by uczyć się na błędach przeszłości.

Mam nadzieję, że ta książka okaże się wyjątkowa także dla Was.

Z miłością
D.S.

Rozdział 1

Noc była chłodna, powietrze rześkie, a znad zatoki San Francisco wiał przenikliwy wiatr, kiedy w grudniu 1928 roku, na tydzień przed Bożym Narodzeniem, w okazałej rezydencji rodziny Deveraux odbywał się bal, który od miesięcy stanowił główny temat rozmów śmietanki towarzyskiej miasta, a przy okazji był z dawna oczekiwanym wydarzeniem. Odświeżono wnętrza, odmalowano ściany, w oknach zawieszono nowe zasłony, a każdy żyrandol wypolerowano na błysk. Na nakrytych stołach w sali balowej mieniły się kryształy i srebro. Lokaje od kilku tygodni przestawiali meble, żeby zrobić miejsce dla sześciuset gości.

Zaproszenie na bal, który Charles i Louise Deveraux wydawali dla córki, wysłano wszystkim znamienitym członkom towarzyskiej elity San Francisco i jedynie garstka odmówiła. Na framugach drzwi zawieszono pachnące girlandy z lilii, zapalono setki świec.

W garderobie matki Eleanor Deveraux z trudem panowała nad emocjami. Czekała na ten wieczór od dziecka. To był jej bal. Za chwilę zostanie oficjalnie wprowadzona w towarzystwo jako debiutantka. Chichotała z podekscytowania i patrzyła na matkę, a pokojówka Wilson trzymała przygotowaną dla niej sukienkę i czekała, żeby pomóc dziewczynie ją włożyć.

Wieczór był również wzruszającym wydarzeniem dla służącej, która urodziła się na irlandzkiej farmie i wyemigrowała do Ameryki w poszukiwaniu szczęścia i szczypty przygody, a przede wszystkim w nadziei na zamążpójście. Miała krewnych w Bostonie i tam zaczęła pracować dla rodziców Louise, a po jej ślubie z Charlesem Deveraux przeprowadziła się ze swoją pracodawczynią do San Francisco. Dwadzieścia siedem lat temu Wilson ubierała na jej pierwszy bal także Louise i wiernie jej służyła od tamtej pory. Trzymała na rękach małą Eleanor w dniu, w którym przyszła na świat, jak również jej brata Arthura, który urodził się siedem lat przed siostrą. Razem z całą rodziną płakała, gdy chłopiec umarł na zapalenie płuc w wieku pięciu lat. Eleanor urodziła się dwa lata po tej tragedii, a jej matka nie mogła mieć więcej dzieci. Razem z mężem chcieli mieć syna, ale oboje szczerze kochali jedyną córkę.

Teraz Wilson ubierała dziewczynę na od dawna wyczekiwany debiut. Pokojówka mieszkała w Ameryce już od dwudziestu ośmiu lat i miała łzy w oczach, gdy patrzyła na Eleanor, która objęła matkę i mocno się do niej przytuliła. Louise ostrożnie zapięła córce kolczyki, które sama dostała od matki na swój pierwszy bal. To była pierwsza dorosła biżuteria nastolatki. W uszach pani Deveraux migotała para szmaragdów, prezent od męża na dziesiątą rocznicę ślubu, a jej głowę zdobiła diamentowa tiara należąca wcześniej do babki.

Dobrali się z Charlesem jak w korcu maku, ich małżeństwo było udane, bardzo się kochali. Poznali się niedługo po bostońskim debiucie Louise, gdy bawiła na świątecznym balu u kuzynek w Nowym Jorku. Charles przyjechał z San Francisco. Louise pochodziła z dystyngowanej rodziny bankierów. W sprawie ich przyszłości, która dla obojga okazała się wielce pomyślna, chłopak rozmówił się z ojcem dziewczyny. W okresie narzeczeństwa spotkali się tylko dwukrotnie, podczas pobytu Charlesa w Bostonie, ale ich miłość rozkwitła dzięki bogatej korespondencji, bo przez trzy miesiące od poznania wymieniali serdeczne listy. Zaręczyny ogłoszono w marcu, a w czerwcu stanęli na ślubnym kobiercu. Miesiąc miodowy spędzili w Europie, a potem zamieszkali w San Francisco, skąd pochodził pan młody.

Charles był dziedzicem jednego z dwóch najznamienitszych bankierskich rodów w San Francisco. W czasach gorączki złota jego rodzina wyemigrowała z Francji, żeby zapanować nad chaosem i wspierać nagle wzbogaconych poszukiwaczy złota w zabezpieczeniu i pomnażaniu ich nowo powstałych fortun. Przodkowie Charlesa osiedli w Kalifornii, gdzie sami zbili niemały majątek. Rezydencja Deveraux, wzniesiona w 1860 roku na szczycie Nob Hill, należała do największych posiadłości w San Francisco. Po śmierci teściów, po kilku latach małżeństwa, Louise z mężem wprowadzili się do rodowej siedziby. Charles zarządzał rodzinnym bankiem i był jednym z najbardziej wpływowych mieszkańców miasta. Wysoki, szczupły, jasnowłosy i niebieskooki, elegancki i dystyngowany, o arystokratycznej prezencji. Kochał żonę i córkę, sam od lat czekał na ten wieczór.

Eleanor była olśniewająco piękna. Wrodziła się w matkę, miała długie kruczoczarne włosy, białą, porcelanową cerę, błękitne oczy i delikatne rysy twarzy. Obie kobiety były zgrabne, a Eleanor odrobinę przerosła Louise. Otrzymała staranne wykształcenie, uczyła się w domu pod okiem bon i guwernerów, podobnie jak jej matka w młodości w Bostonie, bo tak wychowywano młode panny należące do ich sfery także w San Francisco. Biegle opanowała francuski, który był ojczystym językiem kilku jej opiekunek. Była uzdolniona plastycznie i pięknie grała na fortepianie, pasjonowała się literaturą i historią sztuki. Rodzice, idąc z duchem czasu, pozwolili jej kształcić się przez cztery lata na pensji dla młodych dziewcząt panny Benson. Poprzedniego roku w czerwcu Eleanor ukończyła szkołę razem z tuzinem rówieśniczek z ich kręgu towarzyskiego. Nawiązała tam liczne przyjaźnie, dzięki czemu była pewna, że przez swój pierwszy sezon towarzyski będzie się doskonale bawić jako bywalczyni licznych balów i przyjęć organizowanych przez rodziców koleżanek.

Większość dziewcząt wkraczających w dorosły świat w ciągu roku wyjdzie za mąż albo podejmie poważne zobowiązania matrymonialne. Charles miał nadzieję, że w przypadku jego córki nie nastąpi to zbyt szybko. Nie był w stanie znieść myśli o rozstaniu z ukochaną jedynaczką, a każdy konkurent do jej ręki, zanim otrzyma jego błogosławieństwo, będzie musiał wpierw udowodnić, że jest jej wart. Dziewczyna, co zrozumiałe, będzie otoczona wianuszkiem zalotników, ponieważ pewnego dnia odziedziczy cały majątek. Razem z Louise często rozmawiali na ten temat w cztery oczy, lecz nigdy nie wspominali o niczym córce, więc Eleanor nawet nie przyszło to do głowy. Myślała tylko o pięknych strojach i zachwycających przyjęciach. Wcale jej się nie spieszyło do zamążpójścia, uwielbiała życie, jakie wiodła pod dachem rodziców. Poza tym bale, na których planowali bywać, miały być dla niej przede wszystkim źródłem fantastycznej zabawy, zwłaszcza zaś ten wydawany na jej cześć. Rodzice z wielką pieczołowitością opracowali listę gości, żeby wśród zaproszonych nie znalazł się nikt niepożądany ani przez nich nieaprobowany. Starali się trzymać jedynaczkę z dala o rasowych podrywaczy i łowców posagów. Ich córka była energiczna i bystra, lecz zarazem nieświadoma, jak działa świat, i woleli, żeby tak pozostało.

W trakcie przygotowań do pamiętnego wieczoru szczególną uwagę, oprócz listy gości, poświęcili wyborowi zespołu muzycznego. Ostatecznie ściągnęli muzyków z Los Angeles. Eleanor natomiast skoncentrowała się na sukni, którą miała włożyć. Za zgodą Charlesa razem z matką pojechały do Nowego Jorku, skąd parowcem SS Paris, od siedmiu lat kursującym przez Atlantyk, popłynęły na Stary Kontynent, do Francji. To była pierwsza zagraniczna podróż dziewczyny. Przez miesiąc mieszkały w paryskim Ritzu i odwiedzały znanych projektantów, aż w końcu Louise zamówiła sukienkę dla córki w Domu Mody Worth.

Na czele pracowni *haute couture* stał Jean-Charles, prawnuk założyciela Charlesa Fredericka Wortha, a jego ostatnie projekty zrewolucjonizowały modę. Był awangardowym wizjonerem, który wyprzedzał własną epokę, a Louise chciała, żeby sukienka córki wyróżniała się na tle innych, lecz jednocześnie nic nie traciła na elegancji. Ceny kreacji Wortha były astronomiczne, lecz Charles upoważnił żonę do kupienia tego, co wybierze, pod warunkiem że nie będzie to zbyt nowoczesne ani nieprzyzwoite. W rękach projektanta, który śmiało łączył cekiny, metaliczne nici, zachwycające hafty i ekskluzywne tkaniny, ubrania stawały się niemal dziełami sztuki, a na zgrabnej sylwetce Eleanor jego szykowne toalety leżały jak ulał.

Sukienka, którą dla niej uszył, była długa, wąska i dopasowana, z nieco głębszym, lecz skromnie osłoniętym w dolnej partii, wycięciem na plecach. Eleonor nigdy nie widziała piękniejszej kreacji, a efekt przeszedł jej najśmielsze wyobrażenia. W komplecie było także nakrycie głowy stanowiące wyraz najlepszego gustu według ówczesnej mody: wyszywany perłami stroik, który niczym aureola zdobił ciemne włosy dziewczyny. Wyglądała świetnie. Matka z córką wróciły do San Francisco pod koniec lipca, a teraz Wilson trzymała przed nią sukienkę, ciężką od cekinów i kunsztownych haftów.

Eleanor zaczęła się ubierać, od dawna gotowa na tę długo oczekiwaną chwilę. Włosy miała upięte w luźny, przeplatany perłami kok, który miękko układał się na jej karku – fryzura była dziełem niezrównanej pokojówki. Modnie skręcone pukle miękko wysuwały się spod stroika i szykownie okalały jej twarz. Sukienka – jednocześnie tradycyjna i nowoczesna – stanowiła kwintesencję stylu Domu Mody Worth, który był gwarancją najwyższej jakości.

Louise i Wilson odsunęły się, żeby spojrzeć z podziwem na Eleanor, która wręcz promieniała. Dziewczyna widziała się w lustrze, które stało za matką i pokojówką. Ledwie się rozpoznała – spoglądając w lustro, widziała elegancką młodą kobietę. Jej ojciec jeszcze nie widział sukienki i teraz zamarł na progu garderoby na widok córki.

– Och, nie... – jęknął z dezaprobatą, co momentalnie zasmuciło Eleanor.

– Nie podoba ci się, papciu?

– Oczywiście, że mi się podoba, i jestem pewien, że zachwyci każdego mężczyznę w San Francisco. Nim wieczór dobiegnie końca, dziesięciu, jak nie dwudziestu, poprosi o twoją rękę. – Spojrzał na żonę. – Czy nie mogłaś wybrać czegoś mniej spektakularnego? Nie jestem jeszcze gotów, żeby ją stracić!

Wszystkie trzy kobiety się roześmiały, a Eleanor wyraźnie ulżyło. Byłoby jej przykro, gdyby sukienka nie przypadła ojcu do gustu.

– Czy naprawdę ci się podoba, papciu? – zapytała z roziskrzonymi oczami, kiedy pochylił się, żeby ją pocałować.

We fraku prezentował się nad wyraz elegancko i z niekłamanym zachwytem popatrzył na żonę w zielonej satynowej sukience i szmaragdowej biżuterii, którą jej podarował. Jak zawsze, dzięki niemu, będzie miała na sobie najbardziej zachwycające klejnoty w całym towarzystwie.

– Oczywiście, że tak, czy mogłoby być inaczej? Razem z mamą dokonałyście znakomitego wyboru podczas waszej paryskiej eskapady.

Mniej szczodry mąż pobladłby na widok rachunku. Worth, znany z zawrotnych kwot, które zostawiali u niego klienci, najczęściej Amerykanie, również tym razem postąpił zgodnie ze swoim zwyczajem. Charles jednak zrozumiał, że sukienka była warta swej ceny, i nie żałował wydatku. Lekką ręką zapłacił, bo chciał, żeby żona i córka były szczęśliwe. Cieszyła go myśl, że Eleanor będzie najpiękniejszą debiutantką stulecia. Podobnie nie szczędził środków na bal. Chciał, żeby wieczór zapisał się w pamięci córki jako wyjątkowa chwila, której wspomnienie zawsze będzie ją radować. Wspaniała rezydencja na Nob Hill była idealnym miejscem na podjęcie gości.

Charles podał córce ramię i razem wyszli z garderoby. Potem zeszli po okazałych schodach, tuż za nimi kroczyła Louise. Wilson z uśmiechem patrzyła na całą trójkę. Cieszyła się ich szczęściem. Jej chlebodawcy byli dobrymi ludźmi, a po stracie syna przed dwudziestu laty zasłużyli, aby w pełni radować się życiem. Będzie czekać na Eleanor, żeby pomóc jej się rozebrać, kiedy wieczór dobiegnie końca, niezależnie od pory. Była przekonana, że nastąpi to bardzo późno. Dopiero o północy planowano drugi ciepły posiłek, choć przyjęcie zaczynało się kilka godzin wcześniej wystawną kolacją. Natomiast o szóstej rano dla młodych, którzy zostaną do samego końca, w tym dla kawalerów tańczących i flirtujących z pannami, podawano śniadanie. Wilson była pewna, że starsi goście pożegnają się znacznie wcześniej, ale młodzież będzie się bawić do świtu.

U podnóża schodów czekało tuzin lokajów z kieliszkami szampana na srebrnych tacach. Połowa to byli stali pracownicy, resztę zaangażowano na wieczór. Trunek pochodził z najlepszych roczników z zapasów zgromadzonych w piwniczce Charlesa przed wprowadzeniem prohibicji, więc nie musieli się martwić, że zabraknie wina dla gości. Na prywatnych przyjęciach nie obowiązywał zakaz podawania alkoholu. W kuchni wrzało jak w ulu, kucharka z trójką pomocników kończyli przygotowanie posiłków, a armia lokajów czekała, aby obsłużyć zaproszonych. Louise zadbała o każdy drobiazg. Dom wypełniały kwiaty, wszędzie paliły się świecie, a sala balowa była gotowa na przyjęcie biesiadników. Całe tygodnie spędziła na planowaniu rozmieszczenia gości, żeby mieć pewność, że wszyscy usiądą na właściwych miejscach. Jeden długi stół zarezerwowała dla córki, jej przyjaciółek i szykownych kawalerów starannie wybranych z najlepszych rodzin.

Goście zaczęli powoli napływać, na zewnątrz ciągnął się sznur samochodów. Szoferzy jeden po drugim podjeżdżali pod portyk. Kolejna grupa lokajów czekała na progu, żeby odebrać płaszcze i szale od wchodzących. Obok Charlesa, Louise i Eleanor, którzy przy wejściu witali przybywających, stał ich kamerdyner Houghton i wyczytywał nazwiska gości. Wieczór w niczym nie ustępował wytwornym bankietom wydawanym w Bostonie czy Nowym Jorku. Wyższe sfery z San Francisco bawiły się równie wystawnie, jak elity na Wschodnim Wybrzeżu.

Eleanor, którą rodzice przedstawiali znajomym, wyglądała olśniewająco, a przyjaciółki po serdecznym uścisku przyznawały, że jest zachwycająca w swej wytwornej kreacji. Z wdziękiem połączyła wyrafinowanie *haute couture* z dziewczęcym urokiem, a rodzice patrzyli na nią z dumą, podczas gdy dom wypełniały tłumy gości, którzy niespiesznym krokiem kierowali się do sali balowej. Po równej godzinie powitań na progu gospodarze dołączyli do zaproszonych. Eleanor szepnęła do matki, że czuje się jak na weselu, tylko bez pana młodego, co rozbawiło Louise.

– Słusznie, bo tak właśnie jest. Ale może wkrótce to się zmieni.

Eleanor jednak wcale się nie spieszyło do zamążpójścia, podobnie podchodzili do tego jej rodzice. Była podekscytowana, że wreszcie dołączyła do towarzystwa, i chciała delektować się każdą chwilą, cieszyć się tym jak najdłużej. Witając gości, została przedstawiona wielu przystojnym młodzieńcom, lecz chłopcy w jej wieku byli niepoważni i wciąż niedojrzali. Niektórzy płonęli rumieńcem, podając jej dłoń, a teraz stali w grupkach i sącząc szampana, podziwiali przybyłe panny. Odważniejsi podchodzili z prośbą o wpisanie ich nazwiska do karneciku, a wtedy wyjmowała śliczny mały *carnet de bal*, który ojciec podarował jej kilka godzin wcześniej. Różowe emaliowane okładki notesiku z kartkami w kolorze kości słoniowej zdobiły maleńkie diamenty i perły – było to prawdziwe dzieło sztuki Carla Fabergé z przełomu wieków. Kiedy wieczór dobiegnie końca, z łatwością zetrze wpisane w środku nazwiska i notesik będzie gotowy na następny bal. W komplecie był maleńki, emaliowany, różowy ołówek z diamentem. Wyjmowała go za każdym razem z torebki i wpisywała kolejne nazwiska, bo gdy młodzieńcy spostrzegli, że kartki szybko się zapełniają, ustawiali się w kolejce, aby móc z nią zatańczyć. Kiedy godzinę później zapowiedziano kolację, jej karnecik był prawie pełen. Kawalerowie zapraszali do tańca również inne panny. Eleanor szeptała z przyjaciółkami, gdy razem szły w stronę stołów.

– Są bardzo przystojni, prawda? – zwróciła się do koleżanek z pensji panny Benson, które zgodnie przytaknęły.

Matka z namysłem i rozwagą opracowała listę gości, a zaproszeni młodzieńcy również wydawali się zadowoleni. Stół, przy którym zasiadła Eleanor z resztą młodzieży, tętnił życiem. W trakcie posiłku prowadzono rozmowy, śmiano się, wszyscy wybornie się bawili, a starsi goście rzucali młodym pełne aprobaty spojrzenia. Bal wzbudził u wielu miłe wspomnienia, przyjemnie było patrzeć na pięknych młodych ludzi, którzy dobrze się czuli w swoim towarzystwie.

Pierwszego walca Eleanor zatańczyła z ojcem, a kiedy skończyli, na parkiet weszły inne pary. Przy stole gospodarzy siedzieli ich najbliżsi przyjaciele, a zespół, który wynajęła Louise, okazał się bardzo dobry. Charles pogratulował żonie doskonałego wyboru. Wieczór powoli się rozkręcał, orkiestra zaczęła grać żwawiej. Przed balem Eleanor brała lekcje tańca, a ze szczelnie wypełnionym wytwornym karnecikiem nieustannie wirowała do muzyki, aż wreszcie z kilkoma przyjaciółkami zrobiły sobie przerwę. Na kilka chwil zaszyły się w bibliotece, żeby ochłonąć. Towarzyszyło im kilku kawalerów, którzy wykorzystali okazję, żeby z nimi porozmawiać i poznać dziewczęta, z którymi nie mieli okazji zatańczyć.

Po przekroczeniu progu Eleanor zauważyła wysokiego, ciemnowłosego i przystojnego mężczyznę z uwagą przeglądającego książkę, którą znalazł na jednej z półek. Zaskoczony podniósł wzrok na grupę młodzieży. Pan domu zgromadził wyborną kolekcję rzadkich egzemplarzy i pierwszych wydań; nieznajomy uśmiechnął się do Eleanor, gdy go minęła, podchodząc do okna, które otworzyła, żeby zaczerpnąć świeżego powietrza. Zauważyła, że podąża za nią. Miał poważne brązowe oczy, którym nie brakowało ciepła.

– Przetańczyłaś cały wieczór – zwrócił się do niej, odłożywszy książkę na miejsce, kiedy jej przyjaciele na chwilę się oddalili. – Twój ojciec ma tu wspaniałe tytuły – dodał z podziwem.

Odpowiedziała z uśmiechem:

– Niektóre pochodzą z najdalszych zakątków świata, choć większość kupił w Anglii i Nowym Jorku.

Mężczyzna wiedział, z kim rozmawia. Zostali sobie przedstawieni przy wejściu. A Eleanor zapamiętała jego imię i nazwisko – nazywał się Alexander Allen, ale nigdy wcześniej się nie spotkali. Pochodził z drugiej najznamienitszej rodziny bankierów w mieście. Był od niej starszy i obdarzył ją teraz ojcowskim spojrzeniem. Miał trzydzieści kilka lat i wydał jej się bardzo dorosły, przyszedł na bal bez osoby towarzyszącej.

– Miałem ochotę zaprosić cię do tańca, ale otaczał cię wianuszek adoratorów, więc jestem przekonany, że twój karnecik jest już zapełniony.

Nie miał w zwyczaju uganiać się za debiutantkami, ale nie chciał wyjść na gbura, że jej nie poprosił.

– Prawdę mówiąc, zostały mi trzy tańce – przyznała niewinnie i się roześmiała.

Była taka młoda, tak uroczo dziecinna.

– W takim razie byłbym zainteresowany, choć obawiam się, że twoje stopy i pantofelki już nigdy nie będą takie same. – Miała na sobie eleganckie, białe, satynowe, wyszywane perłami i drogocennymi kryształkami trzewiki zaprojektowane dla niej przez Wortha, który był również autorem niewielkiej wieczorowej torebki haftowanej w srebrne kwiaty i inkrustowanej perłami. – Chciałbym się zapisać na wszystkie trzy, ale po pierwszym ocenisz, jak mi poszło. Jeśli pantofelki zostaną bezpowrotnie zniszczone, podziękuję ci i na dwa kolejne znajdziesz sobie innego partnera.

Roześmiała się i wyjęła różowy emaliowany *carnet de bal* z torebki. Alex nie chciał się okazać niegrzeczny wobec gospodarzy i nie zatańczyć z nią, w końcu przyjęcie zorganizowano na jej cześć.

– Zgoda – odpowiedziała radośnie i zapisała jego nazwisko na dwóch osobnych stronach.

Pierwszy taniec wypadał dużo wcześniej niż dwa ostatnie, które następowały po sobie. Jeszcze przez chwilę miło gawędzili, aż przerwał im jej następny w kolejce partner do tańca i powiódł Eleonor na parkiet. Na odchodnym pomachała Alexowi, a on uśmiechnął się do niej i sięgnął po kolejną książkę, bo uważał, że są zdecydowanie ciekawsze od tańców. Mimo to nie mógł się doczekać, kiedy nadejdzie jego kolej. W dziewczynie była jakaś świeżość i lekkość, przyjemnie im się rozmawiało. Nie była ani chorobliwie nieśmiała, co często się zdarzało dziewczętom na pierwszym balu w sezonie, ani agresywnie zaborcza, co było powszechną przywarą panien rozpaczliwie szukających męża już od pierwszych chwil w towarzystwie. Dobrze się bawiła, olśniewała elegancją i była śliczna.

Godzinę później nadeszła jego kolej na taniec z Eleanor i punktualnie stawił się w sali balowej. Duże stoły, przy których jedzono kolację, już dawno zniknęły, jedynie po bokach zostawiono kilka mniejszych stolików, przy których goście zbierali się, gawędząc i racząc się drinkami. Panował ożywiony nastrój; wszyscy świetnie się bawili. Alexander Allen przyszedł w samą porę, żeby poprosić Eleanor do pierwszego tańca. Ucieszyła się na jego widok.

– Czy dzisiejszy wieczór spełnił twoje oczekiwania? – zapytał, kiedy ruszyli w tany po zatłoczonym parkiecie.

Kiedy wziął ją w ramiona, zaskoczyła go nie tylko jej smukła talia, lecz także naturalna gracja, z jaką dawała się prowadzić.

– Och, tak – przyznała z szerokim uśmiechem. – Wszystkie moje marzenia się spełniły, co do joty, a nawet bardziej. Jestem taka podekscytowana. Nigdy wcześniej nie byłam na balu.

– Cóż, niewiele będzie takich, które będą w stanie dorównać dzisiejszemu. Twoi rodzice zadbali, żeby wieczór okazał się niezapomniany dla każdego z obecnych. Zazwyczaj nie przepadam za balami, ale naprawdę dobrze się bawię, szczególnie teraz, gdy z tobą tańczę. – Uśmiechnął się do niej, sprawiając jej tym wielką przyjemność.

Kilka koleżanek zauważyło, że tańczy ze starszym od siebie mężczyzną, i szczerze jej współczuły. Jej ojciec uniósł brwi i spojrzał na żonę, zaskoczony widokiem córki w objęciach Alexa Allena. Oboje nie spuszczali teraz wzroku z Eleanor – ona i jej partner tworzyli piękną parę. Charles zwrócił się do Louise:

– Zdziwiłem się, że go zaprosiłaś. Nie jest typem, który ugania się za pannami. Rzadko go widuję w towarzystwie, chyba że w klubie na lunchu. Poważny młodzieniec, ale o gołębim sercu. Założę się, że poczuł się zobowiązany, aby poprosić Eleanor. Dał tym dowód swoich nienagannych manier, bo pokazał, że nie przyszedł tylko i wyłącznie z powodu kolacji i trunków.

– Nie sądzę, żeby doszedł do siebie po tym, co się stało. Przez chwilę wszystkie matki o wygórowanych ambicjach zapraszały go ciągle i wszędzie. Potem przez rok albo i dwa nigdzie nie bywał. Słyszałam, że jest zatwardziałbym kawalerem, ale potrzebujemy mężczyzn w jego wieku, żeby dotrzymywali towarzystwa niezamężnym kobietom.

Na każdym przyjęciu były stare panny i młode wdowy, dla których był idealnym partnerem. Nie dało się zapraszać wyłącznie młodych chłopców i żonatych ojców rodzin.

– To było prawdziwe nieszczęście – zgodził się Charles.

Pamiętał. Oboje pamiętali. Osiem lat wcześniej Alex zaręczył się z jedną z najpiękniejszych dziewcząt w San Francisco, pochodziła z bardzo szanowanej rodziny. Połączyła ich miłość jak z bajki, byli piękni, młodzi, zakochani – nie było nikogo, kto nie wzruszyłby się ich historią. Alex służył w czasie pierwszej wojny światowej w Europie. Dwa lata po powrocie z linii frontu był szaleńczo zakochany i zaręczony. Niestety, jego narzeczona zapadła na hiszpankę i zmarła na pięć dni przed planowaną datą ślubu. Jego matkę również zabrała grypa, a dwa lata później ojciec niespodziewanie dołączył do małżonki.

Teraz, w wieku trzydziestu dwóch lat, Alex zarządzał rodzinnym bankiem. Miał zaledwie dwadzieścia sześć lat, kiedy odziedziczył majątek. Świetnie sobie radził – Charles nie miał co do tego żadnych wątpliwości.

– Założę się, że jest tak pochłonięty interesami, że nie ma czasu myśleć o małżeństwie, poza tym to nieszczęście musiało nim dogłębnie wstrząsnąć – zauważył współczująco pan domu. – Jest za stary dla Eleanor, ale dobrze zrobiłaś, zapraszając go. To dobry człowiek. Przyjaźniłem się z jego ojcem. Potworna tragedia. Zdaje się, że jego matka i narzeczona umarły zaledwie kilka dni po sobie.

Stracili wielu przyjaciół w czasie epidemii, która siała spustoszenie na całym świecie i zebrała obfitsze żniwo niż sama wojna. Dwadzieścia milionów ludzi umarło na hiszpańską grypę. Louise nie pozwalała córce wychodzić z domu przez trzy miesiące. Eleanor miała wtedy dziesięć lat, a po śmierci syna, którego zabrało zapalenie płuc, Louise i Charles byli przerażeni niebezpieczeństwem utraty kolejnego dziecka z powodu hiszpanki.

– I jak mi poszło? – zapytał Alex, patrząc na pantofelki Eleanor, kiedy taniec dobiegł końca. – Mam wrażenie, że podeptałem ci stopy przynajmniej tuzin razy – przyznał z pokorą.

– Ani razu – zaprzeczyła z dumą i uniosła skraj sukni, żeby pokazać mu eleganckie buciki, które nadal wyglądały nieskazitelnie. Zauważył, że ma drobne i wąskie stopy.

– W takim razie miałem szczęście – zauważył z szerokim uśmiechem. – Czy to znaczy, że zachowasz mnie w swoim karneciku na jeszcze dwa tańce?

Skinęła głową z uśmiechem.

– Przyjemnie się z tobą rozmawiało – stwierdziła onieśmielona, bo przecież dopiero co się poznali.

Wydała mu się tak krucha i delikatna, że aż ścisnęło go w sercu. Miał ochotę się nią zaopiekować.

– Pewnie masz mnie za stulatka – zażartował. Zabrzmiało poważniej, niż zamierzał.

W jej obecności szczerość przychodziła mu łatwo. Spłonęła rumieńcem. Wiedziała, że jest starszy, ale na pewno nie aż taki stary. Zastanowiła się, czy należał do kawalerów polujących na młode panny, przed którymi przestrzegali ją rodzice. Nie sądziła jednak, żeby został zaproszony, gdyby tak właśnie było.

– Dlaczego tak rzadko bywasz na balach? Bardzo dobrze tańczysz – stwierdziła z powagą, czym go rozbawiła.

– Dziękuję. Ty także. – Znów spoważniał. – To długa historia, nieodpowiednia na dzisiejszą okazję. Zazwyczaj unikam przyjęć i jestem zdecydowanie za stary na bale debiutantek. Ale darzę wielką przyjaźnią twojego ojca, przyszedłem ze względu na niego i cieszę się, że tak zrobiłem. Postaram się nie zrujnować twoich pantofelków w trakcie dwóch pozostałych tańców. Rozmowa z tobą sprawiła mi ogromną przyjemność – dodał, a ona odpowiedziała mu uśmiechem.

– Chłopcy w moim wieku szybko zaczynają przynudzać, zresztą większość jest już pijana. To raczej oni zniszczą mi buty!

Oboje się roześmiali, a chwilę później podszedł do niej młodzieniec, który poprosił ją do tańca, bo nadeszła jego kolej. Alex patrzył na nią z uśmiechem, myśląc o tym, że Eleanor dosłownie przetańczy całą noc.

Minęło pół godziny, kiedy znów mógł z nią zatańczyć. Był już zmęczony, tymczasem ona z gracją i entuzjazmem dawała się prowadzić. Kiedy muzyka ucichła, podano znowu ciepłe dania, więc ruszyli w stronę stołów, żeby się posilić. Zajęli miejsca obok siebie. Gości powoli ubywało, wychodzili przede wszystkim starsi. Gospodarze stali przy wyjściu z sali balowej i żegnali się z każdym wychodzącym. Tymczasem przy stole ich córki zasiadły jej koleżanki ze szkoły i dzieciństwa. Początkowo myślały, że Alex jest czyimś ojcem, choć miał tylko trzydzieści dwa lata. Wkrótce odkryły, że jest prawdziwą duszą towarzystwa, droczył się z nimi i rozśmieszał je opowieściami o balach debiutantek, na których coś poszło nie tak. Opowiadał, jak jedna z panien przesadziła z alkoholem i przepadła jak kamień w wodę. W końcu znaleziono ją pod stołem, pogrążoną w głębokim śnie. Anegdota rozbawiła przyjaciółki Eleanor do łez, zachwyciły się zwłaszcza tym, jak została przedstawiona. Po posiłku Alex poprosił ją do tańca. Teraz był dla niej niczym dobry znajomy.

– Dziękuję, że byłeś miły dla moich koleżanek, że nie potraktowałeś ich jak głupich gąsek. – Zauważyła, że rozmawiał z nimi bardzo serdecznie i z szacunkiem, jak z dorosłymi.

– Sam czasem bywam głuptasem – przyznał z uśmiechem. – Nawet jeśli wydałem im się poważnym staruszkiem. Pamiętam, jak irytowało mnie, gdy byłem w ich wieku, a starsi traktowali mnie, jakbym był niespełna rozumu. Kiedy wysłano mnie na front, miałem tylko kilka lat więcej niż wy. Na wojnie człowiek szybko dorasta – dodał cicho.

– Mój ojciec zgłosił się na ochotnika. Miał czterdzieści jeden lat, kiedy Stany Zjednoczone zaangażowały się w konflikt. Matka nie chciała, żeby jechał, zresztą był za stary, żeby walczyć. Przydzielono mu pracę za biurkiem i nigdy nie wysłano do Europy. Był tym rozczarowany.

– To była paskudna wojna. Rok spędziłem we Francji. Byłem oficerem piechoty. To było potworne. Wyjechałem jako chłopiec, wróciłem jako mężczyzna – powiedział z nieobecnym spojrzeniem, oddając się wspomnieniom. Potem muzyka ucichła. – Czas spędzony z tobą, panno Deveraux, był prawdziwą przyjemnością – dodał z uśmiechem. – Mam nadzieję, że będziesz się wspaniale bawić przez cały swój pierwszy sezon. – Skłonił się, a ona się roześmiała.

– Jestem o tym przekonana i mam nadzieję, że jeszcze się spotkamy – przyznała, ale nic jej nie odpowiedział, choć życzył sobie tego samego.

Pożegnał się z nią, a Eleanor wróciła do przyjaciółek. Podziękował jej rodzicom za wspaniały wieczór i wrócił do siebie, zaskoczony, że tak wspaniale się bawił. Od lat nie czuł się równie dobrze. Nie pamiętał, kiedy ostatnio był na balu debiutantek.

Po wyjściu Alexa przyjęcie nadal trwało. Eleanor tańczyła, aż w końcu niemal nie czuła stóp. Kiedy o szóstej rano podano śniadanie, została jeszcze spora grupa gości. Młodzieńcom, którzy nie wylewali za kołnierz, dobrze zrobił porządny posiłek. Wreszcie około siódmej bal się skończył. Orkiestra przestała grać, służący wciąż na swoich stanowiskach wyglądali na wyczerpanych. Państwo Deveraux położyli się około drugiej, z radością oddawszy pałeczkę młodym. Nie było żadnych problemów ani nie doszło do żadnych przykrych incydentów. Wszyscy się zachowywali jak należy. Może z wyjątkiem kilku starszych panów, którzy wypili za dużo, ale szczęśliwie wcześnie wyszli.

Kiedy po pożegnaniu ostatniego z gości Eleanor wreszcie weszła na górę po wielkich schodach, w sypialni czekała na nią Wilson, żeby pomóc jej się rozebrać. Pokojówka drzemała w fotelu, ale obudziła się, kiedy tylko dziewczyna przestąpiła próg.

– Jak było? – zapytała, wyraźnie zaciekawiona i uradowana widokiem Eleanor. – Czy przetańczyła panienka całą noc?

– Tak, calusieńką – odpowiedziała sennie dziewczyna i wyciągnęła ręce, żeby Wilson pomogła jej zdjąć sukienkę. Pokojówka najpierw odpięła stroik z jej włosów. – Było idealnie – dodała rozpromieniona Eleanor i z oczami pełnymi zachwytu rozpamiętywała magiczny wieczór. – To była najpiękniejsza noc mojego życia – przyznała, pocałowała służącą w policzek i wsunęła się pod kołdrę.

Wilson nie zdążyła jeszcze wyłączyć światła ani odwiesić sukienki, kiedy Eleanor już głęboko zasnęła. Wieczór okazał się dla niej nie tylko udanym przyjęciem, lecz prawdziwym rytuałem przejścia. Oznaczał początek nowego życia w roli dorosłej kobiety. Pokojówka uśmiechnęła się na myśl o tym i bezszelestnie zamknęła drzwi. Była pewna, że taka śliczna dziewczyna szybko wyjdzie za mąż. No bo jaki był cel tego wszystkiego? Bale debiutantek były dla panien z dobrych domów okazją do poznania przyszłych małżonków. I mimo że kończył się rok 1928, nic się w tej materii nie zmieniło.

Rozdział 2

Następnego dnia w pracy Alex Allen złapał się na tym, że myśli o Eleanor Deveraux. Kilka dni później wciąż nie mógł o niej zapomnieć. Wspomnienie wspólnych chwil towarzyszyło mu w czasie świąt Bożego Narodzenia, które spędził ze swoimi młodszymi braćmi Phillipem i Harrym w ogromnym rodzinnym domu należącym teraz, na mocy spadku po rodzicach, do niego, jako że był najstarszy. Posiadłość wraz z bankiem i innymi zobowiązaniami przypadła w całości pierworodnemu. Jego bracia nie pracowali w rodzinnej firmie. Majątek, który odziedziczyli, wystarczał im na próżniacze życie w zbytku, a żaden z nich nie przejawiał większych ambicji. Jeden był osiem, drugi dziesięć lat młodszy od Alexa, który wciąż widział w nich nieopierzonych młodziaków.

W ich wieku wyjechał na front i prawie się ożenił, ale jako najstarszy z rodzeństwa musiał dorosnąć szybciej, rodzice wymagali też od niego więcej. Bracia byli jeszcze dziećmi, kiedy zostali sierotami, więc Alex się nimi zaopiekował.

Teraz Phillip albo grał w polo, albo kupował konie. Harry natomiast uganiał się za kobietami o wątpliwej reputacji i za dużo pił. Bracia mieszkali w domu, który kupił im brat. Znajdował się zaledwie kilka przecznic od rodzinnej posiadłości, o którą dbała liczna służba zatrudniona jeszcze przez jego rodziców, choć Alex nigdy nie przyjmował gości i większa część rezydencji stała nieużywana. Całymi dniami przesiadywał w banku albo podróżował w interesach. Młodsi bracia woleli wieść życie z dala od jego kontroli.

Sylwestra spędził z przyjaciółmi i znów myślał o Eleanor, aż się w duchu zbeształ, że robi się niepoważny. Była zaledwie dzieckiem, które dopiero co opuściło szkolną ławę, a mimo to emanowały z niej powaga i dojrzałość. Zaskoczyło go, że tak przyjemnie im się gawędziło na jej balu. Była nie tylko piękna, ale także bystra i zajmująca. Wbrew własnemu rozsądkowi i pomimo jej młodego wieku dwa tygodnie po ich spotkaniu napisał do niej i zaprosił ją na kolację. Uprzejmie się zgodziła. Umówili się w Fairmont i wybornie się razem bawili. Potem jej rodzice zrewanżowali się zaproszeniem na wieczór w ich domu i nie mieli też nic przeciwko temu, by zabrał ją na przyjęcie wydawane przez wspólnych znajomych. Wyrazili zgodę na kolejne spotkanie w restauracji, a potem wypytywali córkę o łączącą ich relację. Eleanor twierdziła, że są tylko przyjaciółmi.

Małżonkowie przedyskutowali sprawę na osobności. Charles doszedł do wniosku, że nie powinni się mieszać. Alex Allen był przyzwoitym człowiekiem, pochodził z szacownej rodziny, był zamożny i cieszył się nieposzlakowaną opinią. Wyglądało na to, że ma wobec Eleanor poważne zamiary. Był zdecydowanie starszy od niej. Państwo Deveraux założyli, że ich córka zakocha się w rówieśniku, lecz im więcej myśleli o obecnej sytuacji, tym bardziej im odpowiadała. Podobne odczucia miała Eleanor, która bardzo polubiła Alexa, jednak była przekonana, że interesuje go tylko przyjaźń, co zupełnie jej nie przeszkadzało. Świetnie się z nim bawiła i ceniła ich wspólne rozmowy.

Spotykali się od miesiąca, kiedy Alex wyznał, że ją kocha, i pierwszy raz ją pocałował. Była równie zaskoczona, co uradowana, i nieśmiało przyznała, że odwzajemnia jego uczucia, choć wcześniej nawet sobie tego nie uświadamiała, ani nawet nie dopuszczała takiej możliwości. Dwa tygodnie później umówił się z jej ojcem, żeby zapewnić go o swoich uczciwych zamiarach wobec jego córki.

– Nigdy nie sądziłem, że się ożenię po… cóż, sam wiesz… po śmierci Amelii. Eleanor jest wyjątkowa. Szczera i bezpretensjonalna, twardo stąpa po ziemi. Sama jej obecność mnie uszczęśliwia.

Charles i Alex wiedzieli, że pod względem finansowym dobrali się idealnie, w całym San Francisco nie było lepszego kandydata do ręki Eleanor. Ich małżeństwo oznaczało połączenie dwóch wyśmienitych rodów i fuzję banków; mieli podobne korzenie, wychowali się w identycznym środowisku, ich pozycja towarzyska w mieście była równorzędna. Państwo Deveraux nie mogli sobie wymarzyć lepszego zięcia, poza tym Alex był prawym człowiekiem o mocnym kręgosłupie moralnym, po uszy zakochanym w ich córce. Charles nie potrafił sobie wyobrazić lepszego męża dla ukochanej jedynaczki. Nie pragnął, żeby Eleanor zbyt szybko wyszła za mąż, bo nie chciał jej stracić, ale nie mógł też stawać na drodze jej szczęściu, bo widział, że szczerze się kochają, a Alex otacza ją troskliwą opieką. Nie był naiwnym dwudziestokilkulatkiem, który jeszcze musi zmężnieć. Alex Allen był dojrzałym mężczyzną, przy tym bardzo honorowym, dlatego Charles ze łzami w oczach udzielił mu błogosławieństwa, które potwierdził mocnym uściskiem dłoni, i natychmiast przekazał dobrą nowinę żonie. Louise się rozpłakała, bo podobnie jak mąż nie chciała stracić córki, ale cieszyła się jej szczęściem.

Alex nie próżnował – oświadczył się Eleanor tego samego wieczoru. Przed wyjściem na umówioną kolację uklęknął przed nią i wyjął pierścionek zaręczynowy matki. Na drobnej dłoni jego wybranki klejnot wydawał się ogromny, oszałamiał u tak młodej dziewczyny. Eleanor zaniemówiła ze zdumienia, gdy usłyszała, że prosi ją o rękę. Nie wiedziała, że wcześniej rozmówił się z jej ojcem. Sądziła, że będą się jeszcze spotykać niezobowiązująco przez jakiś czas i zakochani w sobie snuć plany na przyszłość. Nie miała pojęcia, że wymarzona przyszłość, która wydawała się taka odległa, tak szybko okaże się teraźniejszością, ale spojrzała na niego szeroko otwartymi oczami pełnymi miłości i powiedziała „tak". Wtedy ją pocałował. Poszli do jej rodziców, żeby przekazać im dobrą nowinę. Uczcili okazję szampanem; po dwóch kieliszkach Eleanor lekko kręciło się w głowie, gdy u boku narzeczonego wyszła na umówioną kolację. Tyle było spraw do omówienia, planów do ułożenia.

Była pierwszą z debiutantek sezonu, która przyjęła oświadczyny. Wiadomość o zaręczynach pojawiła się na stronach towarzyskich gazet w najbliższy weekend. Strumienie listów i telegramów z gratulacjami zaczęły napływać niemal natychmiast. Każdy był zadowolony, wszyscy się cieszyli zwłaszcza ze względu na Alexa, który bardzo długo nosił żałobę po narzeczonej. Parę reprezentującą dwie szacowne rodziny bankierów miał połączyć święty węzeł małżeński. Nie można było sobie wyobrazić bardziej odpowiedniego scenariusza.

Ustalono datę ślubu na początek października, żeby zapewnić matce panny młodej wystarczająco dużo czasu na zaplanowanie wszystkich szczegółów. Louise założyła, że na przyjęcie weselne zaproszą około ośmiuset osób. Postanowiła, że urządzą je w domu, ale ze względu na dużą liczbę gości konieczne było ustawienie namiotu w ogrodzie, który miał się rozciągać praktycznie na całym wierzchołku Nob Hill.

W marcu Louise powiedziała córce, że w kwietniu popłyną do Paryża, żeby zamówić suknię ślubną. Jeszcze nie zdecydowała, którego z projektantów wybierze tym razem, ale podczas lektury modowych czasopism często się nad tym zastanawiała. Eleanor była zdumiona tempem, jakiego nabrały sprawy. Zaledwie trzy miesiące wcześniej czekała na swój pierwszy bal, a za siedem będzie już mężatką. Najbardziej cieszyło ją to, że jej mężem zostanie Alex. Nie mogła się doczekać ślubu. Nie chciała wręcz jechać do Paryża, bo wiązało się to z koniecznością rozstania z ukochanym. Narzeczony namawiał ją jednak na podróż.

– Spędzisz cudowne chwile z matką i dzięki temu czas ci szybciej minie.

W czerwcu rodzina Deveraux wyjeżdżała do letniej rezydencji nad jeziorem Tahoe na całe wakacje. Charles powiedział Alexowi, że może ich odwiedzać tak często, jak będzie miał ochotę, i zostawać na tak długo, jak będzie mógł. Dopiero we wrześniu mieli wrócić do miasta, żeby nadzorować ostatnie przygotowania do ślubu.

Do swojej tysiącakrowej posiadłości nad jeziorem udawali się co roku, a na miejsce docierali prywatnym pociągiem. Dziadek Charlesa kupił nieruchomość za bezcen. Posiadłość była zachwycająca: ogromna willa, kilka domków dla gości oraz budynki dla służby. Zabierali ze sobą sporą część personelu, która wspomagała służących zatrudnionych na miejscu przez cały rok, na przykład łódkarzy opiekujących się flotyllą motorówek. Charles był zachwycony perspektywą zyskania syna, z którym będzie mógł polować, wędkować i oddawać się innym męskim zajęciom.

Wizja nadchodzących miesięcy wszystkim wydawała się niezwykle obiecująca. Wreszcie Eleanor ustąpiła i zgodziła się, choć z oporami, pojechać do Paryża z matką, żeby zamówić suknię ślubną. Z żalem myślała o czekającym ją rozstaniu z narzeczonym. Nie będzie jej co najmniej sześć tygodni: dwa tygodnie spędzą w podróży tam i z powrotem, najpierw pociągiem, potem statkiem, i miesiąc w stolicy Francji zajmą przygotowanie projektu, szycie i przymiarki. Charles zarezerwował bilety na podróż SS Paris pod koniec kwietnia. Kiedy nadszedł moment wyjazdu, Eleanor ogarnął smutek z powodu nieuchronnego pożegnania z ukochanym.

– Szybko wrócisz – pocieszał ją, wzruszony, że narzeczona nie chce się z nim rozstać. – Nigdy tutaj nie znajdziesz odpowiedniej dla siebie sukienki, a Paryż o tej porze roku jest zachwycający.

– Wolałabym zostać z tobą – dąsała się na wieczór przed podróżą do Nowego Jorku, gdzie miały z matką wejść na pokład transatlantyku. – Poza tym, co będzie, jeśli statek zatonie?

– To nie jest Titanic, tylko Paris – zauważył i mocno ją objął. Miał wrażenie, że każdego dnia kocha ją coraz bardziej. Była urocza, mądra i zaskakująco dojrzała jak na swój wiek i, co ważne, dobrze się rozumieli. Nie potrafił sobie wyobrazić lepszej żony. – Poza tym Paris nie tonie, co najwyżej osiada na mieliźnie – droczył się.

Miesiąc wcześniej doszło do dwóch żenujących incydentów z udziałem statku. W nowojorskim porcie SS Paris wpłynął na mieliznę, gdzie utknął na trzydzieści sześć godzin. Jedenaście dni później do identycznego wypadku doszło w Kornwalii, gdzie statek dwie godziny czekał na pomoc. Niezbyt to uspokajało pasażerów, lecz poza tym była to fantastyczna, luksusowa jednostka, którą matka z córką podróżowały rok wcześniej, gdy udawały się do Paryża po suknię na pierwszy bal Eleanor. Tym razem ich misja była o wiele ważniejsza. Louise chciała zamówić najbardziej zachwycającą suknię, jaką uda im się znaleźć, nie zważając na koszty, a Charles w pełni zgadzał się z żoną. Planowali wyprawić dla córki ślub stulecia. Alex był wzruszony ich zaangażowaniem. Wszystko było jeszcze wspanialsze niż w trakcie jego pierwszego narzeczeństwa.

Alex i Charles odprowadzili je na pociąg do Chicago, gdzie miały przesiadkę do Nowego Jorku. Towarzyszyła im Wilson. Louise zgodziła się, żeby podczas ich pobytu w Paryżu pokojówka wzięła kilka dni wolnego i odwiedziła rodzinę w Irlandii, jak to zrobiła rok wcześniej.

Humor Eleanor nieco się poprawił, kiedy pociąg ruszył. Miała zadanie do wykonania, a Alex zobowiązał się do niej często pisać w trakcie jej nieobecności. Postrzegała wyprawę do Paryża w kategoriach bardziej kary niż przyjemności, bo zmuszała ją do rozstania z narzeczonym. Wyraźnie jednak rozchmurzyła się po przyjeździe do Nowego Jorku, gdzie wpadły z wizytą do kuzynów matki. Po wejściu na pokład statku na dobre oddała się ekscytacji związanej z podróżą i wreszcie zaczęła z uwagą przeglądać wycinki z modowych czasopism, które matka zabrała ze sobą.

Tym razem brały pod uwagę kilka domów mody. Według Louise, Jean-Charles Worth w swoich projektach z ostatnich miesięcy pokazał zbyt ekstremalne i zbyt nowoczesne oblicze, zresztą skoncentrował się na ubraniach sportowych, doszła więc do wniosku, że nie będzie odpowiednim projektantem sukni ślubnej jej córki. Istniało duże prawdopodobieństwo, że jej wybór padnie na Paula Poiret, który był ważną figurą paryskiej sceny modowej. Brała pod uwagę także domy mody Doucet i Paquin. Elsa Schiaparelli była wschodzącą gwiazdą świata *haute couture*, ale z czasopism, które Louise zabrała ze sobą w podróż, wynikało, że projektantka jest głównie zainteresowana wyznaczaniem nowych trendów: dzianina, tweed, stroje narciarskie, kostiumy kąpielowe i szykowne swetry *trompe l'oeil*, które były na topie. Louise uznała, że suknia ślubna jej pomysłu nie będzie dostatecznie tradycyjna. Marzyła o spotkaniu z Jeanne Lanvin, ważną osobistością paryskiej sceny modowej, która zaprojektowała wiele eleganckich kreacji dla swojej córki, hrabiny de Polignac. Louise widziała je w „Vogue'u" i miała przeczucie, że Jeanne Lanvin byłaby strzałem w dziesiątkę, jeśli chodzi o ślubną suknię dla Eleanor. Postanowiły się z nią umówić w nowym sklepie projektantki na Faubourg Saint-Honoré. Czekało je mnóstwo pracy po dotarciu na miejsce. Kiedy statek zrzucił kotwicę w Hawrze, Eleanor była już w pełni rozchmurzona i gotowa, żeby ramię w ramię z matką wyruszyć na poszukiwanie najpiękniejszej sukni ślubnej, jaka kiedykolwiek istniała.

Zatrzymały się w Ritzu, podobnie jak rok wcześniej. Po jednodniowym odpoczynku, podczas którego spacerowały po Paryżu, ciesząc się wiosenną pogodą, rozpoczęły swoją misję. Przed wyjściem z hotelu Eleanor dostała telegram od Alexa:

> Odliczam dni do Twojego powrotu i z każdym kocham Cię coraz mocniej. Baw się dobrze! Uwielbiam cię!
>
> Alex

Z uśmiechem ruszyła w miasto, wcześniej zleciwszy konsjerżowi przesłanie odpowiedzi. Razem z matką zaczęły pielgrzymkę po paryskich domach mody.

Zaczęły u Paula Poiret na rue Auber, gdzie przejrzały album z jego ostatnimi ślubnymi projektami. Szkice były piękne, lecz żaden nie zachwycił Eleanor, co było rozczarowujące.

Stamtąd udały się do Elsy Schiaparelli, ponieważ Eleanor bardzo chciała zobaczyć słynne swetry *trompe l'oeil*. Były znakiem rozpoznawczym projektantki i ostatnim krzykiem mody. Kupiły cztery w różne wzory: przebite serce, marynarski tatuaż, szkielet i czarny pulower z wyzywająco różową kokardą – to była ulubiona kombinacja kolorystyczna Schiaparelli. Eleanor bardzo się podobały, cieszyły się zresztą wielką popularnością wśród modnej klienteli Paryża. Niestety, była zawiedziona projektami sukien ślubnych, które im pokazano. Miały zbyt wiele suwaków i innych nowoczesnych dodatków, które dziewczyna lubiła na co dzień, ale w przypadku ślubnej kreacji niezbyt do niej przemawiały.

Poszły na lunch do Crillon, a następnie miały umówione spotkanie z Jeanne Lanvin w nowym butiku na Faubourg Saint-Honoré. Dom mody został założony czterdzieści lat wcześniej, ale sklep był nowo otwarty. Zaraz po przekroczeniu progu matka z córką poczuły, że trafiły we właściwe miejsce. Projekty Lanvin nie były ani zbyt nowoczesne, ani krzykliwe, ani pretensjonalne, mimo to stanowiły esencję *haute couture*. Nie wspominając o doskonałym wykonaniu – każdy ścieg był wykonany ręcznie – kreacje łączyły świeżość i elegancję, były synonimem zbytku, jednak wolnego od nadęcia i ostentacji. Niesamowicie szykowne i wysmakowane były godne koronowanej głowy. Eleanor widziała się w sukience zaprojektowanej przez Madame Lanvin. Wiedziała, że kreacja będzie wyjątkowa i idealna na najważniejszy dzień jej życia.

Najpierw rozmawiały z dyrektorką domu mody. Projektantka dołączyła do nich już w trakcie spotkania. Przez chwilę gawędziła z Eleanor, żeby ją poznać, uważnie słuchała, jak dziewczyna wyobraża sobie siebie w dniu ślubu, o czym marzy, jaką panną młodą chce być. Potem, dodając kilka sugestii od siebie, wykonała szybki szkic własnej interpretacji opisu dziewczyny, z małymi wariacjami odautorskimi. Oniemiała Eleanor patrzyła na gotowy rysunek. Dokładnie takiej sukni pragnęła, choć wcześniej nawet nie zdawała sobie z tego sprawy. Odniosła wrażenie, że Madame Lanvin czyta w jej myślach.

– Tak właśnie sobie to wyobrażałam – przyznała szeptem, zachwycona talentem projektantki.

– Tak... Cieszę się... Czy chcemy satynę? – mruczała pod nosem artystka. – Nie... lepsze będą koronki, haft wyszywany drobnymi perełkami... Tak... Tak... Ach... *Voilà*... *Comme ça*... *Non*... Myślę, że ściśniemy talię. – Rzuciła okiem na smukłą kibić Eleanor i skinęła głową. – I to zdecydowanie. Spódnicę poszerzymy. Dla kontrastu. – Znów podniosła wzrok na klientki. – Darujemy sobie *chemise*. Teraz wszyscy rezygnują. Poiret, Worth... Bez wyjątku. Sama tak robię, ale nie w przypadku sukien ślubnych. Spódnica będzie szeroka, choć bez przesady, i bardzo, bardzo długi tren jak dla królowej.

Podobną suknię zaprojektowałam dla córki, gdy została hrabiną... Do tego welon z woalką zakrywającą twarz i sięgającą aż dotąd – wskazała na opuszki palców dłoni Eleanor – z tyłu dłużej, z brzegami zdobionymi koronką.

Ołówek tylko furkotał nad kartką, na której wyczarowała szkic królewskiej sukni panny młodej. Dostojnej, a jednocześnie lekkiej i delikatnej, z długimi rękawami, zabudowanym dekoltem i spódnicą o dzwonowym kroju, która będzie się kołysać, gdy Eleanor pójdzie kościelną nawą, oraz talią tak wąską, że można będzie ją objąć dłońmi. Całość będzie z koronki wyszywanej maleńkimi perełkami. Zarówno Eleanor, jak i jej matka z łatwością mogły sobie wyobrazić skończone dzieło. Madame Lavin oparła się wygodnie i uśmiechnęła do nich.

– W ciągu dwóch dni prześlę gotowe szkice do hotelu, wtedy spotkamy się, żeby szczegółowo omówić ewentualne poprawki. Potem weźmiemy z pani miarę i zabierzemy się do pracy. Trzy przymiarki, co tydzień. Suknia będzie naszym priorytetem, dołożymy starań, żeby była gotowa za miesiąc z okładem. Hafciarki zaczną prace nad koronkami, kiedy tylko projekt zostanie zatwierdzony. Pierwsza przymiarka będzie z muślinu, bo najpierw musimy się upewnić, że wymiary są właściwe. – Mówiła bardziej do siebie niż do nich, równocześnie dyktowała po francusku instrukcje asystentce. – Mam idealną koronkę, trzymałam ją na wyjątkową okazję.

Uśmiechnęła się i wstała, po czym wymieniły uścisk dłoni. Eleanor i Louise wyszły z butiku, w którym spędziły dwie godziny, z poczuciem, że znalazły Świętego Graala, i to tak szybko. Spotkanie z Jeanne Lanvin było bardziej niż udane. Obie w milczeniu wsiadły do wynajętego samochodu, który zabrał je z powrotem do Ritza. Dopiero po pięciu minutach Eleanor odezwała się do matki:

– To było fantastyczne. Wyraźnie widzę tę suknię, mamo.

– Będziesz najpiękniejszą panną młodą na świecie – powiedziała Louise ze łzami wzruszenia w oczach i pochyliła się, żeby pocałować córkę.

– Czy będzie kosztować fortunę? – zapytała dziewczyna z nagłym poczuciem winy z powodu tych wszystkich haftów, nad którymi rozwodziła się Madame Lanvin, pereł, koronek na specjalną okazję i „bardzo, bardzo długiego trenu".

– Pewnie tak – przyznała Louise z uśmiechem. – Twój ojciec byłby zawiedziony, gdyby było inaczej. Chce, żebyś miała najlepszą suknię ślubną pod słońcem. Wydaje mi się, że właśnie ją znalazłyśmy. Reszta jest w rękach Madame Lanvin.

Wciąż oszołomiona Eleanor skinęła głową.

Wieczorem zamówiły kolację do pokoju i wcześnie się położyły. Eleanor dostała kolejny telegram od Alexa, w którym zapewniał ją o swojej miłości i wielkiej tęsknocie. Szybko usnęła, śniąc o ślubnych kreacjach i niesamowicie utalentowanej Madame Lanvin.

Następnego dnia wybrały się do Luwru, spacerowały po ogrodach Tuileries. Poszły do księgarni Sylvii Beach i Librairie

Galignani na rue de Rivoli, gdzie kupiły kilka pierwszych wydań w prezencie dla Charlesa. Po książkowym wypadzie usiadły w eleganckich wnętrzach herbaciarni Angelina i zamówiły po filiżance gorącej czekolady oraz legendarnym ciastku Mont-Blanc z kremem z jadalnych kasztanów, bezą i bitą śmietaną.

Dwa dni po spotkaniu do hotelu dostarczono obiecane szkice. Rysunki były piękne, a suknia ślubna wspaniała. Każdy szczegół, o którym rozmawiały, został uwzględniony na papierze. Eleanor chciała je oprawić w ramkę. Były spełnieniem jej marzeń. Wyobrażała sobie siebie w kreacji, widziała zachwyt Alexa, gdy ją zobaczy w dniu ślubu.

Zadzwoniły do butiku i umówiły się na spotkanie następnego dnia rano. Przyjechały na Faubourg Saint-Honoré na dziesiątą i praca zaczęła się na dobre. Jedna z głównych krawcowych ciesząca się świetną renomą w pracowni Madame Lanvin pokazała im koronkę, jakby to był drogocenny klejnot. Był to najpiękniejszy filigranowy ażur, jaki Louise widziała. Następnie dokładnie wymierzono każdy kawałek ciała Eleanor: obwód nadgarstków, talii, odległość między obojczykami, między szyją a talią, od ramienia do łokcia, wysokość biustu, długość przodu i tyłu, bioder, klatki piersiowej powyżej biustu i poniżej, wreszcie od szyi do podłogi, z przodu i z tyłu. Branie miary było czasochłonne, lecz kluczowe dla przygotowania wykrojów, najpierw z muślinu, a później, znacznie później, z koronki. Podczas pracy nad koronką nie można było popełnić żadnego błędu, stąd pierwsza przymiarka będzie w muślinie, aż zdobędą stuprocentową pewność, że wszystko się zgadza. Nie było miejsca na żaden, nawet najmniejszy margines błędu ani teraz, ani później. Piękno *haute couture* zasadzało się właśnie na doskonałości efektu. Jego nieskazitelności.

Potem miały tydzień na zwiedzanie. Poszły do Orangerie i Jeu de Paume. Kolejnego dnia wybrały się do Wersalu. Widziały go już wcześniej, ale i tak ponownie je zachwycił. Zwiedziły pokoje Marii Antoniny.

Tydzień szybko minął, codziennie napływały telegramy od Alexa, który zapewniał o swej miłości i cieszył się na życie u boku Eleanor. Pytał o suknię, ale zbywała to milczeniem. Chciała mu sprawić niespodziankę.

W drugim tygodniu spotkały znajomych z San Francisco, którzy zatrzymali się w Crillon w drodze na południe Francji. Zjadły z nimi lunch w La Tour d'Argent, co było miłą odskocznią, która uprzyjemniła im czas między przymiarkami. Eleanor chodziła na długie spacery, a jej matka godzinami planowała przyjęcie weselne.

Wesele na osiemset osób było sporym przedsięwzięciem i przypominał opracowywanie strategii wojennej, choć ze szczęśliwym zakończeniem. Miało zachwycić całe San Francisco. Przyjadą krewni z Nowego Jorku i Bostonu. Louise poprosiła córkę o przygotowanie listy przyjaciół, których chciała zaprosić, z identyczną prośbą zwróciła się do Alexa. Większość gości, zgodnie z tradycją, stanowili znajomi Louise i Charlesa.

*

Pierwsza przymiarka w muślinie była ekscytująca. Poprawki robiły dwie najlepsze krawcowe pracowni, sporządziły też obszerne notatki. Obecne były dyrektorka domu mody i sama Madame Lanvin. Projektantka na dzień dobry zmarszczyła brwi przygotowana na wyłapanie każdego drobiazgu, z którego nie byłaby zadowolona. Na powitanie przytuliła Eleanor i uścisnęła dłoń jej matki, a potem ubrano dziewczynę w muślinową suknię. Wyglądała na skończoną kreację, została wykonana z najlepszego gatunku bawełny. Leżała jak ulał, może tylko lekko się gdzieniegdzie marszczyła, co nie uszło uwadze Madame Lanvin, ale krawcowe natychmiast skorygowały materiał szpilkami. Projektantka z obiema pracownicami bacznie przyglądały się każdemu centymetrowi materiału w poszukiwaniu ukrytych wad, które wyszłyby na światło dzienne później, gdyby nie zostały dostrzeżone i poprawione na tym etapie. Zajęło im to godzinę. Potem Eleanor wybrała buty. Zdecydowała się na pantofle, które idealnie pasowały do stylu kreacji i były na obcasie akurat idealnym do jej wzrostu. Następnie ponownie zdjęto z niej miarę, tym razem pod kątem bielizny, którą miała włożyć pod sukienkę. Niczego nie pozostawiano przypadkowi. Suknia, w której pójdzie do ślubu, będzie kwintesencją *haute couture*.

W kolejnym tygodniu wybrały się na kilka wycieczek za miasto, żeby zwiedzić zamki w pobliżu Paryża: Château de Cheverny, gdzie zachwyciły się rabatami tulipanów, i Château de Villandry z urzekającymi ogrodami w stylu renesansowym. Na następnej przymiarce muślinowa sukienka pasowała już idealnie. Madame Lanvin chciała wprowadzić jedynie kilka drobnych zmian. Uznała, że talia jest o centymetr za wysoko, i zamierzała ją obniżyć. Poza tym była zadowolona i szybko się z nimi pożegnała.

Podczas trzeciej przymiarki do sukienki przyfastrygowano pasy koronki. Dla Eleanor kreacja wyglądała na skończoną, lecz nie dla Madame Lanvin, dla której był to tylko kolejny etap w drodze do celu. Przymiarki w muślinie się opłaciły. Suknia leżała na Eleanor idealnie, bez ani jednej zmarszczki, bez żadnych niedociągnięć. Nie było potrzeby wprowadzania dodatkowych poprawek, teraz został im tylko tydzień oczekiwania, niemal jak na narodziny dziecka. Dziewczyna nie mogła opanować podekscytowania, jej matka była równie przejęta.

W czasie ostatniej przymiarki zrozumiały, że warto było tak długo czekać. Eleanor wyglądała zjawiskowo w przecudownej sukni ślubnej. Kreacja była bajeczna, haft – nieskazitelny. Wszystkie maleńkie perełki zostały naszyte idealnie tam, gdzie być powinny. Wzdłuż pleców biegł rząd chyba stu drobnych guziczków. Bielizna była niczym druga skóra, a kiedy na głowę Eleanor nałożono welon, obie z matką nie potrafiły powstrzymać łez wzruszenia. Dziewczyna nigdy wcześniej nie czuła się równie urzekająca ani nie wyglądała równie zachwycająco. Jej suknia ślubna przyćmiewała wszystkie inne. Madame Lanvin uśmiechnęła się na jej widok.

– Tak... tak... cudownie. Koronka okazała się idealna. – Potem popatrzyła z powagą na Eleanor. – Jesteś piękną panną młodą i piękną kobietą. W dniu swojego ślubu będziesz wspaniale wyglądać.

– Dzięki pani – zdołała jedynie wyszeptać Eleanor.

Stała, patrząc w lustro, i trudno jej było uwierzyć, że widzi siebie. Nie mogła się doczekać, aż Alex ją zobaczy w ślubnej kreacji.

– Zapakujemy ją w specjalnie wykonane w tym celu pudło. Zostanie dostarczona do hotelu przed waszym odjazdem – obiecała Madame Lanvin.

Pocałowała Eleanor w oba policzki, życzyła jej udanego ślubu i zniknęła niczym dobra wróżka, która wyczarowała cudowną suknię. Louise dopełniła formalności, Charles już opłacił zamówienie za pośrednictwem banku korespondenckiego w Paryżu. Kilka minut później obie wyszły na zewnątrz. Eleanor miała wrażenie, że unosi się w powietrzu.

– Mamo, czy kiedykolwiek zdołam ci się odwdzięczyć za tę suknię? Jest tak piękna, że wręcz boję się jej dotknąć.

– Będziesz jej dotykać i ją nosić, i będziesz najpiękniejszą panną młodą, jaka chodziła po ziemi. A potem czeka cię z Alexem bardzo szczęśliwe życie.

Posłała córce promienny uśmiech i ruszyły ulicą, trzymając się za ręce. Wypełniły zadanie. Jeanne Lanvin stworzyła najwspanialszą suknię ślubną pod słońcem.

Kiedy dostarczono pudło z domu mody do hotelu, okazało się, że jest trzy razy większe od ich walizek. Zostało zabezpieczone drewnianą skrzynią, zrobioną specjalnie dla ochrony zawartości przed zgnieceniem. Teraz mogły wreszcie wracać do Alexa i ojca Eleanor. Nie było ich już od pięciu tygodni, a po przeprawie statkiem czekała je jeszcze podróż pociągiem z Nowego Jorku do Kalifornii. Eleanor odliczała dni do października. Wierzyła, że ślub będzie najszczęśliwszym zdarzeniem w jej życiu, a ona wystąpi w najpiękniejszej sukni na świecie.

– Gotowa do powrotu? – zapytała córkę Louise, kiedy dwóch tragarzy wniosło skrzynię do ich kajuty na statku.

Eleanor uśmiechnęła się i potwierdziła skinieniem głowy. Była gotowa, czekał na nią Alex, co było najlepsze w myśli o podróży do domu.

Rozdział 3

Podróż powrotna do Nowego Jorku na pokładzie luksusowego parowca SS Paris przebiegła bez większych wydarzeń. Za każdym razem, gdy Eleanor wchodziła do swojej kajuty i patrzyła na ogromną skrzynię z domu mody Lanvin, przebiegał ją dreszcz na samą myśl o tym, co kryje się w środku. Schowana wewnątrz suknia była dla niej symbolem przyszłości u boku Alexa. Nie mogła się wręcz doczekać, kiedy ją włoży. W porównaniu z najnowszą kreacją ta od Wortha uszyta na jej debiut towarzyski wydawała się skromna. Suknia ślubna była jednocześnie królewska, niewinna i kobieca. Jeanne Lanvin była genialna, miała ogromny talent i decyzja o wybraniu jej projektu okazała się strzałem w dziesiątkę.

Eleanor opowiedziała Wilson ze szczegółami o sukni i pokojówka nie mogła się doczekać, aż ją zobaczy na własne oczy. Kobieta spędziła tydzień u rodziny w Irlandii i była wdzięczna pracodawcom za zgodę na ten kilkudniowy urlop. Na statku miała do dyspozycji własną kajutę w drugiej klasie, co należało do rzadkości w przypadku służby – większość pokojówek spędzała podróż w gorszych warunkach.

W Nowym Jorku przebywały tylko dwa dni, zatrzymały się w Sherry-Netherland, podobnie jak w drodze do Paryża. Ten elegancki hotel działał dopiero od dwóch lat. Był już koniec maja, panowała ciepła i łagodna aura. Eleanor i Louise nie mogły się doczekać powrotu do domu. Wsiadły w pociąg do Chicago – miały zarezerwowane bilety pierwszej klasy, a Wilson jechała drugą. Załadowano także skrzynię i ich bagaże. Po przesiadce w Chicago, na ostatnim odcinku podróży Eleanor prawie nie zmrużyła oka. Myślała o Aleksie i najbliższych tygodniach. Marzyła, aby przyspieszyć czas do ślubu. Pięć miesięcy oczekiwania na wielki dzień, kiedy zostanie jego żoną, wydawało jej się wiecznością. Trudno było sobie wyobrazić, jak bardzo go pokochała w ciągu kilku miesięcy, które upłynęły od czasu ich pierwszego spotkania na jej debiutanckim balu.

Kiedy pociąg wjechał na stację w San Francisco, Eleanor i Louise wyjrzały przez okno przedziału i zobaczyły Alexa i Charlesa czekających na peronie. Dziewczyna miała na sobie jeden z nowych swetrów od Schiaparelli, a także nowy czerwony kapelusz, który kupiła u utalentowanej modystki na rue du Bac na lewym brzegu Sekwany. Mężczyźni stali obok siebie i uśmiechali się szeroko, Alex trzymał ogromny bukiet czerwonych róż. Eleanor opuściła szybę i im pomachała, wtedy ją zauważyli. Charles rozpromienił się ze szczęścia na widok żony, a Alex wyglądał, jakby zaraz miał eksplodować z nadmiaru radości. Poważny, nieco posępny młodzieniec, którym był od prawie dekady, zniknął na dobre, ustępując miejsca radosnemu mężczyźnie. Eleanor pospieszyła schodami w dół, gdy tylko konduktor otworzył drzwi wagonu, i rzuciła się w ramiona narzeczonego. Upuścił róże, które upadły na peron, mocno ją przytulił i pocałował. Louise i Charles przywitali się bardziej powściągliwie, ale oboje cieszyli się, że wreszcie się widzą. Tragarze czekali, żeby zabrać walizki i skrzynię, Charles wydał odpowiednie instrukcje. Samochód stał przed dworcem, zadbano też o transport bagaży i odwiezienie Wilson do domu. Charles uśmiechnął się na widok ogromnej skrzyni z Paryża, którą wyładowano z pociągu.

– Czy to suknia? – zapytał Louise, a ona skinęła głową.

– Jeszcze nie widziałeś piękniejszej.

Oboje nie mieli żadnych wątpliwości, że suknia była warta swojej ceny. Madame Lanvin przeszła samą siebie, a Eleanor pięknie się prezentowała w arcydziele z koronki i pereł.

Wrócili do domu na Nob Hill, a matka z córką były zadowolone, że wreszcie są u siebie. Wilson zeszła na chwilę na dół, potem miała zająć się rozpakowywaniem bagaży swojej pani. W jadalni dla służby opowiedziała innym o tygodniu, który spędziła w Irlandii w odwiedzinach u krewnych. Wypiła filiżankę herbaty i zjadła kilka ciepłych ciastek, które kucharka właśnie wyjęła z pieca. Na statku cierpiała na chorobę morską, ale i tak jej zazdroszczono podróży, w które udawała się z chlebodawczynią. Kupiła sobie w Paryżu stylowy kapelusz. Wypytywano ją, czy widziała suknię, i przyznała, że jeszcze nie, że podziwiała jedynie szkice i próbkę przepięknej koronki. Potem poszła na górę, biorąc ze sobą dwie dziewczyny do pomocy przy rozpakowywaniu bagaży Louise i Eleanor. Suknia ślubna miała pozostać w specjalnym pudle, które wstawiono do pokoju gościnnego, a potem zamknięto go na klucz.

Louise i Eleanor zjadły lunch w jadalni z Alexem i Charlesem; obaj mężczyźni cieszyli się z powrotu pań. Nie było ich dość długo. Narzeczeni nie potrafili oderwać od siebie oczu i przy każdej nadarzającej się okazji trzymali się za ręce. Po posiłku Charles ucałował żonę i wrócił do biura. Alex został i razem z Eleanor poszli przespacerować się po ogrodzie. Usiedli na ławce i przez kilka minut rozmawiali o podróży poślubnej. Alex zaplanował wyprawę do Włoch i byli tym bardzo podekscytowani. Eleanor nigdy wcześniej tam nie była, jej europejskie podróże ograniczały się do Francji, gdy razem z matką kupowała najpierw suknię na pierwszy bal, a potem na ślub. To miała być jej pierwsza podróż jako żony Alexa. Przyszłość rysowała się przed nimi w jasnych barwach.

– Ogromnie za tobą tęskniłem – wyznał i objął ją ramieniem, gdy usiedli na ławce. – Czy suknia ci się podoba?

– Szalenie. Mam nadzieję, że też się nią zachwycisz.

– Mogłabyś iść do ślubu w worku i byłbym szczęśliwy, o ile na końcu zostałabyś moją żoną.

Wiedział, że ślub będzie wielkim wydarzeniem, z napomknięć Eleanor i Charlesa. Pan Deveraux z przyjemnością zostawił planowanie przyjęcia żonie – ona miała podejmować wszystkie decyzje, on zaś ograniczał się do płacenia rachunków. Planowanie wesela było zajęciem matki, a Alex cieszył się z niespodzianki, która go czekała.

Eleanor opowiedziała mu, co robiły w Paryżu z matką, jakie muzea zwiedziły, jakie zamki zobaczyły, wysłuchała też ostatnich plotek z San Francisco. Kiedy jej nie było, pisali do siebie codziennie listy i telegramy. Zachowała całą korespondencję, zamierzała wkleić ją do albumu jako pamiątkę ich miłości z czasów narzeczeństwa, aby w przyszłości pokazać dzieciom. Chcieli mieć dużą rodzinę, od czasu do czasu nieśmiało poruszali ten temat. Eleanor wyznała matce, że ma nadzieję zajść w ciążę już w trakcie miesiąca miodowego. Kochali się tak bardzo, że nie chcieli zwlekać, pragnęli jak najszybciej cieszyć się potomstwem. Louise z aprobatą odnosiła się do tego planu. Alex zapowiadał się na dobrego ojca i wiedziała, że zadba o jej córkę. Razem z Charlesem z ufnością oddawali ukochaną jedynaczkę pod jego opiekę.

– Twój ojciec poinformował mnie, że za dwa tygodnie wyjeżdżacie nad jezioro Tahoe – powiedział Alex. Jeszcze nie widział ich letniej rezydencji i nie mógł się doczekać, kiedy ich tam odwiedzi. – Był tak miły, że zaprosił mnie, żebym do was dołączył i zatrzymał się na jakiś czas. Będę mógł przyjechać na kilka tygodni w sierpniu, bo wtedy prawie wszyscy mają wolne, w biurze niewiele się dzieje, ale nawet w lipcu postaram się przyjeżdżać choć na krótko.

– Podobnie jak papa – przyznała – też cały sierpień spędza z nami nad jeziorem.

Zapraszali do siebie przyjaciół, a w weekendy często urządzali wystawne przyjęcia. Znajomi uwielbiali ich odwiedzać, korzystać ze zdrowego górskiego powietrza. Wybierali się na długie spacery, grali w badmintona, tenisa i krykieta. Mężczyźni chodzili na ryby, a wszyscy bez wyjątku lubili pływać łódkami i wpław, choć woda w jeziorze była lodowata. Spotykali się z innymi sezonowymi mieszkańcami okolicy, co stanowiło miłe wytchnienie od miejskiego życia, mimo że czasem i tam mieli napięte grafiki.

Główny budynek wielkością dorównywał rezydencji na Nob Hill, ale życie, które w nim wiedli, było mniej formalne. Podczas kolacji obowiązywały stroje wieczorowe, lecz bardziej smoking niż frak, czasem jednak do stołu w weekendy zasiadało dwadzieścioro gości. Mieli dwie jadalnie, ale przy sprzyjającej pogodzie posiłki serwowano także na świeżym powietrzu. Charles namawiał przyszłego zięcia, żeby przyjechał ze swoimi młodszymi braćmi, lecz Alex nie miał najmniejszej ochoty ich zapraszać, dlatego wyjaśnił ojcu Eleanor, że są jeszcze młodzi i zdarza im się niestosownie zachować. Zresztą planowali w wakacje wyprawę na wschód, do przyjaciół, a Phillip, amator koni, wybierał się potem na rozgrywki polo w Meksyku. Byli zbyt niesforni i Alex nie chciał narażać Louise ani jej męża na nieprzyjemności. Wiedział, że w towarzystwie zacnych starszych osób bracia szybko się znudzą i przez cały czas będzie ich łajał za pijaństwo i sypianie z pokojówkami. Nie byli już dziećmi i nie miał nad nimi pełnej władzy, ale nie dojrzeli jeszcze dostatecznie, żeby się ustatkować, dlatego przymykał oko na ich wybryki i wyciągał z każdych tarapatów. Byli w sumie nieszkodliwi, ale bardzo męczący.

Alex stanął na czele rodu, gdy miał zaledwie dwadzieścia sześć lat, dlatego szybko dojrzał. Phillipowi i Harry'emu zostało to oszczędzone, a ponieważ nie pracowali, nie czuli żadnej presji. Spadek po rodzicach zapewniał im dostanie życie i pozwalał na najbardziej zwariowane wybryki, do których często się posuwali, ku wielkiemu niezadowoleniu starszego brata. Znali każdą melinę w mieście. Kochał ich całym sercem, ale niejednokrotnie wystawiali jego cierpliwość na ciężką próbę. Przed wyjazdem z San Francisco Eleanor poznała obu. Ich spotkania były krótkie, obaj bracia uznali, że jest miła, ale zbyt powściągliwa. Nie potrafili zrozumieć, dlaczego Alex chciał się żenić. Uważali, że powinien się jeszcze wyszumieć. Szanowali go, ale uznawali za nudziarza, mieli niewiele wspólnych zainteresowań, szczególnie teraz, gdy się zaręczył. Oczywiście zostali zaproszeni na ślub, lecz Alex wątpił, czy będą potrafili odpowiednio się zachować. Na szczęście była szansa, że w tłumie ośmiuset gości nikt nie zwróci uwagi na ich wybryki, chyba że pozwolą sobie na zbyt wiele, do czego niestety byli zdolni. Życie nigdy nie zmusiło ich do wzięcia odpowiedzialności za własne czyny i Alex często się zastanawiał, czy kiedykolwiek tak się stanie. Bo jak dotąd jego sporadyczne surowe wykłady trafiały w próżnię.

Narzeczeni zasiedzieli się w ogrodzie, ciesząc się ze spotkania po długiej rozłące. Wreszcie Alex wręcz zmusił się do pożegnania i powrotu do biura. Po jego wyjściu Eleanor wróciła do siebie, żeby nadzorować rozpakowywanie bagaży. Przywiozła z Paryża mnóstwo pięknych nowych rzeczy, między innymi kilka wieczorowych sukien na lato, a także kostiumy kąpielowe Elsy Schiaparelli, które zamierzała nosić nad jeziorem. Uwielbiała pływać w lodowatej wodzie, a potem grzać się w słońcu na pomoście lub pływać łódką. Przyswoiła podstawy żeglugi pod okiem jednego z łódkarzy, a rok wcześniej nauczyła się jeździć na nartach wodnych. Alex obiecał, że też spróbuje. Czekało na nich mnóstwo rzeczy do wspólnego odkrywania. Eleanor wyobrażała sobie życie u jego boku, ich dzieci i wakacje spędzane z jej rodzicami nad brzegiem jeziora Tahoe. Jej ojciec planował odnowić dla nich jeden z domów należących do posiadłości, żeby był gotowy na następne lato. Bardzo się z tego ucieszyli. Wynajęty architekt miał rozrysować plany, a następnie przedstawić je Eleanor i Alexowi do zatwierdzenia. Dziewczyna chciała, żeby znalazły się w nim przynajmniej cztery sypialnie dla ich dzieci.

Wyjazd nad jezioro Tahoe, dwa tygodnie po powrocie Eleanor i jej matki z Francji, przypominał przesiedlanie małej wioski.

Matka z córką zabierały ze sobą niekończący się sznur kufrów, i choć miały ubrania w letnim domu, co roku powiększały tamtejsze garderoby o nowe modne nabytki. Charles z przyjemnością zaspokajał ich zachcianki.

– Sam wiesz, jakie są kobiety – powtarzał często Alexowi.

Louise i Eleanor pojechały prywatnym pociągiem przed panami, żeby wszystko przygotować i urządzić. Na pierwszy weekend nie zaproszono nikogo, lecz w każdy kolejny goście mieli ich tłumnie odwiedzać. Jadalnia w domu nad jeziorem była równie duża, jak ta w rezydencji w San Francisco, mieli też łącznie dwadzieścia pokoi gościnnych w głównym budynku i w innych, mniejszych, rozsianych na terenie posiadłości.

Po przyjeździe Louise spotkała się z ogrodnikami, którym przekazała instrukcje, jakie kwiaty życzy sobie mieć codziennie w domu. Przywieźli kucharkę z pomocnikami z miasta, a także kilka pokojówek, poza tym co roku najmowali dziewczyny z pobliskich wiosek do pomocy na letnie miesiące. Łódki były już gotowe. W stajniach na gości czekały konie. Louise jeździła wierzchem, ale nie była wielką entuzjastką hipiki, natomiast Eleanor uwielbiała kłusować z ojcem po okolicznych wzgórzach. Wyciągnięto również sprzęt wędkarski dla Charlesa i jego gości. Kiedy panowie przyjechali na weekend, posiadłość była gotowa na ich przyjęcie. Louise w roli gospodyni zawsze stawała na wysokości zdania.

Wieczorem w dniu przyjazdu Charlesa i Alexa prywatnym pociągiem całą czwórką zasiedli do kameralnej kolacji. Na granicy posiadłości znajdowała się prywatna stacja kolejowa. Wcześnie się położyli, a następnego dnia rano, nim starsi się obudzili, młodzi wybrali się na konną przejażdżkę.

– To miejsce jest zachwycające – przyznał Alex, rozglądając się urzeczony. Nie mógł się nasycić otaczającym go pięknem. – Moi rodzice mieli rancho w Santa Barbara, na którym zazwyczaj spędzaliśmy wakacje. Sprzedałem je po ich śmierci. Bracia nie lubili tam jeździć, a dla mnie samego było za duże. Myślałem, żeby kupić sobie coś mniejszego, ale w końcu nigdy do tego nie doszło.

– Cóż, teraz już nie ma takiej potrzeby. – Uśmiechnęła się do niego. Na swojego wierzchowca wybrała, jak zresztą co roku, łagodną klacz, natomiast dla narzeczonego kazała przygotować jednego z koni wyścigowych, którego świetnie się prowadziło. – Mamy to – rzekła z dumą, patrząc na rozciągającą się po horyzont rodową posiadłość, która obejmowała fragment lasu, piętrzące się za nimi góry, a także długie wybrzeże z hangarem na łodzie, pomostem i wąską plażą. – Lubię tu przyjeżdżać. Miło jest się wyrwać z miasta. Mam nadzieję, że tobie też się spodoba.

– Pokocham każde miejsce, w którym będę z tobą, poza tym pewnego dnia posiadłość będzie idealna dla naszych dzieci – zauważył, czym wywołał rumieniec na jej twarzy.

Krępowała się za każdym razem, gdy rozmowa schodziła na ten temat, ale sama o tym marzyła i z łatwością mogła to sobie wyobrazić. Posiadłość należała do jej rodziny już od czterech pokoleń i na pewno to się nie zmieni w przyszłości.

– Przepraszam – powiedział łagodnie. – Nie chciałem cię onieśmielić, ale myśl o tym, że będziemy mieć razem dzieci, jest dla mnie najcudowniejsza na świecie.

Skinęła głową, bo przez chwilę nie była w stanie wydusić z siebie ani jednego słowa, a wtedy pochylił się i delikatnie pogłaskał ją po policzku.

– Jedyne, czego pragnę, to sprawić, byś była szczęśliwa, Eleanor. Chcę ci zapewnić idealne życie.

Jej życie było idealne, on był kolejnym błogosławieństwem, którego doświadczyła. Nigdy wcześniej nie wyobrażała sobie, że pokocha równie mocno jakiegokolwiek mężczyznę, ale z każdym dniem stawali się sobie coraz bliżsi.

Jeździli przez godzinę, potem odprowadzili konie do stajni i dołączyli do jej rodziców na obfite śniadanie, które podano w pokoju dziennym wychodzącym na jezioro.

– Czy udało wam się popływać łódką? – zapytał Charles.

– Jeszcze nie. Pomyślałem, że wybierzemy się nad jezioro po śniadaniu.

Pan domu z uśmiechem skinął głową na myśl o niespodziance, jaka czekała na Alexa w hangarze. Po posiłku wybrali się we trójkę nad wodę, tymczasem Louise poszła naradzić się z kucharką. Na lunch mieli zjeść langusty i pstrąga. Zostały złowione rano, a szefowa kuchni po mistrzowsku przyrządzała każdą potrawę.

Kiedy dotarli do hangaru, Alex z zachwytem podziwiał należące do gospodarzy motorówki, wśród których zauważył smukłą wyścigówkę marki Gar Wood, a także „wodną limuzynę" Fellows&Stewart. Wsiedli na cometę z silnikiem Hall-Scotta, ulubienicę gospodarza, i popędzili przez jezioro. Po godzinnej wycieczce na pełnych obrotach wrócili na przystań. Eleanor chciała się przebrać w kostium, żeby skorzystać ze słońca. Na południe zaplanowali narty wodne.

Czas nad jeziorem płynął powoli, Alex i Charles często dyskutowali o recesji, która zaczęła się latem i uderzała w ich interesy. Rynek papierów wartościowych wciąż rósł i obaj mężczyźni obawiali się, że bańka wkrótce pęknie. Ceny akcji poszybowały bardzo wysoko i dłużej nie dało się tego uzasadnić. W niedzielny wieczór Alex wcale się nie spieszył z powrotem do miasta, do pracy. Eleanor odwiozła go na prywatną stację kolejową. Nie miała prawa jazdy, ale dwa lata wcześniej szofer ojca nauczył ją prowadzić. Pociąg już czekał na stacji. Alex wziął narzeczoną w ramiona i pocałował. Charles planował powrót dopiero w poniedziałkowy wieczór, natomiast jego przyszły zięć uznał, że musi zjawić się w biurze wcześniej.

– Rozleniwiasz mnie. – Uśmiechnął się do przyszłej żony. – Czas spędzony u twojego boku jest zbyt cudowny. Nasze życie będzie wspanialsze, niż mógłbym to sobie wymarzyć – wyszeptał czule i jeszcze raz ją pocałował.

Rozpierało go tak wielkie szczęście, że miał wrażenie, iż zaraz eksploduje. Następnego dnia był umówiony z architektem na omawianie remontu posiadłości na Broadwayu, w której planowali z Eleanor zamieszkać po powrocie z miesiąca miodowego we Włoszech. Chciał odnowić garderobę matki i zmodernizować łazienkę w ramach niespodzianki dla ukochanej, która przeprowadzi się z jednego ogromnego, niesłychanie pięknego domu do drugiego. Rezydencja Alexa, wybudowana jeszcze przez jego dziadka, dorównywała wspaniałością rezydencji Deveraux. Była nieco bardziej surowa, lecz nadrabiała to zachwycającym widokiem na zatokę, którego dom rodzinny Eleanor był pozbawiony. Alex uznał, że ogród wymaga przeorganizowania, i zamierzał o tym porozmawiać z żoną, kiedy już się tam wprowadzi.

– Nie chcę cię zostawiać – wyszeptał, a potem westchnął. – Wrócę w piątkowy wieczór razem z twoim ojcem. Dni bez ciebie będą mi się okropnie dłużyć. Obawiam się, że po ślubie nie będę cię spuszczał z oka, może z wyjątkiem letnich wypadów nad jezioro. Gdy cię przy mnie nie ma, czuję się potwornie samotny.

Teraz nie potrafił wręcz wyobrazić sobie, jak udało mu się przeżyć trzydzieści dwa lata bez niej. Do ich spotkania doszło jednak we właściwym momencie, opatrzność nad nimi czuwała. Nie mogłaby się z nim związać przed wejściem w towarzystwo, więc wszystko układało się tak, jak powinno. Wcześniej tkwił w uśpieniu, czekał, aż ona dorośnie, i nawet o tym nie wiedział. Amelia umarła, gdy Eleanor miała dziesięć lat, wtedy zaś nie pragnął innej kobiety. Narzeczona uśmiechnęła się do niego, jego słowa sprawiły jej ogromną przyjemność. Pocałował ją jeszcze raz przed wejściem do pociągu, który zaraz ruszył. Alex długo machał na pożegnanie, aż parowóz skręcił i mężczyzna stracił ukochaną z oczu.

Wiedziała, że w kolejny weekend jej rodzice zaprosili tuzin znajomych, więc będą zajęci grą w tenisa, krykieta i innymi rozrywkami zaplanowanymi dla gości. Wieczorami często grywali w brydża i inne gry karciane, czasem urządzano szarady, co pomagało przełamać lody. Wakacyjny sezon w tym roku zaczynali w mniejszym gronie, niż to bywało zazwyczaj.

Eleanor i Alex doskonale się bawili latem nad jeziorem Tahoe. Oboje wybornie radzili sobie na nartach wodnych, a gospodarze tylko im machali z przystani, kiedy śmigali obok. Charles wspaniale się rozumiał z przyszłym zięciem, który wypełnił pustkę powstałą po stracie syna przed laty, tym bardziej że Alex przecież nie miał ojca. Często jeździli konno, łowili ryby, dyskutowali o bankowości i sytuacji gospodarczej na świecie. Łączyły ich wspólne poglądy w wielu dziedzinach. Kiedy tylko nadarzała się okazja, Alex wykradał kilka chwil na osobności z narzeczoną, rozkoszując się perspektywą przyjemności czekających na nich już po ślubie. Samo patrzenie na ukochaną, rozmowa z nią napawały go wielkim szczęściem i nie mógł się wręcz doczekać, kiedy wreszcie będzie naprawdę jego.

Kiedy wrócili do miasta po przypadającym na początku września Święcie Pracy, zostały zaledwie cztery tygodnie do ślubu, który zaplanowano na sobotę piątego października i o którym plotkowało już całe San Francisco. Zapowiadało się wesele stulecia. Louise była ciągle zajęta, a Eleanor pomagała matce, jak tylko potrafiła. Musiały usadzić ośmiuset gości, którym do tańca przygrywać miała orkiestra. Z całego stanu zwożono kwiaty na girlandy i bukiety na stół. W ogromnym namiocie miały zawisnąć żyrandole, czego jeszcze dotąd nie widziano, a cieśle budowali rozległy parkiet do tańca. Goście odpowiedzieli tuż po otrzymaniu zaproszeń.

Zachwycająca kreacja od Lanvin wisiała w zamkniętym na cztery spusty pokoju gościnnym, od kiedy wróciły z Francji. Klucz miały tylko Eleanor i jej matka. Nie chciały, żeby ktokolwiek ją zobaczył przed ślubem, obawiały się bowiem, że ktoś ze służby mógłby zrobić sukni zdjęcie i wysłać je do gazet. Ufały tylko Wilson, pozostałe pokojówki mogłyby nie oprzeć się pokusie sowitej zapłaty, jaką zaoferowaliby dziennikarze. Całe miasto aż huczało od plotek, a zwłaszcza w kręgach modnych pań zastanawiano się, w jakiej kreacji wystąpi Eleanor. Te, które wiedziały, że Louise z córką kupiły suknię w Paryżu, zakładały, że zaprojektowali ją Worth lub Poiret. Brały też pod uwagę elegancki model od Chanel. Były przekonane, że krój będzie nowoczesny. Nikt jednak nie wiedział ze stuprocentową pewnością, z którego domu mody pochodzi suknia ani jak wygląda. Teraz nawet Alex był ciekawy, ale wiedział, że lepiej o nic nie pytać. Wilson nagabywana przez resztę służby w ich jadalni na dole uczciwie odpowiadała, że nigdy nie widziała kreacji.

Na tydzień przed ślubem, późnym wieczorem Eleanor z matką otworzyły skrzynię i wyciągnęły z niej ogromne pudło, w którym z łatwością zmieściłyby się dwie dorosłe osoby. Sukienka była zabezpieczona stosami bibuły. Louise aż załkała na jej widok, a Eleanor zaparło dech w piersi. Wciąż nie mogła się nadziwić pięknu kreacji ani uwierzyć, że ją włoży na ślub z Alexem.

– Mamo, czy sobie wyobrażasz, jak będę w niej wyglądać? – zapytała. Przypominała teraz dziecko w Boże Narodzenie.

– Tak, kochanie. Wyobrażam sobie. – Podczas ostatniej przymiarki w Paryżu Eleanor prezentowała się wspaniale. – Już wkrótce.

Wydawało się, że czas nagle przyspieszył.

– Wielka szkoda, że taką cudowną suknię wkłada się tylko raz – stwierdziła zachwycona Eleanor i w nabożnym skupieniu musnęła materiał.

– Taka jest natura sukien ślubnych. – Louise uśmiechnęła się do córki. – Myślę, że każda panna młoda tak myśli. Ale mam nadzieję, że w przyszłości skorzystają z niej twoje córki, a może nawet wnuczki.

– Też mam taką nadzieję – zgodziła się z matką Eleanor. Może stanie się to prędzej, niż zakładają, skoro marzyli z Alexem, aby jak najszybciej powiększyć rodzinę.

Zostawiły sukienkę w pokoju i zamknęły drzwi na klucz, oddając się własnym wyobrażeniom ślubu Eleanor.

Ku swojej irytacji dziewczyna przeziębiła się na kilka dni przed wielkim dniem. W poniedziałek wieczorem poczuła się tak źle, że odwołała kolację z narzeczonym. Nie była poważnie chora, ale chciała zdusić infekcję w zalążku, żeby w pełni wyzdrowieć na wesele. Zostawiła wiadomość jego sekretarzowi, dlatego kiedy niecałą godzinę później zjawił się w ich domu, spanikowany i blady, zdziwiła się. Houghton przekazał

Eleanor, że Alex czeka na nią na dole w bawialni, więc zeszła w szlafroku, żeby się z nim zobaczyć. Stał cały roztrzęsiony.

– Co się stało? Czy wezwałaś lekarza?

Oniemiała na widok jego gwałtownej reakcji i przerażenia wymalowanego na twarzy. Kiedy przekazano mu jej wiadomość, wyszedł natychmiast, przerywając spotkanie, i udał się prosto do rezydencji Deveraux na Nob Hill.

– Nie, oczywiście, że nie. Nic mi nie jest. Wilson zaparzyła mi herbatę z miodem i cytryną. Po prostu nie chciałam się bardziej rozchorować przed ślubem i postanowiłam zostać dziś w domu.

Mieli w planach kolację z przyjaciółmi, a później tańce. Ostatnio często bywali w towarzystwie, każdy ich do siebie zapraszał. Kiedy na niego popatrzyła, uświadomiła sobie, co się stało. Odwołanie kolacji na niecały tydzień przed ślubem obudziło bolesne wspomnienia z przeszłości, za bardzo przypominało Amelię, która umarła na hiszpankę na pięć dni przed ślubem. Eleanor wyciągnęła ręce do narzeczonego, a on podbiegł do niej i przytulił ją tak mocno, że prawie nie mogła oddychać.

– Nie chcę, żeby przydarzyło ci się coś złego – powiedział łamiącym się głosem. – Nie zniósłbym tego, Eleanor. Za bardzo cię kocham.

– Też cię kocham – odpowiedziała cicho i odsunęła się, żeby się do niego uśmiechnąć. – Nic mi nie jest, to niegroźne przeziębienie, nie chciałabym jednak straszyć gości czerwonym nosem w dniu ślubu.

– O Boże, a myślałem... – Nie był w stanie dokończyć.

– Nic złego się nie stanie. Czuję się dobrze. Przysięgam.

– Proszę, dbaj o siebie. Uważam, że powinnaś wezwać lekarza – rzekł zbolałym tonem.

W tym momencie do pokoju weszła Louise i oniemiała na widok Alexa i córki w szlafroku. Widziała, że jest zaniepokojony, i usłyszała, że namawiał Eleanor, aby wezwała lekarza.

– Czy coś się stało?

Była zaskoczona, córka dobrze wyglądała, lecz Alex stanął na skraju rozpaczy, jakby zaraz miał się rozpłakać.

– Eleanor jest chora – wydusił z siebie, najwyraźniej roztrzęsiony.

Louise zrozumiała szybciej niż córka. Duchy przeszłości wróciły, aby go nękać. Był przerażony.

– Naprawdę? – zwróciła się wprost do córki.

– Chyba się przeziębiłam, mamo. Wolałam zachować ostrożność, żeby mi się nie pogorszyło, i pomyślałam, że zostanę dziś w domu.

– Bardzo dobry pomysł. – Louise z aprobatą skinęła głową. – Nie chcemy, żebyś kichała i kaszlała w ślubnej sukni. Zaczerwieniony nos jest równie niepożądany.

– To właśnie powiedziałam Alexowi. – Eleanor uśmiechnęła się do narzeczonego, któremu wreszcie, na widok spokoju obu kobiet, ulżyło.

– Jesteś pewna, że to nic poważnego? – zapytał jeszcze.

– Tak. Jutro, najpóźniej pojutrze, poczuję się lepiej, jeśli dziś zostanę w domu. Obiecuję.

Ciężko opadł na fotel, jakby potrącił go autobus. Charles właśnie wrócił do domu z pracy i zobaczył całą trójkę w bawialni. Zastanowiło go, dlaczego Eleanor nie jest ubrana. Kiedy mu wszystko wyjaśniła, posłał współczujące spojrzenie Alexowi.

– Zapraszam do biblioteki, kieliszek brandy postawi cię na nogi – zaproponował, porozumiewawczo mrugając do żony, a młody mężczyzna posłusznie ruszył za nim.

– Odwołała kolację i powiedziała, że jest chora. Pomyślałem...

– Wyobrażam sobie – przyznał Charles, przerywając w pół słowa przykre wspomnienia i wręczając gościowi kieliszek brandy. Alex wypił trunek duszkiem, po czym podziękował.

– Przepraszam, przez moment wydało mi się to bolesnym *déjà vu*. – Nie żartował.

– Wierzę ci. Każdego przed ślubem dopada zdenerwowanie. Sam za dużo wypiłem na wieczorze kawalerskim, straciłem przytomność, upadłem i uderzyłem się głową o kontuar. W dniu ślubu wciąż mnie bolała. – Uśmiechnął się. – A co z twoim wieczorem? Czy zaplanowałeś jakieś szaleństwa? – Jak przez mgłę pamiętał, że wypadał w środę. Odrzucił zaproszenie, bo czuł się za stary na takie imprezy.

– Mam nadzieję, że nie. – Alex uśmiechnął się do gospodarza, brandy podniosła go na duchu, był lekko zażenowany tym, że tak panikował. Widział przecież, że Eleanor nie jest ciężko chora, chciała tylko zachować ostrożność, co było z jej strony bardzo rozważne, nawet jeśli chodziło o zwykły katar. – Organizacji wieczoru podjęli się moi bracia, co było fatalnym pomysłem. Znam ich i być może będę zmuszony zadzwonić do ciebie z prośbą o wpłacenie za mnie kaucji, gdy trafię za kratki albo gdy zdarzy się coś równie nieprzyjemnego.

– Możesz na mnie liczyć. – Charles się roześmiał. – Nawet się nie wahaj, dzwoń. Nie zdradzę cię przed paniami, jeśli zostaniesz aresztowany.

Okazało się, że Alex niewiele się pomylił. Jego młodsi bracia zaprosili więcej własnych znajomych niż jego, opłacili tuzin prostytutek, aby dotrzymywały towarzystwa mężczyznom, którzy zaczęli pić na kilka godzin przed ich przybyciem. Jak tylko Alex zobaczył panienki, wyszedł po angielsku bocznymi drzwiami, a kiedy spotkał się z braćmi następnego dnia, nawet nie byli świadomi, że pana młodego zabrakło na najlepszej „zabawie". Impreza trwała do białego rana, tymczasem Alex od dawna spał spokojnie we własnym łóżku.

– Fantastyczny wieczór, prawda? – stwierdził mocno skacowany Harry, najmłodszy z braci, kiedy Alex zadzwonił do niego następnego dnia.

– Absolutnie wspaniały – potwierdził pan młody.

– Wiedziałem, że ci się spodoba.

– Tak. – W duchu odetchnął z ulgą, że przynajmniej nikt nie trafił do więzienia za zakłócanie porządku publicznego czy wynajęcie prostytutek, co wcześniej się zdarzało. Alex nie raz wyciągał braci z tarapatów. – Widzimy się na ślubie, tylko proszę, nie przyprowadzajcie ze sobą żadnych panienek.

– Jasna sprawa. Ale zawsze możemy wpaść się z nimi spotkać. Trzymam je w domu przy Market Street. To dobre dziewczyny.

– Nie wątpię. Tyle że ja wkrótce się żenię. – Nie korzystał z usług prostytutek za swoich kawalerskich czasów, niestety, jego bracia wręcz przeciwnie – robili to dość często. Byli znudzeni i rozpaczliwie łaknęli mocnych wrażeń.

– Od czasu do czasu musisz się zabawić – stwierdził Harry. – Przynajmniej wczoraj wieczorem ci się udało.

– Z całą pewnością. – Nie zamierzał wyprowadzać brata z błędu, choć w rzeczywistości wrócił do domu i o dziesiątej spał snem sprawiedliwego. Cieszył się, że nie został dłużej.

Wieczorem Alex zjadł kolację z Eleanor i jej rodzicami w ich domu na Nob Hill. Charles szeptem zażartował, że się cieszy, iż nie musiał wyciągać go z aresztu.

– Wyszedłem, zanim zaczęła się zabawa. Znam moich braci – przyznał z ironicznym uśmiechem Alex. – Mam tylko nadzieję, że nie zblamują się na weselu.

– Nawet jeśli tak się stanie, to nikt tego nie zauważy w tłumie ośmiuset zaproszonych.

– Są zdolni do ścigania się w siodle po całym namiocie, jeśli się o to założą, albo do innych nieprzyjemności czy dziecinnych żartów. Są nie do opanowania. Byli bardzo młodzi, gdy umarli moi rodzice, i obawiam się, że nie okazałem się dość surowy. Założyłem, że są rozważni, a okazali się nieposkromieni. – Żałował, że nie trzymał ich krócej, a teraz było już za późno na ich wychowywanie.

– Wydają się dość nieszkodliwi. – Alex na to przewrócił oczami, a Charles tylko się zaśmiał.

Pożegnali się wcześnie, a w piątek Alex umówił się na spokojną kolację z najbliższymi przyjaciółmi, z których żaden nie został zaproszony na orgię w wydaniu jego braci. Eleanor została w domu z rodzicami. Nie miała żadnych planów, chciała wypocząć przed wielkim dniem.

W przeddzień ślubu, tuż przed snem, leżała w łóżku, myśląc, że to jej ostatnia noc w dziecięcym pokoju w roli panny. Cieszyła się, że wychodzi za mąż, ale jej radość była słodko-gorzka. Wyprowadzi się z rodzinnego domu, po podróży ślubnej zamieszka u męża i już nigdy nie będzie młodą dziewczyną, którą jest teraz. W dniu ślubu odkryje rozkosze i zmartwienia mężatki. Niepokoiło ją to, bo do końca nie wiedziała, czego się spodziewać. Matka jej wyjaśniła, co ją czeka, lecz z zachowaniem tak wielkiej dyskrecji, że dziewczyna nie mogła sobie wyobrazić, o co dokładnie chodzi, poza tym bała się bólu. Louise przyznała, że pierwszy raz może być nieprzyjemny, ale z czasem się to zmieni. Wizja nocy poślubnej, nawet u boku równie delikatnego i kochającego mężczyzny, jakim był Alex, przerażała ją. Żadna z jej przyjaciółek nie wyszła jeszcze za mąż, więc nie miała kogo zapytać. Nie mogła jej pomóc nawet Wilson, bo była starą panną, więc Eleanor założyła, że służąca wie na ten temat tyle samo co ona.

Noc poślubną mieli spędzić w Fairmont, a rano wsiadali w pociąg do Nowego Jorku, skąd statkiem płynęli do Włoch na miodowy miesiąc. Była to więc naprawdę jej ostatnia panieńska noc w rodzinnym domu. Następnego dnia, kiedy włoży zachwycającą suknię ślubną, będzie musiała się zachowywać, jak na mężatkę przystało. Tego od niej oczekiwano. Nie miała pojęcia, jak to będzie. Była pewna tylko tego, że kocha Alexa, i miała nadzieję, że miłość wszystko ułatwi. Długo leżała, rozmyślając, aż wreszcie zasnęła.

Kiedy Eleanor się obudziła, do jej pokoju wpadało słońce. Wreszcie nadszedł wielki dzień, w którym miały się spełnić jej marzenia. Teraz nie myślała już o niczym innym. Nadeszła ta chwila, wreszcie włoży suknię! Jeszcze kilka godzin i pokaże się światu jako panna młoda.

Rozdział 4

Od rana dom tętnił życiem. Jedna z pokojówek przyniosła Eleanor śniadanie na tacy, ale z ekscytacji panna młoda nie była w stanie przełknąć nawet kęsa. Została w pokoju, starała się nikomu nie wchodzić w drogę. Matka zaglądała do niej kilka razy, żeby sprawdzić, czy wszystko w porządku, i zapewniała, że przygotowania idą gładko, zgodnie z planem. W namiocie ustawiono już stoły, parkiet i mikrofony dla orkiestry były gotowe. Pod schodami w kuchni aż huczało, armia lokajów pod bacznym okiem Houghtona została wysłana po wino do przepastnych piwnic Charlesa. Przed ogłoszeniem prohibicji powiększono ich powierzchnię. Na pierwszym balu Eleanor udało się sprostać oczekiwaniom gości. Charles zgromadził duże zapasy wybornego wina i innych alkoholi, których podawanie na prywatnych przyjęciach było dozwolone. Zasoby trunków zacznie przewyższały zapotrzebowanie wynikające z ogromnej liczby weselnych gości, toteż było pewne, że wystarczą na niejedno przyjęcie w najbliższych latach. Na ślub córki Charles wybrał najlepsze roczniki, a ponieważ swoją piwniczkę zapełnił przed ogłoszeniem prohibicji, nie łamał prawa, podając alkohol we własnym domu. Do serwowania trunków zatrudniono dodatkowych lokajów, którym udzielono szczegółowych instrukcji.

Wreszcie przyszła Wilson, żeby uczesać pannę młodą. Właśnie skończyła układać włosy Louise. Zawsze zajmowała się fryzurą Eleanor na szczególne okazje, jak na przykład na jej pierwszy bal lub przyjęcia wydawane przez jej rodziców, gdy była młodsza, kiedy pozwalano jej zejść i przywitać się z gośćmi, lub na zakończenie nauki na pensji panny Benson. Teraz pokojówka dołożyła wszelkich starań, zbierając włosy w niewielki kok, jak to wcześniej uzgodniły, i układając fale wokół twarzy. Louise weszła do pokoju córki, kiedy Wilson za pomocą lokówki skręcała włosy dziewczyny w modne spirale, które sama Madame Lanvin uznała za odpowiednie do welonu.

– Och, kochanie, wyglądasz pięknie. – Matka uśmiechnęła się do córki, patrząc na jej odbicie w lustrze. W rękach trzymała duże kwadratowe pudło.

– Co to jest? – zapytała zaciekawiona Eleanor. Pudełko przypominało szkatułkę na biżuterię, choć było większe.

Louise usiadła na krześle obok córki.

– Należała do mojej babci, a twojej prababci. Miałam ją na sobie w dniu mojego ślubu. Wspomniałam o tym Madame Lanvin, gdy byłyśmy w Paryżu, i zgodziła się, że będzie na tobie wyglądać uroczo.

Wręczyła pudełko Eleanor, która otworzyła je ostrożnie i zobaczyła leżącą na dnie wspaniałą tiarę wysadzaną perłami i diamentami. Louise uprzedziła o wszystkim Wilson, która wzięła to pod uwagę podczas czesania dziewczyny. Teraz razem włożyły klejnot na jej głowę. Pasował idealnie – zarówno pod względem proporcji, jak i stylu. Zachwycająca ozdoba dla panny młodej.

– Mamo, jest piękna!

Eleanor ze łzami w oczach uścisnęła matkę. Była już ubrana w jedwabne pończochy i pasujące do sukni buty, a także bieliznę uszytą w domu mody Lanvin, na którą zarzuciła czerwony satynowy szlafrok. Całą trójką podziwiały tiarę, potem dziewczyna usiadła, żeby Wilson skończyła układać fryzurę, która choć prosta, była bardzo stylowa. Doskonale zgrywała się z tiarą i welonem. Służąca wpięła ostatnią szpilkę, kiedy jedna z pokojówek weszła z pudełkiem zapakowanym w biały papier i przewiązanym białą satynową wstążką, z karteczką wsuniętą pod kokardę. Eleanor zdziwiła się, otworzyła liścik i popatrzyła na matkę.

– To od Alexa.

Przeczytała: *Dla mojej żony w dniu ślubu! Kocham Cię* całym sercem i duszą. Alex.

Otwierając pudełko, wręcz słyszała łomotanie serca w piersi, a kiedy zobaczyła, co się kryje w środku, jęknęła. Na dnie leżał ciężki diamentowy naszyjnik o idealnie okrągłych, ogromnych kamieniach; podejrzewała, że należał do jego matki. Był okazalszy od naszyjnika Louise, który rzadko zakładała, bo kamienie były bardzo duże. Klejnot był olśniewający. Eleanor otworzyła szeroko oczy i spojrzała na naszyjnik, a potem przeniosła wzrok na matkę.

– Och, mamo!

– Cudowny prezent ślubny od męża – przyznała Louise z uśmiechem.

– Czy powinnam go założyć?

– Oczywiście. Poczułby się urażony, gdybyś zrobiła inaczej, poza tym naszyjnik będzie się cudownie komponował z całością. Perfekcyjna ozdoba dekoltu.

Zachwycająca ozdoba tworzyła z tiarą prababci idealny duet. Matka bardzo ostrożnie zapięła naszyjnik, który migotał na szyi Eleanor, tymczasem Wilson poszła po suknię. Była tak perfekcyjnie uszyta, że z łatwością ją włożyły. Miała ukryty suwak, kilka haftek i guziki na plecach, ale zapięcia nie były skomplikowane. Gładko spływała po młodym, kształtnym ciele dziewczyny, jak wcześniej w Paryżu. Układała się dokładnie tak, jak należało, a z tyłu ciągnął się długi tren. Welon musiały upiąć obie – matka i Wilson. Cienka warstwa tiulu tuż za tiarą zakrywała teraz klejnot i twarz panny młodej, opadając aż po koniuszki palców. Eleanor założyła rękawiczki, które miała zdjąć tuż przed rozpoczęciem uroczystości. Ostatni akcent stanowił bukiet z konwalii i białych orchidei. Efekt zapierał dech w piersiach, zwłaszcza dzięki tiarze i naszyjnikowi.

Louise spojrzała na córkę i głośno westchnęła, a w jej oczach wezbrały łzy. Sama włożyła szafirową sukienkę, którą uszyła dla niej w Paryżu znana krawcowa, choć nie była żadną słynną projektantką z luksusowego domu mody. Kreacja z narzutką w komplecie i dodatkiem szafirowej biżuterii, podarowanej przez męża, prezentowała się bardzo szykownie. Matka z córką wyglądały niesamowicie i kiedy wyszły z pokoju Eleanor, Charles nie spuszczał z nich wzroku, gdy schodziły po schodach. Stał oniemiały z wrażenia i wzruszony.

Było tuż po szóstej wieczorem, a ślub zaczynał się o wpół do siódmej w tymczasowym kościele na miejscu katedry Łaski Bożej na wzgórzu Nob Hill, dokładnie naprzeciwko posiadłości Deveraux. Pierwszy kościół spłonął w trakcie trzęsienia ziemi w 1906 roku. Kamień węgielny pod nową świątynię położono dwa lata temu, budowa miała zostać ukończona za rok.

Charles pocałował żonę, którą obdarzył zachwyconym spojrzeniem, i powiedział, że pięknie wygląda. Przez chwilę oboje podziwiali kreację Eleanor. Była tak imponująca, jak zapewniała Louise.

– Nie sądzę, żebym kiedykolwiek wcześniej w życiu czuł większą dumę – szepnął córce do ucha, gdy wychodzili z domu, a potem razem wsiedli do rolls-royce'a, który rok wcześniej Charles sprowadził z Anglii; Louise miała jechać tuż za nimi packardem. Nie zwlekając, ruszyli do kościoła.

Charles i Eleanor poszli na plebanię, gdzie mieli czekać aż do rozpoczęcia ceremonii. Dopiero wtedy miał ją poprowadzić główną nawą. Dziewczyna nie chciała druhen, postanowiła, że będzie jej towarzyszył tylko ojciec, a Alex będzie czekał przy ołtarzu. Poprosił braci, żeby zostali jego drużbami, a oni obiecali, że będą się stosownie zachowywać.

Louise i Charles wyznaczyli kilkorgu znajomym rolę odźwiernych i jeden z nich zaprowadził teraz matkę panny młodej na jej miejsce. Wszyscy czekali na rozpoczęcie uroczystości.

Kiedy Eleanor weszła do kościoła, rozbrzmiała muzyka, którą wybrali, a Louise wstrzymała oddech, patrząc, jak córka kroczy główną nawą. Goście zamilkli w oczekiwaniu i wstali, kiedy Charles prowadził córkę. Suknia była najwspanialszą kreacją, jaką Louise kiedykolwiek widziała, Eleanor prezentowała się olśniewająco, a tiara i naszyjnik – prezent ślubny od Alexa – dodawały jej blasku. Pani Deveraux popatrzyła na przyszłego zięcia, który wyglądał, jakby zaraz miał zemdleć. Charles z powagą, dystyngowanym krokiem zbliżał się z córką do ołtarza, aż dotarli do Alexa. Eleanor się zatrzymała i spojrzała ukochanemu prosto w oczy, a ojciec pomógł jej unieść delikatny welon zakrywający twarz.

– O mój Boże, Eleanor, tak bardzo cię kocham – wyszeptał pan młody i ceremonia się rozpoczęła.

Panna młoda była uosobieniem piękna niczym istota ze snów. Ledwie do niego docierało, co mówi kapłan, aż do momentu składania przysięgi małżeńskiej. Alex powtórzył ją wyraźnym i stanowczym tonem, a głos Eleanor drżał od nadmiaru wzruszeń. Oboje zapłakali, kiedy ukochany wsunął na jej palec prostą złotą obrączkę, a potem ona odwzajemniła się tym samym. Bracia na szczęście ich nie zgubili.

Ogłoszono ich mężem i żoną. Alex pocałował pannę młodą i razem ruszyli główną nawą do wyjścia z kościoła, po czym wsiedli do samochodu, który odwiózł ich do domu. Mieli jedynie krótką chwilę wyłącznie dla siebie, zanim dotrą inni goście i rodzice.

– Dobry Boże, czy to się dzieje naprawdę? – zapytał, patrząc na nią. – Czy mam aż tak wielkie szczęście? – Nigdy wcześniej nie widział równie pięknej panny młodej. – Wyglądasz cudownie i tak bardzo cię kocham.

– Alex, naszyjnik… – zaczęła, bo dotknęła klejnotu i przypomniała sobie o nim.

Pocałował ją z pasją i tęsknotą zakochanego mężczyzny, który nie może uwierzyć w swoje szczęście, że wreszcie został jej mężem. Eleanor równie uradowana, że jest już jego żoną, odwzajemniła pocałunki z podobną namiętnością. Przez chwilę pomyślała, że może matka miała rację i wszystko samo się ułoży. Czuła, że do niego należy, że jej miejsce jest u jego boku.

Przez chwilę się całowali i szeptali czułe słowa, a potem dołączyli do jej rodziny i reszty biesiadników, którzy zebrali się w ogromnym namiocie. Wszystkich zachwycił przepych przyjęcia. Goście powtarzali, że suknia ślubna jest olśniewająca, a Eleanor promienieje szczęściem. Zgodnie też twierdzili, że w życiu nie widzieli urodziwszej panny młodej. Potem ustawili się do pamiątkowych zdjęć.

Kolejną godzinę nowożeńcy przyjmowali życzenia od gości, którzy podchodzili do nich w określonym porządku. Jedni całowali pannę młodą, inni ograniczali się do uścisku dłoni, wszyscy gratulowali młodym i rodzicom. Wreszcie orkiestra zaczęła grać i Eleanor zatańczyła pierwszy taniec z Alexem. Goście uśmiechali się do nich wzruszeni, widząc, jacy są zakochani. Następny taniec należał do panny młodej i jej ojca. Pan młody z kolei poprosił na parkiet teściową. Przyjaciele państwa młodych zostali usadzeni przy jednym stole. Ojciec Eleanor wygłosił mowę, w której podkreślił, że oboje z Louise kochają córkę nad życie – łzy wzruszenia zalśniły w oczach dziewczyny – i serdecznie powitał Alexa w rodzinie.

Był to bez wątpienia najbardziej spektakularny ślub w historii San Francisco. Goście jedli, pili i tańczyli do białego rana. Alex zauważył, że jego bracia przyszli z dwiema ślicznymi młodymi kobietami, co przyniosło mu ogromną ulgę. Wszyscy zachwalali potrawy i trunki, których przygotowanie dla ośmiuset gości było nie lada wyczynem. O drugiej Alex i Eleanor odtańczyli ostatni taniec. Wirowali razem po parkiecie – ona w magicznej sukni ślubnej z trenem upiętym satynową pętelką do nadgarstka. Potem szeptem zapytał, czy jest gotowa, żeby się pożegnać. Przytaknęła. Chciała zostać z nim sam na sam, ta noc była długa i niezapomniana. Trochę się bała, ale nie przyznała się przed nim. Widział to jednak w jej oczach.

Przed wyjściem pokroili ogromny, kunsztownie udekorowany tort weselny. Pozostało jej jeszcze tylko rzucić ślubny bukiet. Stanęła na podwyższeniu dla orkiestry, odwróciła się i zamachnęła. Roześmiała się, gdy zobaczyła, że kwiaty złapała jej koleżanka z pensji panny Benson; dziewczyna była zachwycona. Niedawno zwierzyła się Eleanor, że ma nadzieję wkrótce się zaręczyć, i była przekonana, że bukiet przyniesie jej szczęście.

Alex i Eleanor wylewnie podziękowali jej rodzicom, a potem się pożegnali.

– To była najpiękniejsza noc mojego życia – przyznała dziewczyna oszołomiona nadmiarem uczuć, które żywiła do rodziców i męża, a także wdzięczna za wesele, które dla nich wyprawili.

– Mojego także – dodał wzruszony Alex.

– Dziękujemy, mamo... papo... – powiedziała i pocałowała oboje.

Rano, przed ich wyjazdem w podróż poślubną, Wilson miała zabrać suknię i tiarę z hotelu. Bagaże Eleanor zostały już spakowane i czekały w Fairmoncie. Zamierzała wziąć naszyjnik, żeby nosić go na statku. Swoją decyzją ucieszyła męża. Słusznie się domyśliła, że należał do jego matki, która, jak jej powiedział, uwielbiała go. Była dużo starsza od Eleanor, kiedy go dostała od męża, który kupił go jeszcze przed wojną u paryskiego Cartiera. Alex chciał, żeby teraz należał do jego żony, zresztą pasował do niej idealnie.

Szofer Alexa zawiózł ich do hotelu, który znajdował się niedaleko domu. Zarezerwowali największy apartament w Fairmoncie, żeby spędzić w nim noc poślubną. Nie byli senni mimo późnej pory. Eleanor zrezygnowała z szampana kilka godzin wcześniej, nie chciała się upić ani rozchorować na własnym ślubie, a Alex sięgał po alkohol z umiarem, dokładnie z tych samych powodów. Nie chciał być nieprzytomny w pierwszą noc z żoną. Po wejściu do apartamentu otworzyli jednak butelkę szampana, Eleanor powoli sączyła trunek. Przez chwilę rozmawiali, wspominając magiczny wieczór. Pozowali do mnóstwa zdjęć i dziewczyna nie mogła się doczekać, kiedy je zobaczy.

– Może już się położymy? – zasugerował delikatnie.

Musieli wstać o siódmej i wymeldować się o dziewiątej. Wilson miała przyjść po suknię tuż przed ich odjazdem. Czekała ich długa podróż pociągiem, a mieli za sobą emocjonujący dzień i długą noc.

Alex ostrożnie pomógł jej rozpiąć suknię, potem zamknęła się w sypialni, żeby się rozebrać do końca. Ze smutkiem zdejmowała kreację. Nawet nie poczuła ciężaru gęstego haftu i pereł. Suknia sporo ważyła, ale została tak dobrze uszyta, że nie sprawiała żadnego dyskomfortu, dlatego Eleanor z żalem uświadomiła sobie, że wielka chwila dobiegła końca i już nigdy więcej nie włoży tej wyjątkowej kreacji. Zamyśliła się. Komu teraz przypadnie? Może jednej z jej córek? Ale do tego czasu upłynie jeszcze wiele lat. Ostrożnie odłożyła suknię i buty, potem poszła do łazienki, w której czekała na nią, zostawiona przez Wilson, cudowna koronkowa koszula nocna zdobiona maleńkimi satynowymi kokardkami – prezent z okazji ślubu od Madame Lanvin. Idealnie podkreślała kobiece kształty, niezwykle seksownie i kusząco, ale bez cienia wulgarności – w końcu została zaprojektowana przez mistrzynię *haute couture*, a wielcy francuscy krawcy i krawcowe opanowali tę sztukę do perfekcji. Eleanor rozwiązała kok, rozpuszczone włosy opadły kaskadą na jej ramiona. Przez chwilę stała na środku pokoju spowita w białe koronki i wyglądała na zagubioną, kiedy wszedł ubrany w szlafrok Alex. Miał osobną garderobę, w której tymczasem się rozebrał. Był uderzająco przystojny, wysoki i silny. Rozczulił go widok młodej żony, gdy tak stała przerażona. Otoczył ją ramieniem i łagodnie powiódł do łóżka, na którym usiedli. Cały czas nie przestawał jej tulić.

– Nic dziś nie musimy robić – wyszeptał. Nie chciał jej bardziej wystraszyć, była już dostatecznie wylękniona. – Mamy przed sobą całe życie – dodał łagodnie, a wtedy skinęła głową i go pocałowała.

– Ale chcę... – przyznała miękko. – Chcę być twoją żoną.

– Jesteś moją żoną. – Wskazał obrączkę na jej palcu i uśmiechnął się do niej. – I nigdy nie czułem się szczęśliwszy. Ani bardziej dumny.

Pocałował ją, gdy to powiedział, a ona odwzajemniła pocałunek z pasją, której się nie spodziewał, co momentalnie go podnieciło. Zdjął z niej koszulę i położył Eleanor na łóżku, żeby ją podziwiać i całować. Wyciągnęła do niego ręce, oparła dłonie na szyi ukochanego i wygięła ciało w jego stronę. Nie był w stanie dłużej się powstrzymywać. Zrzucił koronkową koszulę na podłogę i wszedł w ukochaną najdelikatniej, jak potrafił, lecz namiętność, która w nich buzowała, zawładnęła nimi bardziej, niż planował. Krzyknęła raz, ale nie odsunęła się, tylko wtuliła w niego mocniej, przywierając całym ciałem do jego torsu. Czekał za nią, powściągając własne podniecenie i starając się rozpalić tlący się w niej płomień, a kiedy równocześnie szczytowali, była oszołomiona. Oniemiała i przez minutę tylko patrzyła na niego, kiedy leżeli w swoich ramionach, nie mogąc złapać tchu.

– Co się stało... Czy tak właśnie być powinno?

Nikt jej nic nie powiedział na ten temat, grzeczne aluzje matki nie wyjaśniały, co się dzieje, kiedy mężczyzna i kobieta kochają się i pożądają.

– Tak właśnie powinno być – potwierdził łagodnie i przebiegł palcami wzdłuż jej ciała, w górę i w dół, zatrzymując się w miejscach, które budziły w niej podniecenie.

Później kochali się jeszcze raz, wtedy wykrzesała z siebie więcej żaru, a on nie hamował już pożądania. Na koniec oboje drżeli, oddając się w pełni łączącej ich namiętności. Alex miał wrażenie, jakby ziemia eksplodowała w miliony gwiazd, a Eleanor, uśmiechając się do męża, wyglądała na zaspokojoną i senną.

– Podoba mi się bycie żoną – stwierdziła zaspanym głosem – ... i to bardzo. – Wypowiedziawszy to, zasnęła w jego ramionach, a on uśmiechnął się do niej.

Jemu również się podobało bycie jej mężem, i to bardzo. Miał poczucie, że spełniło się marzenie jego życia, zapragnął więc spełnić teraz wszystkie pragnienia żony. Wiedział, że wspomnienie tej nocy zostanie z nimi do końca.

Rozdział 5

Następnego dnia rano Wilson przyszła do hotelu, gdy Alex i Eleanor jedli śniadanie przed podróżą. Zabrała suknię, tiarę i inne rzeczy, jeszcze raz życząc im wszystkiego dobrego na nowej drodze życia. Powiedziała, że jej rodzice jeszcze spali, kiedy wychodziła. Niektórzy goście zostali aż do piątej rano, a gospodarze prawie do samego końca nie schodzili z parkietu. Wspaniale się bawili. Eleanor włożyła bladoniebieską wełnianą sukienkę w kolorze swoich oczu, a do niej elegancki płaszcz i kapelusz do kompletu. Wyglądała świetnie. Wszystko zostało kupione u paryskiej krawcowej, którą odwiedziły między przymiarkami u Jeanne Lanvin.

Po przebudzeniu, zanim wstali z łóżka, znów się kochali. Alex był szczęśliwy i mile zaskoczony, że okazała się tak chętną partnerką – rano już w ogóle się go nie wstydziła. Był jej mężem, a ona chciała być oddaną żoną. Widział, że się nie poświęca, że seks z nim autentycznie sprawia jej przyjemność, choć wcześniej była dziewicą. Oddała mu się bez wahania, przez co jeszcze mocniej jej pożądał. Z trudem się hamował, aby trzymać ręce przy sobie, gdy w pośpiechu wymeldowali się z hotelu, żeby zdążyć na pociąg do Nowego Jorku, który odjeżdżał planowo o dziesiątej. Jechali tą samą trasą, którą przebyła z matką w kwietniu w trakcie wyprawy do Paryża, gdzie kupiły suknię ślubną, z tą różnicą, że tym razem mieli płynąć innym transatlantykiem – RMS Aquitania. Po dotarciu do Cherbourga przesiadali się na pociąg do Rzymu, gdzie zaczynał się ich miesiąc miodowy. To był brytyjski statek, zatrzymywał się w Southampton, przewoził też pocztę i był najszybszym pływającym parowcem. Służył w czasie pierwszej wojny światowej. Zaledwie trzy miesiące po wodowaniu został przystosowany do potrzeb wojskowych. Przekształcono go w statek szpitalny. Od dekady jednak kursował jako luksusowy liniowiec z kajutami dla trzech klas. Nazywano go statkiem milionerów. Był ostatnim z czterokominowych transatlantyków z przeszklonymi pokładami spacerowymi, elegancko urządzonymi pomieszczeniami publicznymi i kajutami, siłownią oraz teatrem. Obsługa była doskonała, licząca tysiąc osób załoga zajmowała się bez zarzutu trzema tysiącami pasażerów.

Po zwiedzeniu Rzymu mieli w planach pobyt we Florencji i Wenecji, a na końcu zatrzymywali się jeszcze na kilka dni nad jeziorem Como. W sumie zamierzali spędzić we Włoszech prawie cztery tygodnie, a potem statkiem wracali do Nowego Jorku, skąd pociągiem jechali do San Francisco, dokąd mieli dotrzeć na początku listopada. Eleanor nie mogła się doczekać ich wspólnej podróży i wsiadając do wagonu na stacji, przypominała podekscytowane dziecko. Alex posłał jej promienny uśmiech.

– Jestem najszczęśliwszym człowiekiem pod słońcem dzięki tobie, ukochana żono.

Była też najpiękniejszą panną młodą, jaką w życiu widział.

Zajęli miejsca w przedziale, potem czytali, grali w karty, rozmawiali, kochali się. Posiłki spożywali w wagonie restauracyjnym, a nocą zasypiali w swoich ramionach. Doskonale się czuli w swoim towarzystwie. Po przesiadce w Chicago na zakończenie trzydniowej podróży dotarli nad ranem do Nowego Jorku i zameldowali się w hotelu Plaza.

Aquitania odpływała następnego dnia. Eleanor cieszyła się na morską podróż u boku męża. Chcieli zarezerwować bilety na SS Paris, niestety liniowiec doznał poważnych szkód po pożarze, do którego doszło w sierpniu w Hawrze i choć był już październik, wciąż usuwano zniszczenia wywołane dymem i wodą, dlatego statek jeszcze nie wrócił na trasę. Poznawanie nowego transatlantyku u boku Alexa sprawiało Eleanor ogromną przyjemność. Po wejściu na pokład udali się do przestronnej luksusowej kabiny, w której bez trudu zmieściły się jej bagaże z podróżną garderobą. Od dawna kompletowała ubrania na miesiąc miodowy. Zawsze, gdy wychodzili w strojach wieczorowych, zakładała diamentowy naszyjnik, który Alex podarował jej w dniu ślubu. Ucieszył się, że się jej spodobał. Zachwycał teraz każdego, kto go zobaczył.

Na pokładzie spacerowym grali w shuffleboard albo opalali się na leżakach, czytali, korzystali z basenu i siłowni, a potem kilkakrotnie w ciągu dnia dyskretnie wymykali się do kabiny, gdzie namiętnie się kochali. Rozmawiali z innymi pasażerami przy kapitańskim stole, tańczyli i pili szampana. Kiedy statek zacumował w Cherbourgu, we Francji, byli w doskonałych humorach. Ich wspólna podróż trwała już dziesięć dni i Eleanor całkiem swobodnie zachowywała się w obecności męża, jakby byli ze sobą od lat. Nie była już nieśmiała i cieszyła się na podróż pociągiem do Rzymu.

W Wiecznym Mieście zatrzymali się w eleganckim apartamencie hotelu Excelsior przy via Veneto i wynajęli bryczkę, żeby podziwiać rzymskie zabytki. Eleanor była oczarowana stolicą Włoch, a Alex każdego dnia był w niej coraz bardziej zakochany. Dziewczyna często zastanawiała się, czy będzie w ciąży po powrocie z miesiąca miodowego. Kochali się po kilka razy dziennie. Inicjowała zbliżenia równie często jak on, czym sprawiała mu ogromną przyjemność.

Jadali w eleganckich restauracjach, które polecono im w hotelu, szczególnie spodobało im się w Al Moro, nowo otwartym lokalu za fontanną di Trevi. Chodzili na długie spacery i kupowali piękne rzeczy. Podarował jej szmaragdową bransoletkę od Bulgari, ona odwzajemniła się szkatułką Fabergé, którą znalazła w renomowanym sklepie z antykami. Zaglądali do butików i małych kościółków, a tydzień później z żalem wyjeżdżali z miasta. Był dwudziesty pierwszy października. Z Rzymu pojechali na cztery dni do Florencji, gdzie podziwiali cuda zgromadzone w Galerii Uffizi i kolejne kościoły.

Dwa dni po przyjeździe do Florencji Alex otrzymał stos telegramów ze swojego banku z informacją, że bańka giełdowa zaczyna pękać. Inwestorzy masowo pozbywali się udziałów. Jednego dnia, który przeszedł do historii jako czarny czwartek, sprzedano dwanaście milionów dziewięćset tysięcy akcji. Wiadomości z kraju zmartwiły Alexa.

Do Wenecji zawitali dwa dni później. Eleanor momentalnie zakochała się w mieście. Zatrzymali się w Danieli i wszędzie chodzi pieszo, gubili się labiryncie krętych uliczek, ale zawsze w końcu znajdowali drogę. Wynajęli gondolę pod mostem Westchnień, a płynąc, słuchali śpiewu gondoliera. Było to najbardziej romantyczne miasto, jakie Eleanor kiedykolwiek odwiedziła. Alex cieszył się, że jest tam razem z nią. Nie mogli sobie wymarzyć wspanialszego miesiąca miodowego. Włochy okazały się dla nich idealnym miejscem.

Planowali zostać w Wenecji cały tydzień, a potem czekał ich jeszcze kilkudniowy odpoczynek nad brzegiem jeziora Como przed powrotem do Cherbourga i przeprawą przez Atlantyk do Nowego Jorku. Po trzech dniach pobytu w mieście na wodzie – był dwudziesty dziewiąty października 1929 roku – wrócili do hotelowego apartamentu po całym dniu zakupów i zwiedzania. Była szósta wieczorem i planowali przez godzinę lub dwie odsapnąć przed kolacją, na którą wybierali się do najlepszej restauracji w okolicy.

Tuż po ich wejściu do pokoju hotelowego rozległo się pukanie do drzwi, a kiedy Alex otworzył, jeden z hotelowych gońców wręczył mu telegram. Alex odebrał go, dał napiwek chłopakowi, a potem położył się na łóżku obok żony. Założył, że to kolejna służbowa wiadomość z banku, który właśnie się otwierał. Miał rację, napisał do niego zastępca, któremu przekazał swoje obowiązki na czas nieobecności. Mąż Eleanor, czytając, zmarszczył brwi.

> Katastrofalna sytuacja. Światowa gospodarka w głębokim kryzysie. Masowa panika. Akcje na nowojorskiej giełdzie schodzą za bezcen. Milionowe straty. Kraj na skraju załamania.

Alex nie mógł uwierzyć, że jest aż tak źle. Szybko odpisał, wysłał od razu dwa telegramy – jeden do zastępcy, każąc mu cierpliwie czekać, a drugi do przyjaciela z Nowego Jorku, analityka giełdowego, żeby dowiedzieć się, co on sądzi o tej sytuacji. Powiedział Eleanor, że zaraz wróci, zszedł do recepcji i nadał obie wiadomości. Odpowiedzi nadeszły, nim zdążyli wyjść na kolację.

Przyjaciel z Nowego Jorku potwierdził, że doszło do katastrofy. Na Wall Street zapanował chaos. Masowo pozbywano się akcji. Straty liczono w miliardach dolarów. Tego dnia podczas drugiej fali paniki sprzedano za bezcen szesnaście milionów udziałów. Akcje gwałtownie traciły na wartości. Zaczął się kryzys, z którego kraj szybko się nie podniesie. Był to największy krach giełdowy w dziejach. Inwestorzy zarabiający na marży zbankrutowali. Czarny wtorek okazał się jeszcze bardziej zabójczy niż czarny czwartek sprzed pięciu dni.

Alexowi trudno było w to uwierzyć. Jak to możliwe? Musieli przesadzać. Nadał telegram do Charlesa Deveraux, a potem poszli na kolację. O niczym nie wspomniał Eleanor. Nie chciał jej niepokoić, poza tym wciąż był przekonany, że to, co się stało, nie mogło być aż tak straszne, jak mu przekazano. Wydawało się to po prostu nie do wyobrażenia.

W czasie kolacji Eleanor zauważyła, że mąż jest rozkojarzony. Był osobliwie małomówny, ale zrzuciła to na karb zmęczenia. Noc wcześniej kochali się do białego rana, prawie nie zmrużyli oka, a cały dzień byli na nogach. Nie dostrzegła związku między jego milczeniem a telegramami, które dostał. Założyła, że dotyczyły bieżących, normalnych spraw związanych z jego pracą. Nie zająknął się nawet słowem na temat paniki, która wybuchła na Wall Street.

Kiedy wrócili po kolacji, już czekał na niego telegram od Charlesa, a także kilka innych. Najpierw przeczytał wiadomość od teścia.

> Jest gorzej, niż Ci napisano. Jestem zrujnowany. Podobnie jak wielu innych. Banki padają. Ludzie tracą całe fortuny. Kraj w szoku. Nie podniesiemy się za naszego życia, przynajmniej za mojego. Sytuacja katastrofalna. Dziś sprzedano szesnaście milionów udziałów. Straty idą w miliardy. Gospodarka na skraju upadku. Gigantyczny kryzys.
>
> Charles

Nadmierne wydatki w końcu dały o sobie znać, a giełdowa bańka pękła, siejąc wokół spustoszenie. Banki, które za bardzo przekroczyły budżet, szły na dno.

Alex nic nie powiedział Eleanor tego wieczoru. Pozostałe telegramy przekazywały identyczne, a nawet gorsze wiadomości. Jego zastępca informował, że zbyt wiele zainwestowali, i to ich pogrążyło. Udzielili za dużo kredytów. Alex chciał się dowiedzieć, czy była to prawda. Nie potrafił sobie wyobrazić, że Charles zbankrutował, bo przecież posiadał ogromny majątek. Rano zszedł na dół, żeby przejrzeć prasę, zanim Eleanor się obudzi. Wybrał włoskie, brytyjskie i międzynarodowe amerykańskie gazety. Wszystkie nagłówki mówiły o tym samym. Kryzys dotarł już do Europy, objął cały świat, choć najdotkliwsze straty odnotowano w Stanach Zjednoczonych. Krach na giełdzie zajmował pierwsze strony czasopism w każdym języku, a recepcjonista za kontuarem był wyraźnie zmartwiony. Alex nadał kolejne telegramy. Kiedy wrócił na górę, powiedział Eleanor, że w Nowym Jorku wybuchł kryzys na rynku papierów wartościowych. Nie dodał, że rynek ten się załamał ani że kraj popadał w ruinę. Sam w to nie wierzył, wciąż uważał, że wszyscy przesadzają, choć trudno było zaprzeczyć sprzedaży szesnastu milionów akcji w jeden dzień. Alex stwierdził, że woli zostać w hotelu, chciał w spokoju przeczytać odpowiedzi na swoje telegramy, jak tylko nadejdą. Eleanor wybrała się więc na samotny spacer, a kiedy wróciła, wyczytała z twarzy męża, że sytuacja jest poważna. Wszyscy powtarzali to samo. Kraj stanął w obliczu najgorszego kryzysu, całe fortuny wyparowywały w jeden dzień. Alex martwił się o swój majątek, obawiał się, że również stopniał. Powoli zaczynało do niego docierać, że sytuacja jest prawdopodobna, dlatego z żalem oznajmił żonie, że powinni skrócić podróż i jak najszybciej wrócić do domu. Była wyraźnie zawiedziona, ale nie oponowała.

– Czy z papą wszystko dobrze? – zapytała zamartwiona.

Przypomniał sobie telegram od Charlesa, w którym teść wyznał, że jest zrujnowany.

– Nie wiem, niczego nie można stwierdzić z całkowitą pewnością. Uważam, że powinniśmy wrócić do domu, żeby się dowiedzieć.

Recepcja pomogła im zarezerwować bilety na powrotny rejs Aquitanią dwa tygodnie wcześniej, niż początkowo panowali. Alex i Eleanor spędzili spokojny wieczór w hotelu, rozmawiali o przyszłości i aktualnej sytuacji, a następnego dnia rano pojechali pociągiem z Wenecji do Cherbourga i zdążyli w samą porę na statek. Przed wyjściem z hotelu objęła go ramionami.

– Miałam cudowną podróż poślubną, mężu. Chciałabym, żebyś wiedział, że cokolwiek się wydarzy po naszym powrocie, na pewno zdołamy stawić temu czoło razem. Teraz jest nas dwoje.

Była spokojna i opanowana, nie bała się. Alex z wolna uświadamiał sobie, że zatrważające wiadomości, które otrzymał, mogą się okazać prawdziwe. Strach zburzył jego początkowe przekonanie, że są przesadzone. Z gazet wywnioskował, że amerykańska gospodarka upadła. Choć wydawało się to niemożliwe, obawiał się, że to jednak prawda, i wracał do domu z duszą na ramieniu.

Podróż powrotna na pokładzie luksusowego liniowca okazała się bardzo stresująca dla Alexa, którego dręczył niepokój. Wieczorami nie był w nastroju na świętowanie ani tańce. Im więcej słyszał, tym bardziej był zrozpaczony i pragnął wrócić do Stanów. Planowali zatrzymać się na jeden dzień w Nowym Jorku, gdzie zamierzał spotkać się z zaufanymi ludźmi powiązanymi z rynkiem akcji, obligacji i towarów. Łaknął rzetelnych informacji, a nie krzyków paniki. Ostatni telegram, który otrzymał przed wejściem na statek, został nadany przez jego zastępcę z banku. Wieczór wcześniej ich najważniejszy klient, mężczyzna posiadający ogromny majątek, w obliczu bankructwa popełnił samobójstwo. Okoliczności były naprawdę dramatyczne i Alex nie miał pewności co do stanu własnego portfela akcji. Był wręcz przekonany, że stracił większość tego, co posiadał, jeśli wieści z kraju nie były przesadzone. Martwił się też położeniem Charlesa Deveraux. Jeśli jego teść był szczery w swoim telegramie, oznaczało to, że oba najpotężniejsze banki z San Francisco będą musiały zostać zamknięte. Sama myśl o tym budziła w Aleksie trwogę. W drodze powrotnej na statku starał się jak najmniej mówić Eleanor. Nie chciał jej nadmiernie niepokoić ani niepotrzebnie wzbudzać w niej paniki. Potrzebował twardych faktów, a nie pogłosek, ale czuła, że jest spięty, a sytuacja rysuje się nieciekawie. Niewiele mówiła, nie zadawała mu żadnych pytań. Instynktownie czuła, że nagabywanie go tylko pogłębi niepokój, więc przez większość czasu nie odzywała się albo poruszała w rozmowie niezobowiązujące tematy.

Po przyjeździe do Nowego Jorku Alex wreszcie zmierzył się z twardymi faktami, których tak oczekiwał. Umówił się z przyjaciółmi, maklerami giełdowymi i kilkorgiem bankierów. Wszyscy, łącznie z ich klientami, zbankrutowali. Niektóre majątki stopniały w dosłownie zaledwie kilka godzin, innym został niewielki ułamek tego, co posiadali. Banki zamykały podwoje, firmy padały jak muchy. Wystawiano na sprzedaż domy. Bogacze z dnia na dzień stawali się biedakami, a on prawdopodobnie miał podzielić ich los.

W pociągu do San Francisco był spięty, próbował przygotować żonę na złe wieści, które czekały ich po przyjeździe, choć sam nie był gotowy na skalę katastrofy, która ich dotknęła. Odwiózł Eleanor do domu i udał się prosto do biura. Według zastępcy, w którego rękach zostawił bank na czas swojej nieobecności, nie było żadnych wątpliwości. Nadmierne inwestycje doprowadziły firmę do upadku, a Alex był zmuszony ogłosić upadłość. Jego klienci stracili majątki. Ich własne fundusze zniknęły. Panika sprawiła, że ludzie masowo wypłacali gotówkę, likwidowali lokaty. Kiedy Alex sprawdził stan własnego konta, zrozumiał, że stracił dosłownie wszystko. Wszystko! Na skutek krachu na giełdzie pozostał bez grosza. Będzie zmuszony szukać pracy. A teraz miał na utrzymaniu żonę, którą pociągnie za sobą w przepaść. Nie był w stanie znieść tej myśli.

Poszedł spotkać się z Charlesem, którego bank został zamknięty. Znalazł teścia w domu. Sytuacja Deveraux była podobna, choć może odrobinę mniej tragiczna. Charles stracił większość majątku, ale zachował kilka funduszy, które potwornie straciły na wartości, lecz zdołały utrzymać się na powierzchni. Większość pakietów akcji, które posiadał, zmiotła fala kryzysu. W dziesięć dni po czarnym wtorku, których Alex potrzebował, żeby wrócić do San Francisco, kilku ważnych klientów jego banku, a także trzej przyjaciele popełnili samobójstwo. Przygniotła ich myśl, że zostali z niczym. Nie potrafili sobie wyobrazić, jak dalej żyć. Większość z tych, którzy się zabili, zostawiła wdowy i sieroty bez środków do życia. Alex nie potrafił nawet o tym myśleć. Kraj pogrążył się w kryzysie.

– Co teraz zrobisz? – zapytał teścia, kiedy zostali sami w bibliotece.

Pili whisky, a z ich twarzy biła desperacja.

– Zostały nam nędzne grosze. Jestem za stary na szukanie pracy. Mam pięćdziesiąt dwa lata i nikt mnie nie zatrudni – przyznał bez ogródek Charles. – Musimy wszystko sprzedać: dom, posiadłość nad jeziorem, biżuterię, samochody, dzieła sztuki, futra. Wszystko pójdzie za bezcen, ale nie mamy innego wyjścia. Zachowamy kawałek działki nad jeziorem, tam, gdzie stoją kwatery służby, i niewielki domek. Przeprowadzimy się tam z Louise. Oczywiście będziemy zmuszeni zwolnić personel, już wręczyliśmy wszystkim wypowiedzenia, też im nie zazdroszczę. Po latach lojalnej służby nie możemy sobie dłużej pozwolić na wypłacanie im wynagrodzenia. Sami teraz zostaniemy lokajami – powiedział ponuro. – Co z tobą?

– Nic mi nie zostało. Dziś o wszystkim powiem Eleanor. Nie będę jej robił żadnych przeszkód, jeśli zdecyduje się na anulowanie małżeństwa. Nie jestem już człowiekiem, którego poślubiła. Będę miał szczęście, jeśli uda mi się znaleźć pracę stróża i ruderę, w której zamieszkam. Nie skażę jej na podobny los. Będzie mogła pojechać z wami nad Tahoe.

– Ty też możesz – zasugerował ochrypłym głosem Charles.

– Potrzebuję pracy, a nad jeziorem mam niewielkie szanse na jej znalezienie, z wyjątkiem może posady ogrodnika. Nikt nas tam nie zatrudni. Teraz należymy do pokolenia bankrutów i żebraków.

– Na tyle dobrze znam swoją córkę, żeby wiedzieć, że od ciebie nie odejdzie. Louise okazała się naprawdę cudowna. Wydzwaniała do domów aukcyjnych, żeby spieniężyć biżuterię. W przyszłym tygodniu wystawimy na sprzedaż dom. Pójdzie z całym wyposażeniem, o ile znajdziemy kupca. Miałem trochę gotówki w sejfie. Starczy nam na jakiś czas, lecz nie na długo.

Alex nie mógł uwierzyć własnym uszom, a kiedy wrócił do domu, żeby porozmawiać z Eleanor, był na wpół pijany. Wyłożył karty na stół bez owijania w bawełnę i zaproponował jej anulowanie małżeństwa. Wyglądała na mocno skonsternowaną, jakby go nie zrozumiała. Miała wiele do przeanalizowania. Wokół nich walił się świat, w którym dotąd żyli, a ich styl życia odchodził do lamusa. Nagle cała warstwa społeczna, do której należeli, opadła na dno niczym tonący statek. Majątki, kariery i zwyczaje, wszystko, co znali, zniknęło w okamgnieniu, wyparowało w jeden dzień, choć byli bez winy.

– Nie rozumiem, co do mnie mówisz – przyznała Eleanor, mrużąc oczy, jakby nie widziała go wyraźnie. – Co to dla nas oznacza?

– Możesz wystąpić o anulowanie małżeństwa albo możemy się rozwieść. Proponuję ci wolność, Eleanor. Wyszłaś za mąż za zamożnego mężczyznę, który był w stanie zająć się tobą i naszymi dziećmi do końca twoich dni, zapewnić ci poziom życia, jakiego wcześniej zaznałaś w domu ojca. Teraz nie mam nic. Nic nie zostało. Wszystko przepadło. Z wyjątkiem odrobiny gotówki w domowym sejfie. Kiedy się skończy, nie będę nawet mógł kupić ci jedzenia. Będziemy głodować. Muszę znaleźć pracę, o ile mi się uda. Muszę wszystko sprzedać. Nie mogę pozwolić, abyś w tym uczestniczyła. Nie chcę cię w to wciągać, zmuszać do życia w nędzy, prania i szorowania podłóg za parę groszy. Musisz opuścić statek, Eleanor. Kocham cię. Nie pociągnę cię za sobą na dno. Twój ojciec uważa, że starczy mu na spokojne życie nad Tahoe, jeśli uda mu się wszystko sprzedać. Powinnaś tam z nimi pojechać. Nie jestem w stanie cię utrzymać ani zapewnić ci tego wszystkiego, do czego się zobowiązałem, biorąc cię za żonę. Nie zrobię ci tego. Powinnaś wrócić do rodziców i o mnie zapomnieć.

W jego oczach zaszkliły się łzy, gdy jej to tłumaczył, ale mówił stanowczo. Za bardzo ją kochał, żeby narażać ją na podły los. Sytuacja jej ojca nie rysowała się w różowych barwach, ale była nieco lepsza niż jego. Alex też zdobędzie jakieś środki do życia po sprzedaży majątku, ale zdawał sobie sprawę z tego, że wystarczą mu jedynie na najbliższe miesiące. Nie wiadomo też było, jak długo kraj będzie wychodził na prostą z największej depresji, jaka weń uderzyła w całej historii. Ameryka upadła na kolana, a wraz z nią miliony obywateli, do których zaliczał się też Alex.

– Co z przysięgą małżeńską? Na dobre i na złe. Nie byłeś szczery? Bo ja tak – wytknęła mu ze złością. – Oczywiście przyjemnie jest żyć w pięknym domu ze służbą, eleganckimi samochodami, biżuterią i szykownymi strojami. Ale nie dla tego za ciebie wyszłam. Zostałam twoją żoną, bo cię kocham „w dostatku i biedzie, w zdrowiu i chorobie, dopóki śmierć nas nie rozłączy". Mówiłam poważnie, Alex. Ty nie?

– Tak, oczywiście, ale jest inaczej. – Nie chciał jej słuchać.

– Dlaczego inaczej?

– Bo okoliczności są wyjątkowe. Nic mi nie zostało.

– Już to mówiłeś. Czy teraz, kiedy zbiedniałeś, chcesz mnie porzucić?

Zrozumiał, że jego słowa ją uraziły, a przecież starał się zachować honorowo przez wzgląd na nią, nie na siebie.

– Nie pogrążę cię ze sobą!

– O ile dobrze zrozumiałam, wszyscy są na dnie. Więc jaka różnica?

– Kolosalna. Twój ojciec ma parę groszy. Ze mną będziesz głodować.

– Zatem oboje będziemy głodować. Poza tym też mogę znaleźć pracę, jeśli to konieczne – oznajmiła hardo, prostując plecy i patrząc mu prosto w oczy.

– Jaką pracę? Nie masz żadnego wykształcenia.

– Mogę być pokojówką – odparła, zadzierając podbródek.

Uśmiechnął się do niej.

– Nie będzie już pokojówek. Ludzi, którzy je zatrudniali, już nie stać na nie.

– Zostanę pielęgniarką, lekarzem albo nauczycielką – wymieniała, nie zamierzając się poddawać. Kochała go i nie chciała przekreślać ich małżeństwa tylko dlatego, że stracił majątek. – Co ty będziesz robił?

– Rozejrzę się za pracą w banku, ale inną niż dotychczas, bezrobotnych prezesów jest teraz na pęczki. Myślę o stanowisku kasjera albo urzędnika.

– W porządku, ja będę sekretarką albo służącą, czymkolwiek. Może kelnerką.

Podszedł i wziął ją w ramiona.

– Eleanor, kocham cię. Nie będę w stanie cię utrzymać. Nic mi nie zostało. Muszę wszystko sprzedać. Wolałbym wiedzieć, że jesteś bezpieczna z rodzicami nad Tahoe i masz co jeść, niż zmuszać cię do przymierania głodem przy moim boku.

– Wolę się zagłodzić, ale z tobą – przyznała łamiącym się głosem. – Nie boję się pracy. Nie zostawię cię. Kocham cię.

Zawahał się na chwilę i spojrzał na nią.

– Uparta z ciebie kobieta, Eleanor Deveraux Allen.

– Sprzedam suknię ślubną – zaproponowała szlachetnie, choć aż ją zakuło, gdy to powiedziała. Kreacja była symbolem najlepszych dni jej życia, ale nadeszły ciężkie czasy i chciała mu udowodnić, że będzie w stanie im sprostać.

– Nie rób tego – zaoponował stanowczo. – Dostaniesz za nią nędzne grosze. Zachowaj ją dla naszej córki. – Mówił poważnie. Czuł, jak pęka mu serce, gdy usłyszał, że jest gotowa ją sprzedać, żeby ich ratować.

– Jeśli się ze mną rozwiedziesz, nie będziemy mieli córki – zauważyła ze smutkiem, a wtedy przytulił ją mocniej.

– Muszę wszystko sprzedać, nawet dom, i to jak najszybciej. Wszystko, co mamy. Muszę zamknąć bank. Jesteśmy bankrutami.

– W porządku. Damy radę – pocieszyła go.

Ze sposobu, w jaki to powiedziała, wynikało, że mówiła szczerze, a jej zawzięty upór dał mu nadzieję, że wspólnie coś wymyślą. Ciężkie czasy spadły na cały kraj. Wczorajsi bogacze będą teraz głodować, żyć na ulicach, a oni mogą do nich dołączyć, jeśli pozwoli jej zostać. Nie miał jednak serca, żeby ją odepchnąć. Była taka młoda, niewinna i wrażliwa, a miłość, którą do niego żywiła, była czysta i szczera.

Eleanor poszła do kuchni, żeby przygotować im coś do jedzenia. Wróciła ze smażonymi jajkami, kawałkiem szynki i kilkoma kromkami chleba. Akurat tyle mieli. Postawiła obok niego na stole skórzane puzderko. Rozpoznał je natychmiast. Był w nim diamentowy naszyjnik należący do jego matki, który podarował żonie w dniu ślubu.

– Skoro wyzbywamy się biżuterii, powinieneś także go sprzedać. – Uśmiechnęła się do niego, a on ją pocałował.

– Co ze mnie za mąż, że odbieram ci prezent ślubny.

– Mam ciebie, nie potrzebuję diamentów. Cudownie było je nosić, ale pewnie są sporo warte.

– Podejrzewam, że niestety nie. Teraz wszyscy będą sprzedawać biżuterię. Zobaczymy, jak nam go wycenią.

Westchnął i zabrał się do jedzenia. Dołączyła do niego. Już więcej nie wracał do tematu anulowania małżeństwa ani rozwodu. Postawiła sprawy jasno. Zostaje na tonącym statku, nie zamierza uciekać w szalupie ratunkowej. Nie zostawi go, była gotowa na wszystko, zamierzała przy nim wytrwać do końca. Nigdy wcześniej nie kochał jej bardziej niż teraz.

Nocą w łóżku wtulili się w siebie mocno niczym dwójka zalęknionych dzieci. Śniło mu się, że toną i nie potrafi jej uratować. Obudził się cały spocony w splątanej pościeli. Eleanor spała spokojnie obok, odporna na jego koszmary. Martwił się, czy uda się im wyjść cało ze zmian, które na nich spadły. Chciał ją chronić i o nią dbać, ale czy stanie na wysokości zadania? Przytulił się do niej, nie budząc jej, po policzkach spływały mu łzy. Przyszłość jawiła się w ponurych barwach. Przypomniał sobie przysięgę, którą sobie złożyli zaledwie miesiąc wcześniej. W dostatku i biedzie... Nie miał wtedy pojęcia, że do tego dojdzie ani jak prawdziwe okażą się te słowa.

Rozdział 6

Początek listopada okazał się surrealistyczny dla całego kraju. Nikt się nie uchronił przed ostatnimi wydarzeniami. Majątki wyparowały, miejsca pracy zniknęły. Firmy upadały, a bezrobocie rosło w zatrważającym tempie. Ludzie nie wierzyli bankom, dlatego masowo wypłacali oszczędności. Sfera, do której należały rodziny Deveraux i Allenów, z dnia na dzień zubożała. Na sprzedaż wystawiono obie rezydencje, Charlesa i Alexa, podobnie jak inne eleganckie wille, które oferowano za śmiesznie niskie ceny. Tuzin wytwornych posiadłości w mieście, może nie tak pięknych i luksusowych jak ich, czekał na nowych nabywców. Tym, którzy mieli trochę gotówki, trafiały się niesamowite okazje. Cała biżuteria Louise poszła pod młotek, nie zachowała nawet klejnotów rodzinnych ani upominków, które Charles dawał jej w ciągu wszystkich wspólnych lat. Nie mieli innego wyjścia. Zdjęli ze ścian wartościowe obrazy i wysłali je do Nowego Jorku na licytacje. Domy aukcyjne zostały zasypane dziełami sztuki z prywatnych kolekcji znamienitych rodzin, jak również od znanych marszandów. Ceny spadały na łeb na szyję i kiedy rozpoczęto aukcje, bezcenne malowidła i nietuzinkowe klejnoty schodziły za ułamek swej rzeczywistej wartości, jednak było to pocieszeniem, choć niewielkim, dla sprzedających, którzy desperacko potrzebowali gotówki. Alex wystawił na sprzedaż całą biżuterię po matce, także naszyjnik, który podarował Eleanor.

Rodzina Deveraux zwolniła już personel domowy. Zatrzymali zaledwie dwie, trzy osoby, bo na tyle mogli sobie obecnie pozwolić, ale na pewno nie na długo. Nie chcieli wyrzucać lojalnych służących na ulicę, bo szalenie trudno było znaleźć pracę, więc pozwolili wszystkim zostać w domu za darmo, dopóki nie zostanie sprzedany, ale już im nie płacili. Kiedy przeprowadzą się nad Tahoe, wszyscy będą zmuszeni odejść. Nad jeziorem najmą dziewczynę z okolicy do pomocy w prowadzeniu domu, kiedy już osiądą tam na stałe. Charles zdołał wykroić z posiadłości maleńką działkę, którą byli w stanie zatrzymać. Tam miał być ich nowy dom. Zamieszkają w głównym budynku służby, który był ciasny i pozbawiony wygód, zachowali też mały domek gościnny, na wypadek gdyby Alex z Eleanor wpadli do nich z wizytą. Była tam też stodoła, gdzie zamierzali przechowywać to, co im zostanie. Hangar trafi w ręce nowego właściciela. Łodzie również wystawiono na sprzedaż. Konie już zostały sprzedane. Nie było ich stać na ich utrzymanie, opłacanie stajennych i paszy.

Wilson wiedziała, że gdy państwo sprzedadzą dom na Nob Hill i przeprowadzą się nad Tahoe, straci pracę. Na razie płacili jej, kamerdynerowi Houghtonowi i jeszcze jednej pokojówce, ale było wiadomo, że to nie potrwa długo. Skontaktowała się z krewnymi w Bostonie, ale odpowiedzieli jej, że u nich sytuacja jest równe dramatyczna i nie ma pracy. Planowała za zgromadzone oszczędności wrócić do Irlandii, z nadzieją, że tam znajdzie płatne zajęcie.

Kucharka znalazła zatrudnienie w restauracji za marne grosze, ale przynajmniej miała pracę. Houghton – po latach wiernej służby państwu Deveraux – podobnie jak Wilson rozważał powrót do Europy, bo liczył, że rodzina na miejscu pomoże mu w znalezieniu jakiegoś zajęcia. Pokojówka, którą zdecydowali się zatrzymać, rozglądała się za płatną posadą w hotelu, ale na razie nikt nie zatrudniał. Większość ludzi pozostawała bez pracy. Alex codziennie długie godziny spędzał na szukaniu zatrudnienia w banku, nawet za niskie wynagrodzenie. Rozmowy, jakie odbywał, były przygnębiające. Ci, którym udało się zachować posady, zdawali się upajać jego upadkiem. Wychodził ze spotkań upokorzony i zawsze odrzucano jego kandydaturę pod pretekstem, że ma za wysokie kwalifikacje jak na podrzędne stanowiska, o które się starał.

Ostatecznie to Eleanor pierwsza znalazła pracę. Poszła do swojej byłej szkoły, pensji dla młodych dziewcząt panny Benson i dosłownie błagała, żeby ją zatrudniono. Szczerze przedstawiła sytuację, w jakiej się znalazła, i ją przyjęto. Za niewielkie pieniądze miała uczyć francuskiego, rysunku i historii sztuki. Sama była pilną uczennicą, przejawiała niemały talent do akwareli, a po francusku mówiła biegle. Miała zastąpić nauczycielkę, która w styczniu planowała urodzić dziecko. Przypadkiem więc Eleanor złożyła wniosek o pracę w idealnym momencie. Miała zacząć zaraz po świętach Bożego Narodzenia. Niedawno skończyła dziewiętnaście lat, była zatem tylko o kilka lat starsza od przyszłych uczennic. Ich szeregi przerzedziły się w ostatnich miesiącach, bo wiele rodzin nie było w stanie dłużej uiszczać czesnego za naukę. Eleanor miała dostawać zaledwie niewielki ułamek zwykłej nauczycielskiej pensji, co bardzo cieszyło właścicieli. Dziewczyna była jednak wdzięczna, że dostała pracę, a Alex był z niej dumny. Przyznała, że nie może się doczekać, kiedy zacznie, i okazywała duży entuzjazm ze względu na niego. Razem z matką odbyły długą rozmowę na temat ich obecnego położenia i Louise przypomniała córce, że rolą kobiet jest wspieranie mężczyzn, żeby nie tracili sił. Charles nie czuł się zbyt dobrze, w ciągu ostatnich dwóch miesięcy postarzał się od dziesięć lat.

Najpierw udało się sprzedać dom Alexa. Kupił go spekulant, który planował przerobić rezydencję na hotel. Nabył ją z całym umeblowaniem, więc nie musiał się martwić o urządzanie wnętrz, a kwota, którą zaproponował Alexowi, była żenująco niska, ale mąż Eleanor został przyparty do muru i potrzebował pieniędzy. Nie miał innego wyjścia. Dom z wyposażeniem wart był sto, a nawet tysiąc razy więcej, niż nowy właściciel zgodził się zapłacić. Alex z wielkimi oporami przyjął ofertę i aż skulił się w środku na myśl, że piękna posiadłość wybudowana przez jego dziadków będzie teraz hotelem. Biżuteria po matce sprzedała się żałośnie tanio na aukcji, ale potrzebował zabezpieczenia w banku dla siebie i żony. Dom był najbardziej wartościową rzeczą, jaką posiadał. Cały majątek, wszystkie inwestycje przepadły w czasie krachu giełdowego.

Nabywca natychmiast przejął rezydencję, więc w grudniu Alex z Eleanor przeprowadzili się do jej rodziców. Mieszkanie w domu teściów po utracie własnego podniosło go nieco na duchu, ale było to tymczasowe rozwiązanie przed kolejną zmianą dachu nad głową.

Jego bracia, Phillip i Harry, wyjechali z San Francisco i zamieszkali w Filadelfii, korzystając z zaproszenia kuzynów, którym udało się zachować dom. Żaden z braci nie miał pracy, oszczędności ani żadnych praktycznych umiejętności. Alex odprowadził ich do pociągu. Całą trójką płakali niepewni, kiedy znów się zobaczą. Życie zmusiło bon vivantów, żeby wreszcie dorośli. Będą też musieli znaleźć źródło utrzymania. Alex żegnał ich ze smutkiem, ale nie mógł im zapewnić mieszkania ani utrzymania. Trafili pod skrzydła dalszej rodziny, ale finansowo musieli radzić sobie sami. Alex wiedział, że zupełnie nie byli na to przygotowani, i się obwiniał. Kiedy po raz ostatni mocno uścisnął braci, ból rozstania przeszył mu serce.

Nastał czas strat i pożegnań. Boże Narodzenie upłynęło im w ponurym nastroju, wśród doniesień o kolejnych samobójstwach znajomych. Zazwyczaj na swoje życie targali się starsi mężczyźni, nie mogąc stawić czoła upadkowi dotychczasowego świata.

Charles sprzedał samochody, zostawił sobie tylko jeden, który sam prowadził. Eleanor i Louise samodzielnie, z niewielką pomocą Wilson, przyrządziły świąteczne potrawy, które okazały się zaskakująco smaczne. Nie organizowano żadnych balów debiutantek ani świątecznych przyjęć. Louise była przekonana, że powrócą pewnego dnia, ale na pewno jeszcze nie teraz. Nikt nie miał powodów do świętowania, gdy cały kraj opłakiwał utracone posady, oszczędności, domy i styl życia.

W styczniu Alex znalazł pracę na najniższym możliwym stanowisku w banku handlowym. Zatrudnił go wyjątkowo antypatyczny typ, którego oczy aż lśniły za każdym razem, gdy przypominał mu, że nie jest już dyrektorem, lecz tylko podrzędnym urzędniczyną. Alex stawiał się w pracy codziennie rano w nienagannym i eleganckim stroju, co tylko potęgowało wściekłość przełożonego. Płaca była niska, ale był wdzięczny, że w ogóle ją ma. Miał teraz pieniądze ze sprzedaży domu i biżuterii po matce, oboje z Eleanor zarabiali, więc byli zabezpieczeni na jakiś czas, aż gospodarka znów się podniesie i będą mogli znaleźć lepiej płatne zajęcia, choć nikt nie wiedział, kiedy to nastąpi. Z dnia na dzień kryzys narastał, krzywa bezrobocia wciąż rosła. Dla wszystkich nastały trudne czasy.

Alex i Eleanor wciąż mieszkali u jej rodziców we wspaniałej rezydencji Deveraux. Teraz, po sprzedaży obrazów większość ścian świeciła pustkami. Louise pozbyła się również całej biżuterii, z wyjątkiem ślubnej tiary, którą postanowiła przez sentyment zatrzymać. Przez wzgląd na męża z uporem starała się nie upadać na duchu i nie martwić się tym, co stracili. Charles fatalnie znosił zmiany, które narzucił im los, przede wszystkim ogromnym ciosem było dla niego zamknięcie banku. Ogłosił upadłość przedsiębiorstwa po siedemdziesięciu latach działalności. Obwiniał się, uważał, że powinien lepiej się przygotować, wyrzucał sobie inwestycje, które nie przetrzymały krachu. Pogrążył się w równie głębokiej depresji jak gospodarka, mimo usilnych starań Louise, aby go pocieszyć. Razem z Alexem rozmawiali o sytuacji ekonomicznej i co wieczór zastanawiali się, dokąd zmierza kraj. Charles twierdził, że uratować ich może tylko kolejna wojna, co Alex uznał za posępny punkt widzenia.

Pod koniec miesiąca znalazł się chętny na zakup rezydencji Deveraux. Grupa inwestorów uznała, że budynek świetnie się nada na szkołę. Rozumieli też, że jest to idealny moment na kupno posiadłości. Taka okazja mogła się już więcej nie powtórzyć. Cena była absurdalnie niska. Od lat rozglądali się za odpowiednią lokalizacją, a byli przekonani, że Nob Hill przyda dostojeństwa placówce, którą zamierzali założyć – szkole Hamiltona. Miały się w niej uczyć wyłącznie dziewczynki, od przedszkola aż do dwunastego roku życia, co było bardzo postępowym podejściem. Inwestorzy dokładnie obejrzeli cały budynek, zastanawiając się, jak będą mogli go wykorzystać. Dla właścicieli słuchanie ich rozmów było bolesne. Byli jednak jedynymi zainteresowanymi, którzy się zjawili z ofertą. Proponowana kwota była potwornie niska, lecz w obecnych okolicznościach nie należało grymasić, dom musiał zostać sprzedany. Państwa Deveraux nie było już stać na utrzymanie posiadłości i niezbędnego personelu. Charles musiał odłożyć trochę gotówki do pustej kasetki, żeby mieli za co żyć, bo jako pięćdziesięciodwulatek nie mógł liczyć na zatrudnienie. Przedyskutował sprawę z żoną i następnego dnia przyjął ofertę. Mieli trzydzieści dni na wyprowadzkę, więc Louise od razu zabrała się do pakowania. Charles chciał wystawić wszystkie meble na aukcję, ale jego żona się uparła, żeby zachować część sprzętów. Mieli miejsce na ich składowanie w stodole nad jeziorem, poza tym większość stanowiły cenne antyki, które aktualnie wyceniano na marne grosze. Louise postanowiła, że zachowają tyle, ile pomieszczą, ewentualnie, w razie konieczności, będą je wyprzedawać później.

Razem z Wilson w kilka tygodni spakowały cały dom. Charles chciał sprzedać srebra, które schodziły za bezcen, ale Louise większość zatrzymała, bo zamierzała przeobrazić ich nowe lokum nad Tahoe, wcześniej przeznaczone dla służby, w przyzwoity dom i otoczyć się znanymi przedmiotami. Miała w głowie jasny plan, dlatego zatrzymała meble, wiele obrazów, ulubione dywany, porcelanę, którą uwielbiała i nie chciała jej oddać za półdarmo, a także większość pościeli. Potrzebowała kilku wypraw do oddalonej o pięć godzin jazdy posiadłości, żeby wszystko przetransportować przy pomocy wynajętych tragarzy i ciężarówek. Powoli wypełniła dom, w którym mieli zamieszkać, domek gościnny i stodołę pięknymi antykami i cennymi przedmiotami z Nob Hill. Teraz nie opłacało się ich sprzedawać, ceny były zbyt niskie, bo wszyscy sprzedawali i rynek się przesycił. Poza tym po sprzedaży domu odłożyli dość, żeby przez pewien czas żyć na przyzwoitym poziomie. Wciąż nie znaleźli kupca na posiadłość nad jeziorem, więc Charles pozwolił żonie wypełnić stodołę po brzegi. Zostało mu jeszcze kilka inwestycji, które choć ogromnie straciły na wartości, utrzymały się na powierzchni, i był przekonany, że pewnego dnia jeszcze przyniosą zyski.

Przygotowania do przeprowadzki nad jezioro postawiły Alexa i Eleanor przed poważnym dylematem: gdzie teraz zamieszkają, kiedy jej rodzice oddadzą dom nowym właścicielom, którzy planowali założenie w nim szkoły.

– Znajdziemy mieszkanie do wynajęcia przed ich wyjazdem – powiedział żonie Alex. – Nie możemy tu zostać.

Trzydzieści dni, które dostali na spakowanie się i opuszczenie posiadłości, szybko mijało.

– Czy stać nas na czynsz? – zmartwiła się Eleanor.

Bardzo lubiła pracę nauczycielki, bardziej niż Alex swoją. Uwielbiała uczennice z pensji panny Benson, znała placówkę, bo przecież sama ją ukończyła. Dyrektorka serdecznie jej współczuła. Jej własna rodzina straciła majątek, kiedy była młodą dziewczyną, wiedziała więc, jak boleśnie dotkliwa jest taka gwałtowna zmiana. Nie zarabiali dużo, ale musieli znaleźć mieszkanie w mieście, żeby zachować posady. Alex nie chciał być ciężarem dla ojca Eleanor.

– Nie mamy wyboru – stwierdził. – Stać nas na Pacific Heights. Może nawet centrum.

Przepatrywali gazety w poszukiwaniu mieszkań na wynajem, umówili się nawet na oglądanie kilku lokali w weekend. Większość budynków była zniszczona, brudna, a okolice niebezpieczne. Mimo to znaleźli jedno przyzwoite na obrzeżach Chinatown, nad restauracją. Kamienica wydała im się przeludniona. Nikt nie mówił po angielsku, ale czynsz był niski, a salon duży i słoneczny. Sypialnia była przytulna i przyjemna, a zarówno kuchnia, jak i łazienka lśniły czystością. Zdecydowali się na wynajem. Eleanor zapytała matkę, czy może zabrać kilka mebli, które zostały przeznaczone na przechowanie w stodole nad Tahoe. Louise zgodziła się, aby córka wzięła, co tylko chce. Pomogła jej wybrać sprzęty wystarczające do umeblowania całego mieszkania – były to głównie rzeczy z pokoju dziennego na piętrze, z którego rzadko korzystali, a także z sypialni Eleanor, więc dziewczyna otoczyła się znanymi przedmiotami. Zabrała dwa komplety porcelany, bo uznała, że je pomieści, oraz potrzebny sprzęt kuchenny, trochę sreber i pościeli, a także kilka obrazów, które nie zostały jeszcze wywiezione nad jezioro. W sytuacji panującej na rynku nie miały żadnej wartości, ale były piękne, niektóre wręcz zachwycające.

Tydzień później opłacili dwóch chłopców na posyłki, którzy wciąż mieszkali w rezydencji, choć już dla nich nie pracowali, żeby pomogli im przewieźć rzeczy. Kiedy już się urządzili, Alex rozejrzał się z zachwytem.

– Jesteś czarodziejką – pochwalił żonę uradowany. Tuż po przekroczeniu progu zauważył, że mieszkanie prezentowało się bardzo szykownie. Obrazy zdobiły wnętrza, a meble wysłane kosztownym adamaszkiem i aksamitem były odpowiednio dobrane. – Czuję się, jakbym wciąż był w domu twoich rodziców.

Roześmiał się zadowolony z ich nowego mieszkania.

– Ten jest nieco mniejszy – skomentowała jego słowa Eleanor uradowana z osiągniętego rezultatu.

Razem z matką dobrze wybrały, a miały z czego, bo musiały szybko rozdysponować sprzęty z ogromnej rezydencji. Nawet dywany, które zabrała, idealnie pasowały do nowego metrażu. Dokładnie wymierzyła ściany i podłogi, dlatego wszystko się zmieściło. Przywiozła ze sobą także zasłony, które powiesili chłopcy na posyłki i które dodały niewątpliwego uroku całości. Patrząc po mieszkaniu, trudno było uwierzyć, że jest się w zwykłym budynku w Chinatown.

– Jesteś niesamowita i bardzo cię kocham – powiedział Alex, otaczając ją ramieniem. – Gdzie wstawimy dziecięcą kołyskę, kiedy zajdzie taka potrzeba? – zapytał delikatnie, tuląc ją do siebie.

– Do czasu, aż pojawi się dziecko, znajdziemy lepszą pracę i większe mieszkanie – stwierdziła optymistycznie.

Zazdrościł jej pogody ducha i był wdzięczny za jej siłę. Razem z matką dzielnie stawiały czoło przeciwnościom losu i nie traciły dobrego humoru, co znacznie ułatwiało Alexowi radzenie sobie z codziennymi upokorzeniami, które musiał znosić w pracy od szefa pałającego do niego nienawiścią za jego pochodzenie, mimo że był bankrutem. Przełożonego do białej gorączki doprowadzały godność i klasa Alexa, który nie dawał się złamać, co w dużej mierze zawdzięczał żonie.

Kiedy Charles zobaczył, jak Louise urządziła ich nowy dom i domek gościnny nad Tahoe, był również pod wielkim wrażeniem. Przeobraziła oba budynki w przytulne gniazdka wypełnione pięknymi przedmiotami, rodzinnymi skarbami i meblami, które sprawiały, że wnętrza emanowały elegancją i gościnnością. Na ścianach zawiesiła najpiękniejsze obrazy, nie zapomniała ozdobić równie uroczymi malowidłami także domku gościnnego dla Alexa i Eleanor. Udało jej się po brzegi wypełnić stodołę meblami i ulubionymi przedmiotami „na lepsze dni", jak to ujęła. Charles na razie nie potrafił sobie wyobrazić nadejścia „lepszych dni". Kiedy jednak nastaną, Louise będzie przygotowana, aby umeblować nową rezydencję tym, co udało jej się ocalić. Charles zgodził się, że dostaliby za wszystko nędzne grosze, więc nie sprzeciwiał się planom żony. Urządziła dla nich przytulny dom, a resztę zatrzymała w stodole.

Po trzydziestu dniach, zgodnie z umową, byli gotowi do opuszczenia domu na Nob Hill. Dla Charlesa było to ogromne przeżycie, ale Louise podchodziła do wszystkiego ze spokojem i opanowaniem. Doszła do wniosku, że górskie powietrze i wędkowanie na wiosnę podniosą jej męża na duchu. Przez ostatnie dwa miesiące porządnie śnieżyło, więc kupiła używane śniegowce i narty biegówki, bo planowała jak najczęściej wyciągać go z domu, żeby się ruszał, kiedy już wprowadzą się nad jezioro. Siedzenie, opłakiwanie strat i nostalgia za tym, co było, ale już pewnie nigdy nie wróci za ich życia, działało na niego destrukcyjnie. Dni świetlanej wielkości dobiegły końca. Louise postanowiła cieszyć się tym, co ma, i do tego samego zachęcała Eleanor i Alexa. Zamierzała ciągnąć za sobą Charlesa, jeśli okaże się to konieczne. Zdecydowanie łatwiej było jej zięciowi, który był młodszy, miał trzydzieści trzy lata. Charles miał pięćdziesiąt dwa i stracił nie tylko pracę, którą mógłby zająć głowę, ale też nadzieję na przyszłość. Louise postanowiła, że powoli i delikatnie wyciągnie go z przeszłości, która bezpowrotnie minęła, żeby zaczął żyć teraźniejszością. Zmiana była niezaprzeczalnie diametralna. Przez całe życie byli bogaczami, a teraz od czterech miesięcy żyli niemal bez grosza, zadowalając się resztką, jaką udało im się zachować po stracie wielkiej fortuny. Los ich brutalnie poturbował w bardzo krótkim czasie, dlatego przystosowanie się do nowej rzeczywistości nastręczało niemałych trudności.

W czasie ostatniej wyprawy nad Tahoe przed przeprowadzką Louise zabrała ulubione rzeczy z domu, aby zawieźć je do nowego lokum, a przy okazji chciała dopełnić stodołę. To, co zostało w rezydencji, miało trafić w ręce nowych właścicieli posiadłości nad jeziorem, jeśli będą chcieli zachować część umeblowania. Jak dotąd nikt nie interesował się kupnem. Działka była ogromna, a ziemia zbyt cenna, żeby ją tanio sprzedać. Charles wolał utrzymać dobrą cenę tak długo, jak będzie to możliwe. Nie byli już tak zdesperowani, żeby spieszyć się ze sprzedażą teraz, kiedy rezydencja w San Francisco znalazła nowych właścicieli.

Eleanor i Alex wprowadzili się do nowego mieszkania w weekend przez przeprowadzką jej rodziców nad jezioro. Rozstanie z rodzinnym domem było dla wszystkich bolesne, przez ostatnie dni w rezydencji panowała cisza. Eleanor rzuciła ostatnie spojrzenie na dom i salę balową, rozpamiętując swój pierwszy bal, który odbył się zaledwie rok wcześniej, a także wesele w namiocie rozstawionym w ogrodzie. Czuli, że tamte czasy nigdy nie powrócą.

Pokojówki i chłopcy na posyłki, którzy wciąż mieszkali w rezydencji, ale już tam nie pracowali, również musieli się wyprowadzić do końca tygodnia. Całej służbie udało się znaleźć zatrudnienie: jako kelnerki w restauracjach, pokojówki w hotelach, kierowcy ciężarówek i dozorcy. Kiepsko im płacono, a umiejętności i doświadczenie, które nabyli podczas pracy dla swoich państwa, okazały się obecnie nieprzydatne, byli jednak wdzięczni, że mają za co kupić chleb. Przed wyjazdem rodziny Deveraux wyprowadzili się do robotniczych pensjonatów. Żegnano się ze łzami w oczach, także z byłymi chlebodawcami, którzy zawsze traktowali ich dobrze i sprawiedliwie, z należnym szacunkiem.

Na dzień przed wyjazdem Charlesa i Louise nad jezioro Tahoe Wilson jechała pociągiem do Nowego Jorku. Zarezerwowała sobie bilet w trzeciej klasie na statku do Anglii. Houghton zdecydował się do niej dołączyć. Planowali razem szukać pracy w londyńskiej rezydencji w roli gospodyni i kamerdynera lub szofera. Brytyjska gospodarka również ucierpiała, ale zdecydowanie mniej niż amerykańska, przynajmniej tak się wtedy wydawało. W poniedziałkowy ranek przyszli pożegnać się ze swoimi pracodawcami. Charles z żoną jedli śniadanie, które Louise sama przygotowała. Coraz lepiej radziła sobie w kuchni, choć nigdy wcześniej nie gotowała.

– Przyszliśmy powiedzieć do widzenia – zaczęła Wilson i dała się ponieść emocjom. Houghton był równie wzruszony.

Oboje pracowali dla rodziny Deveraux przez prawie trzydzieści lat, przez całe swoje dorosłe życie. Serca im pękały na myśl o rozstaniu, ale nie było dla nich miejsca w domku nad jeziorem ani pieniędzy, żeby zapłacić za ich usługi, a każde potrzebowało pracy. – Chcielibyśmy także coś ogłosić – dodała, ocierając łzy. – Pobraliśmy się w piątek.

Kiedy skończyła, podeszła, aby objąć Louise. Charles i Houghton uścisnęli sobie dłonie.

– Naprawdę? Czemu nic wcześniej nie powiedzieliście? Mogliśmy to uczcić – zauważył natychmiast Charles.

Nie wydało im się właściwe oczekiwanie, żeby ich dotychczasowi chlebodawcy świętowali cokolwiek w obliczu strat, których doznali. Nowożeńcy po ceremonii zaślubin wybrali się na kameralną kolację tylko we dwoje.

– Uznaliśmy, że jeśli mamy razem szukać pracy, możemy się pobrać i żyć jak mąż z żoną. – Wilson uśmiechnęła się przez łzy, a Houghton się rozpromienił.

– Mamy szczerą nadzieję, że uda wam się znaleźć dobrą pracę w Londynie – powiedział Charles.

Napisał obojgu świetne referencje, a także wypisał dość hojne czeki w podziękowaniu za długoletnią służbę. Mieli odpowiednie doświadczenie na posady, za jakimi się rozglądali i które na szczęście jeszcze nie zaniknęły w Anglii.

– Nie zapomnijcie do nas pisać – poprosiła Louise, jeszcze raz ściskając pokojówkę.

Przeszły razem przez niejedno: ślub Louise i Charlesa, narodziny dwójki ich dzieci, śmierć syna, pierwszy bal Eleanor i jej niedawne zamążpójście, także debiut samej Louise w Bostonie, tuż po tym jak Wilson zaczęła pracę dla jej rodziców. Teraz nadeszła chwila rozstania. Nastąpił kres pewnej epoki.

Charles i Louise stanęli na ganku i machali na pożegnanie, gdy ich dawni służący odjeżdżali taksówką z całym dobytkiem upchniętym w walizkach. Potem wrócili do domu na ostatni dzień i ostatnią noc. W rezydencji panowała cisza i półmrok, z wyjątkiem pomieszczeń, które użytkowali. Zasnęli w pokojach służby na starym łóżku, które zostawiali. Reszta mebli została wywieziona. Następnego dnia rano, kiedy Charles zapakował ich bagaże do jedynego samochodu, który mu pozostał, odjechali z Nob Hill. Louise na chwilę obejrzała się za siebie, a rzęsiste łzy trysnęły jej z oczu. Charles, nie puszczając kierownicy, delikatnie dotknął dłonią policzka żony.

– Wszystko będzie w porządku – powiedział, choć wcale nie brzmiał przekonująco, a Louise otarła mokrą twarz.

– Tak, to prawda – przytaknęła stanowczo i uśmiechnęła się do męża. – Jestem o tym przekonana.

I niezależnie od tego, ile będzie ją to kosztowało, była zdeterminowana, żeby tak właśnie było. Stracili cały majątek, ich świat legł w gruzach, ale mieli siebie, a także dach nad głową, czyli więcej niż wielu ludzi w tamtym czasie. Spakowała wszystkie swoje eleganckie ubrania wieczorowe razem z suknią ślubną córki i kreacją z jej pierwszego balu. Cała garderoba trafiła do stodoły, czekała na nich nad Tahoe. Wreszcie rezydencja Deveraux zniknęła z pola widzenia.

Rozdział 7

Wiosną 1930 roku posiadłość nad jeziorem Tahoe, z wyjątkiem dwudziestu akrów, które Charles zachował dla siebie i co stanowiło niewielki ułamek całości, została niespodziewanie sprzedana na warunkach, które bardzo mu odpowiadały. Nabywcą był angielski lord, który zachwycił się jeziorem i okolicą podczas swojego pobytu w Stanach przed kilku laty. Zupełnie przypadkowo dowiedział się od przyjaciela o możliwości kupna działki należącej do rodziny Deveraux. Zawsze się zarzekał, że pewnego dnia zostanie właścicielem skrawka tamtej ziemi, marzył bowiem o zaszyciu się nad wodą na emeryturze, która była dla niego jeszcze odległą perspektywą, gdyż miał zaledwie czterdzieści siedem lat. W Anglii należało do niego kilka posiadłości, ale marzyło mu się spędzenie ostatnich lat życia nad Tahoe. Cena, którą przyszło mu zapłacić za spory teren, była rozsądna, więc mógł sobie na to pozwolić. Zdawał sobie sprawę, że trafiła mu się rzadka okazja, której nie należało przegapić. Wiedział, jak dobrze zarządzać majątkiem ziemskim. Przez większość czasu miał być jednak nieobecny, dlatego rozglądał się za zaufaną osobą, która zajęłaby się wszystkim w jego imieniu. Zaproponował Charlesowi przyzwoite roczne wynagrodzenie za nadzorowanie dóbr, wynajmowanie ogrodników i konserwatorów zieleni oraz utrzymanie budynków mieszkalnych i gospodarskich w dobrym stanie, zwłaszcza że miały stać puste. Charles zarządzał posiadłością tak, jak wcześniej, gdy należała do niego, choć bez licznego personelu do pomocy, bo nie było takiej potrzeby, skoro nowy właściciel nie planował tam mieszkać ani zbyt często wpadać z wizytą.

Charles zatrudnił dwie kobiety z pobliskiej wsi, którym płacił za cotygodniowe sprzątanie domu, resztę wziął na siebie. Hrabia poprosił go o odkupienie dwóch łodzi, wcześniej wystawionych na sprzedaż, o ile będzie to możliwe. Udało mu się, więc przyjął łódkarza do opieki nad nimi. W stajniach nie było już koni, więc kupił jednego wierzchowca, żeby na jego grzbiecie nadzorować zakątki posiadłości, do których nie dało się inaczej dotrzeć. Charles cieszył się, mogąc tam mieszkać, radował go widok ziemi i jeziora, poza tym za dbanie o majątek dostawał uczciwą zapłatę od człowieka, którego do tej pory nie poznał osobiście i który na razie nie zamierzał tam przyjeżdżać. Wysyłał mu co miesiąc szczegółowe, starannie zredagowane raporty, korespondencję prowadzili w uprzejmym tonie. Posiadłość została sprzedana za godziwą cenę. Nowy właściciel nie miał wygórowanych wymagań, nie stawiał twardych warunków, czerpał satysfakcję z faktu, że ziemia, dom i budynki gospodarskie należą do niego i pewnego dnia osiądzie tam na emeryturze. Był nieco ekscentryczny, ale porozumienie, które zawarli, okazało się idealne dla Charlesa, który też był zadowolony, że mieszka w dawnym domu służby gustownie urządzonym przez swoją żonę. Stodoła była pełna rzeczy, które ze sobą przywieźli, ale których nie używali. Louise wciąż powtarzała, że czekają na lepsze dni.

Po sprzedaży rezydencji w San Francisco i posiadłości nad jeziorem Charles był w stanie odłożyć niemałą sumkę jako zabezpieczenie na przyszłość. Mieli teraz niewielkie koszty utrzymania, a wynagrodzenie, które dostawał od nowego właściciela działki nad Tahoe za nadzorowanie majątku, pozwalało im na całkiem wygodne życie. W swoim nowym domu nad jeziorem nie mieli teraz dużych wydatków ani żadnej służby, z wyjątkiem jednej dziewczyny do sprzątania, która dochodziła z miasteczka. Wkroczyli w zupełnie nową fazę życia. Louise uwielbiała zajmować się ogrodem i namawiała męża, żeby jej towarzyszył. Charles z zaskoczeniem odkrył, że nawet to lubi. Wciąż był oszołomiony nagłym zwrotem, który zburzył cały ich świat, ale odczuwał ulgę, że jakimś cudem udało im się przetrwać. Z czasem zainwestował niewielką sumę, jaką udało mu się zaoszczędzić, i bacznie pilnował inwestycji, które mu pozostały. Kapitał rósł powoli, ale stabilnie. Wielki kryzys wciąż się utrzymywał, nie pozwalając ludziom choćby na chwilowe wytchnienie, ale do Charlesa i Louise szczęście się uśmiechnęło, żyło im się lepiej niż większości Amerykanów.

Lata mijały, lecz przez całą dekadę w gospodarce zachodziły niewielkie zmiany. Był to najdłuższy kryzys ekonomiczny w dziejach świata i ponury okres w historii Stanów Zjednoczonych. Spokojna egzystencja, jaką wiedli nad Tahoe, oszczędziła im trudów życia w walących się chałupach i przeraźliwej nędzy, na jaką została skazana miejska biedota.

Eleanor i Alex od czasu do czasu przyjeżdżali na weekendy w odwiedziny, spędzali tam też dwa lub trzy tygodnie urlopu latem. Zajmowali wtedy mały domek gościnny, który urządziła dla nich Louise. Obojgu udało się utrzymać pracę, Alex nawet awansował na średni szczebel w banku, który go zatrudnił. Antypatyczny szef odszedł, ale w 1939 roku, dziesięć lat po krachu giełdowym, Alex miał już czterdzieści trzy lata i nie zapowiadało się, żeby jeszcze udało mu się wspiąć na stanowisko kierownicze. Mimo wszystko był wdzięczny, że ma pracę. Stopa bezrobocia wciąż była bardzo wysoka, a gospodarka przez ostatnie dziesięć lat ledwo zipała. Eleanor skończyła dwadzieścia dziewięć lat i nadal uczyła łaciny, francuskiego i rysunku na pensji panny Benson. Szczerze lubiła swoją pracę, mimo że szkoła niewiele się zmieniła od czasów, kiedy sama była jej uczennicą. Idea prowadzenia placówki edukacyjnej dla młodych panien była już nieco przestarzała, ale panowała tam dystyngowana i przyjemna atmosfera, co Eleanor bardzo ceniła.

Jedynym powodem do smutku był dla niej i Alexa brak potomka. Pięciokrotnie zachodziła w ciążę, która za każdym razem kończyła się poronieniem. Raz dziecko urodziło się martwe w ósmym miesiącu ciąży, co odbiło się na niej potworną traumą, a dla obojga było źródłem nieukojonego bólu. Dwa ostatnie razy Alex zapewniał ją, że nie dba o to, czy kiedykolwiek będą mieli dzieci. Bardzo ją kochał i nie chciał, żeby ponownie przechodziła przez równie wstrząsającą tragedię. Powoli godzili się z tym, że są bezdzietnym małżeństwem, choć smuciło to Eleanor bardziej, niż była skłonna przyznać. Alex jednak domyślał się prawdy. Nawet Louise namawiała córkę, żeby zaprzestała kolejnych starań. Miała przecież cudownego męża i dobrze im się razem żyło – czasem to wystarczało do szczęścia. Louise miała wtedy pięćdziesiąt sześć lat, a Charles sześćdziesiąt dwa. Cieszył się dobrym zdrowiem, często przebywał na świeżym powietrzu, co bardzo mu służyło, ale od czasu krachu giełdowego tlił się w nim niegasnący smutek. Straty, których doznali, załamały go, mimo nieprzerwanych wysiłków Louise, żeby go pocieszyć i pobudzić do działania. Nadzorowanie posiadłości zapewniało mu dostatecznie dużo zajęć, ale gwałtowne zmiany odcisnęły na nim nieusuwalne piętno. Eleanor zawsze się martwiła, gdy zauważała przygnębienie ojca, ale nikt nie był w stanie mu pomóc. Ich dawne życie odeszło bezpowrotnie. Depresja Charlesa i depresja ekonomiczna ciągnęły się już od dekady. Ich rodzina wyszła z opresji lepiej niż wielu dawnych znajomych, dla których życie nie miało litości. Wielu z nich wyjechało lub umarło, nie potrafiąc pogodzić się ze zmianami, jakie nastały na świecie.

Alex i Eleanor wciąż mieszkali w tym samym miejscu w Chinatown. Stworzyli tam przytulny, słoneczny i elegancki dom, który urządzili meblami od jej rodziców. Polubili swoją dzielnicę, a czynsz był wyjątkowo niski. Nie zarabiali zbyt wiele, dlatego było im to na rękę. Bez dzieci nie potrzebowali większego mieszkania.

Jej rodzice uwielbiali, gdy Eleanor z mężem wpadali z wizytą. Louise cieszyła się z obecności córki, a Charles doceniał towarzystwo zięcia. Chodzili razem na ryby, pływali łódkami po jeziorze. Młodzi starali się przyjeżdżać regularnie co kilka miesięcy. Natomiast państwo Deveraux od dziesięciu lat nie byli w mieście. Charles twierdził, że nie jest tym zainteresowany, a Louise przeczuwała, że powrót do dawnego świata w roli outsidera byłby dla niego zbyt bolesny. Nie chciał spotykać się z dawnymi przyjaciółmi, którzy zostali w San Francisco. Większość z nich cierpiała na depresję. Tym z jego pokolenia, którzy przeżyli, nie wiodło się najlepiej.

Alex nie widział braci od dnia ich wyjazdu, co go bardzo smuciło, ale nie miał ani możliwości, ani ochoty, żeby jechać na wschód. Podobnie Phillip i Harry nie zamierzali wracać na Zachodnie Wybrzeże, choć tęsknili za starszym bratem. Obaj się ożenili i mieli dzieci, których Alex nigdy nie poznał. Phillip zarządzał stadniną koni wyścigowych w Kentucky, a Harry ożenił się z dziewczyną z zamożnej rodziny z Północnej Karoliny i wiódł życie południowego dżentelmena u boku kobiety, która uwielbiała go rozpieszczać. Odziedziczyła dobrze prosperujący zakład włókienniczy po ojcu. Ścieżki życiowe młodszych braci Allenów się rozeszły, widywali się sporadycznie, raz na kilka lat. W oczach Phillipa i Harry'ego Alex był częścią utraconego świata. Kryzys nie tylko zniszczył gospodarkę, ale doprowadził do rozbicia rodzin. Alex nie wiedział, kiedy znów spotka się z braćmi, czy w ogóle do tego dojdzie, bo nie wydawało się to prawdopodobne. Od krachu na giełdzie i ich podróży poślubnej, przez ostatnią dekadę nie ruszał się z San Francisco. Nie było go na to stać. Ostrożnie wydawał zaoszczędzone pieniądze, mądrze je inwestując. Na co dzień żyli z tego, co zarabiali. Ich pensje były skromne, więc nie pozwalały na rozrzutność. Przez ostatnie dziesięć lat mocno zaciskali pasa, a choć zostali wychowani do innego życia, nie byli nieszczęśliwi. Kiedy potrzebowali odpocząć od codzienności, wyjeżdżali nad Tahoe do rodziców. Przebywanie na świeżym powietrzu zawsze poprawiało im humor.

Kilka razy podczas pobytu nad jeziorem Eleanor próbowała namówić matkę do sprzedaży rzeczy nagromadzonych w stodole. Już nigdy nie będą urządzać wielkiej rezydencji, a ona z Alexem nie potrzebowali niczego więcej. Trzymanie starych sprzętów i obrazów wydawało jej się niemądre, poza tym matka zachowała mnóstwo rzeczy. Doszła do wniosku, że teraz mogliby dostać lepszą cenę na aukcji, minęło już w końcu całe dziesięć lat, ale Louise się uparła, żeby przechować wszystko „na lepsze dni". Eleanor wątpiła, czy takie kiedykolwiek nadejdą, a na pewno nie dni takiego dobrobytu, do jakiego dawniej przywykli.

Kiedy przyjechali nad jezioro Tahoe we wrześniu, Alex i Charles mieli mnóstwo spraw do omówienia. W Europie wybuchła wojna i choć była to niepokojąca wiadomość, starszy pan wierzył, co od lat powtarzał, że teraz fabryki zaczną działać na najwyższych obrotach, żeby wytwarzać materiały zbrojeniowe, co stworzy nowe miejsca pracy i pomoże światowej oraz krajowej gospodarce, a w konsekwencji pozytywnie odbije się na rynku papierów wartościowych. Wzrost produkcji wreszcie ożywi rynek i doprowadzi do spadku bezrobocia. Rozważali też prawdopodobieństwo przystąpienia Stanów Zjednoczonych do wojny. Charles uważał, że to mało realne, jednak Alex nie wykluczał takiej możliwości. Obaj lubili ze sobą dyskutować i dobrze się czuli w swoim towarzystwie.

Oprócz rozmów o wojnie poruszali też przyjemniejsze tematy i cieszyli się piękną pogodą. Kiedy rodzice byli zajęci swoimi sprawami, Alex i Eleanor znajdowali czas na romantyczne chwile w domku gościnnym. Wciąż bardzo się kochali mimo dziesięcioletniego stażu małżeńskiego. Pożądali się i uwielbiali. Minęła już faza pierwszego zauroczenia, szczególnie biorąc pod uwagę wszystkie ostatnie wydarzenia, lecz teraz łączyła ich głęboka więź, która dla obydwojga była źródłem siły. Zawsze cieszyli się na powrót do domu po wypoczynku nad jeziorem. Podróż do miasta przypominała Eleanor dni młodości, kiedy jej rodzina miała prywatną linię kolejową.

Wspomnienie bezbrzeżnego luksusu, w którym się wychowała, w zderzeniu z obecnymi warunkami ich życia, w ciasnym mieszkanku w Chinatown i z mizernymi pensjami, jawiło jej się jako mocno surrealistyczne. Dawne dni wydawały się tak odległe, jakby należały do innej epoki.

Kilka tygodni później robili zakupy spożywcze na jednym z chińskich targowisk wśród ostrych zapachów orientalnych przypraw i zwisających za łapy kaczych tuszek, kiedy Alex zauważył, że jego żona gwałtownie pobladła, jakby zaraz miała zemdleć. Wyglądała na chorą.

– Czy wszystko w porządku? – Zaniepokoił się, ale ona szybko doszła do siebie i zapewniła, że czuje się dobrze. – Co się stało?

– Nie wiem, podniosłam wzrok, zobaczyłam dyndające martwe kaczki i mnie zemdliło.

– Jesteś w ciąży – zawyrokował bez wahania.

– Nie, wcale nie, nie bądź niemądry.

– Tak, jesteś, to weekend nad Tahoe – przypomniał jej z szelmowskim uśmiechem, czym ją rozbawił. – Nie wiem dlaczego, ale mam niezachwiane przeczucie, że spodziewasz się dziecka.

– Dlaczego?

Czasem przejawiał niesamowitą intuicję w różnych sprawach i mimo że miał już czterdziestkę na karku, wciąż zachował chłopięcy urok i nadal był bardzo przystojny.

– Była pełnia, a ja kocham cię do szaleństwa – przyznał w drodze do domu.

Kilka dni później jej niedyspozycja się powtórzyła, kiedy parzyła mu poranną kawę przed wyjściem do pracy. Zauważył, że zapach znów wywołał mdłości.

– Jesteś w ciąży, po prostu wiem – uparł się. – Umów się do lekarza.

– Daj spokój. Nie jestem. – Nie dopuszczała do siebie tej myśli, bo nie chciała na próżno robić sobie nadziei. Dała temu spokój albo przynajmniej tak sobie wmówiła. Byłaby zbyt rozczarowana, gdyby znów im się nie udało.

– Skąd możesz wiedzieć, że nie jesteś?

– Wiem, i już – odpowiedziała cicho, odrzucając taką możliwość, żeby tym razem nie dać się zwieść losowi.

Kilka dni później, kiedy wrócił z pracy, zastał ją śpiącą. Obok łóżka piętrzył się stos zeszytów do sprawdzenia – kolejny znak. W trakcie pierwszej ciąży również dużo spała. Po pięciu zdobył doświadczenie w rozpoznawaniu symptomów. Nie naciskał jej przez następny tydzień czy dwa, aż nagle, przy śniadaniu, zerwała się gwałtownie od stołu i zwymiotowała. Czekał pod drzwiami łazienki i kiedy wyszła, powitał ją srogą miną.

– Umówisz się do lekarza, czy mam cię tam zaciągnąć siłą?

– Daj mi chwilę na zastanowienie, wrócimy do tematu – obiecała z niepewnym uśmiechem, ale zrozumiała, że miał rację. Obawiała się po raz kolejny przechodzić wszystko od początku: nadzieje, marzenia i złamane serce w połowie ciąży. Wolała udawać, że nic się nie dzieje, i poczekać, co przyniesie jej los.

Pocałował ją, a przed wyjściem do pracy pożegnał tym spojrzeniem, jakim zawsze na nią patrzył, gdy była brzemienna – pełnym niewyrażonych słów, którymi nie ośmielali się już rozmawiać na głos. Nie chciała znów sprawić mu zawodu.

Przez kilka kolejnych tygodni nic nie mówił, a ona najwyraźniej czuła się lepiej, choć spała więcej niż zazwyczaj. Widział, że urosły jej piersi, a w okolicach Święta Dziękczynienia, kiedy leżeli razem w łóżku, zauważył, że zaokrągliła się w pasie. Mimo to do tej pory nie umówiła się do lekarza. Nie był w stanie dłużej tego lekceważyć, choć najwyraźniej ona zaplanowała inaczej.

– Czy tym razem zamierzasz udawać, że nic się nie dzieje i nie pójdziesz do lekarza przed porodem, bo wolisz, żebym sam odebrał dziecko, choć twierdzisz, że nie jesteś w ciąży?

Uśmiechnęła się do niego, więc tylko westchnął.

– Po prostu nie chcę znów dać się ponieść nadziei, a potem potwornie rozczarować – wyjaśniła.

Skinął głową, rozumiał ją, ostatnie poronienie dosłownie złamało im serca. Byli już tak blisko, tak pewni, że wszystko będzie dobrze, a dziecko udusiło się pępowiną na miesiąc przed terminem porodu. Było to dla nich druzgocące przeżycie. Dziecko, choć urodziło się martwe, wyglądało pięknie, wręcz idealnie. Wspomnienie było wciąż boleśnie żywe w jej pamięci, mimo że minęły już dwa lata.

– Wiem, że to zabrzmi niedorzecznie, zważywszy na nasze przejścia, ale mam dziwne przeczucie, że tym razem będzie dobrze – powiedział cicho Alex.

Nic nie odpowiedziała, długo milczała, aż wreszcie potaknęła głową.

– Nie potrafię tego wytłumaczyć, ale myślę podobnie. – W poprzednich ciążach tak się nie czuła, z wyjątkiem ostatniej, ale wtedy któregoś dnia dziecko przestało się ruszać i już wiedziała, że je straciła. – Może poczekamy jeszcze trochę? Lekarz nie jest mi potrzebny. Czuję się dobrze.

– Według mnie dobrze też wyglądasz – przyznał, delikatnie ujmując obiema dłońmi jej pełne piersi, a ona się roześmiała. – Byłbym spokojniejszy, gdybyś umówiła się na wizytę, żeby się upewnić, że wszystko jest w porządku – dodał poważnym tonem.

Przekręciła się na plecy, zastanowiła się chwilę i w końcu skinęła głową.

Kilka dni później poszła do lekarza, który potwierdził ciążę. Była w drugim miesiącu, termin porodu przypadał na czerwiec.

– Miałeś rację – oznajmiła wieczorem. – To musiało być Tahoe. Poza tym wszystko jest dobrze – uspokoiła go.

Podczas kolejnych odwiedzin nad Tahoe z okazji Święta Dziękczynienia przekazali dobrą nowinę jej rodzicom, którzy zareagowali ostrożnym entuzjazmem. Nie chciała dawać im nadziei, które mogły się okazać złudne, ale to było nieuniknione. Dla całej czwórki wiadomość o dziecku była źródłem wielkiej radości.

Mimo upojenia pozytywnymi wiadomościami Alex z teściem przez większość czasu dyskutowali o wojnie. W gospodarce dał się zaobserwować zdecydowany wzrost, dokładnie tak, jak to przewidział Charles. Kryzys wreszcie miał się ku końcowi dzięki zwiększonej produkcji materiałów potrzebnych na wojnę w Europie.

W święta Bożego Narodzenia Eleanor była już w połowie wieczwartego miesiąca ciąży, a w styczniu po raz pierwszy poczuła ruchy dziecka. Nie było żadnych problemów, a termin porodu wypadał wręcz idealnie. W czerwcu akurat zaczynały się szkolne wakacje, a we wrześniu będzie mogła wrócić do pracy. Serce dziecka biło mocno i wyraźnie. W marcu była już w szóstym miesiącu, a jej brzuch był wyraźnie zaokrąglony.

W tym czasie wojna zataczała coraz szersze kręgi, prawie wszystkie europejskie kraje zaangażowały się w konflikt. Hitler planował zawładnąć całym światem. Amerykańskim obywatelom powtarzano, że Stany Zjednoczone nie dołączą do walczących, bo nie mają w tym żadnego interesu. Lecz zwiększona produkcja pomogła gospodarce.

Eleanor, której dziecko rosło w brzuchu, coraz mniej interesowała się wojną. Pojechali nad Tahoe w kwietniu, po raz ostatni przed porodem. Była już w siódmym miesiącu i lekarz zalecił, żeby ograniczyła podróże, zwłaszcza biorąc pod uwagę jej historię. Matka zapytała, czy planują przeprowadzkę, ale Eleanor uważała, że nie ma takiej potrzeby. Mieli wystarczająco dużą sypialnię, żeby pomieścić kołyskę, poza tym nie chciała zbyt wiele planować, obawiając się o to, czy uda się jej donosić ciążę. Tym razem wszystko wskazywało na to, że dziecko jest zdrowe i silne. Alex śmiał się, patrząc, jak rusza się brzuch żony, czuł kopanie potomka, kiedy w nocy leżał obok niej. Ruchliwość płodu i bicie jego serca, które czuła, upewniało oboje, że dziecko zdrowo się rozwija. Eleanor nie cierpiała żadnych dolegliwości w czasie ciąży, lecz niespodziewanie, w pewną słoneczną sobotę w połowie maja, aktywność maleństwa ustała, dokładnie tak, jak to było wcześniej. Alex właśnie wrócił do domu i zastał zapłakaną żonę w kuchni.

– Co się stało?

– Nie rusza się. – Załkała i wyciągnęła do niego ramiona. Przytulił ją mocno i sam pozwolił sobie na łzy.

– Musimy pojechać do szpitala – wyszeptał. – Powiadomię lekarza. Weź swoje rzeczy.

Gdy zadzwonił, położnik natychmiast kazał im przyjechać do izby przyjęć, gdzie miał na nich czekać. Eleanor przerażała perspektywa kolejnej tragedii, która złamie jej serce. Nie potrafiła przegonić ponurych myśli. W taksówce w drodze do szpitala milczała, niemo popłakując. Alex otoczył ją ramieniem i mocno do siebie przytulił.

– Cokolwiek się wydarzy, przejdziemy przez to razem – obiecał jej cicho, próbując dodać jej odwagi przed tym, co miało nastąpić.

Kiedy weszli do szpitala i wezwali windę, żeby się dostać na oddział położniczy, który dobrze znali, lecz wspominali bez żadnej radości, byli przygotowani na najgorsze. Doktor już na nich czekał w gabinecie. Z powagą obserwował Eleanor kurczowo ściskającą dłoń męża, kiedy układała się do badania. W jasnych oczach Alexa lśniły łzy, których nawet nie hamował, jednak nie spuszczał wzroku z żony i starał się myśleć pozytywnie o dziecku, którego oboje tak bardzo pragnęli.

– Kiedy ostatni raz czuła pani ruchy dziecka? – zapytał lekarz, biorąc do ręki stetoskop, żeby sprawdzić, czy serce płodu bije. Miał nadzieję, że tak będzie, choć brał też pod uwagę ewentualność utraty ciąży.

– Nie wiem, mniej więcej dwie godziny temu. Zjadłam obfite śniadanie i wtedy wszystko jakby zamarło. Delikatnie naciskałam na brzuch, ale nic się nie wydarzyło.

Lekarz pokiwał głową z wyraźnym niepokojem, założył stetoskop na uszy i przyłożył okrągłą końcówkę do brzucha Eleanor, gdzie miał nadzieję wyczuć tętno dziecka. Kiedy nacisnął na jej ogromny brzuch, dziecko kopnęło tak mocno, że nie dało się tego nie zauważyć, niemal wytrącając słuchawkę z dłoni położnika. Serce biło mocno, a maluch wierzgał gwałtownie przez kilka minut. Cała trójka się roześmiała.

– Cóż, chyba nie możemy już mieć żadnych wątpliwości. – Lekarz uśmiechnął się do szczęśliwych rodziców. – Podejrzewam, że dziecko zasnęło. Zmorzył je obfity posiłek, który pani zjadła. – Maluch kopał bez przerwy przez długie pięć minut z wielką zaciętością. W kilku miejscach na skórze pojawiły się wyraźne wybrzuszenia jak na komiksowym obrazku. – Chyba ktoś ma ochotę wybiec z pokoju. Według mnie dziecko jest duże i silne.

Eleanor była tego świadoma i trochę ją to niepokoiło. Tym razem dziecko było większe niż poprzednio. Lecz była gotowa na wszystko, żeby tylko przyszło na świat żywe i zdrowe.

Zsunęła nogi z kozetki wyraźnie zawstydzona swoją wcześniejszą paniką, jednak lekarz zapewnił, że biorąc pod uwagę ich historię, postąpili słusznie, przyjeżdżając na badanie.

– Przepraszam – szepnęła Eleanor do męża w taksówce w drodze do domu. – Czuję się jak idiotka. Ale naprawdę się nie ruszało.

– Teraz już się rusza. – Uśmiechnął się do niej. – I podejrzewam, że niczym się nie przejmuje. Na pewno nie należy do słabeuszy.

Roześmiali się oboje, lecz od tego dnia miała wrażenie, że dziecko wypowiedziało jej wojnę. Rozpychało się, napierało, kopało, boksowało. Łokciami i nogami, stopami i kolanami atakowało brzuch matki, naciskało główką na miednicę. Jakby próbowało zrobić sobie więcej miejsca, bo wyraźnie mu go brakowało, wszak rosło z dnia na dzień.

Eleanor z trudem dotrwała do końca roku szkolnego. W miarę zbliżania się terminu porodu czuła się coraz bardziej wyczerpana. Przez ostatni miesiąc potomek mocno dawał jej się we znaki. Jej brzuch wyglądał, jakby miała urodzić bliźnięta, choć lekarz ją uspokajał, że nic podobnego się nie zdarzy. Dziecko po prostu było bardzo duże i wyjątkowo ruchliwe. Nieustanne kopanie i wiercenie wywoływało skurcze, którymi według położnika nie należało się martwić, choć były niezbyt przyjemne dla matki. Kilkakrotnie wydawało się jej, że zaczyna rodzić, ale wtedy wszystko cichło zamiast się nasilać. Minęła połowa czerwca i było już dwa tygodnie po terminie, a ona czuła się wycieńczona. Podczas wizyty kontrolnej lekarz zasugerował cesarskie cięcie, jeśli dziecko nie urodzi się w ciągu najbliższego tygodnia, maksymalnie dwóch. Nie mogli pozwolić na przenoszenie ciąży, płód był za duży. Wizja zabiegu przeraziła Eleanor. Mizernie wyglądała, kiedy Alex wrócił do domu po pracy. Szczerze jej współczuł, całą noc nie mogła zmrużyć oka. Dziecko nieustanie przez całą dobę kopało i boksowało, a łagodne skurcze, które pojawiały się już od dłuższego czasu, nasiliły się. Były bolesne, ale nie prowadziły do porodu.

– Co powiedział lekarz?

– Że nasze dziecko jest słoniem i będę chodzić w ciąży przez kolejne dwa lata.

Rozbawiła go. Byli przygotowani na przyjęcie potomka, w sypialni czekały ubranka, śpioszki, pieluszki, sweterki i malutkie czapeczki. Torba, którą zamierzała zabrać ze sobą do szpitala, od dawna stała spakowana przy drzwiach. Czekali jedynie na początek porodu. Niestety, tego dnia po południu lekarz znów potwierdził, że nic się jeszcze nie dzieje. Matka wydzwaniała do niej od rana do wieczora. Z jednej strony chciała być przy córce, z drugiej – obawiała się zostawić Charlesa samego. Z kolei Eleanor wolała mieć przy sobie tylko Alexa, na wypadek gdyby coś znów poszło nie tak.

– Powiedział, że dziecko jest już za duże i być może konieczne będzie cesarskie cięcie, jeśli jeszcze bardziej urośnie – przekazała mężowi.

On również się tym zmartwił. Dziecko wydawało się ogromne, nie potrafił sobie wyobrazić, jak jego szczupła, wąska w biodrach żona zdoła je urodzić. Na pewno nie przyjdzie jej to łatwo.

– Może to dobry pomysł – stwierdził zatroskany i położył się obok niej w łóżku. Oboje marzyli, żeby ciąża już się skończyła, a dziecko urodziło się zdrowe. Eleanor u jego boku przypominała górę, widział, jak maluch energicznie kopie pod jej sukienką. – Uspokój się, skarbie – przemówił do brzucha, a wtedy nastąpiła chwila przerwy, lecz po minucie dziecko znów się ożywiło. Eleanor się zaśmiała.

– Myślę, że cię usłyszało.

– Wyjdź już stamtąd – ciągnął dalej. – Zmęczyło nas czekanie.

Kopanie ustało i znów się zaczęło, a wtedy Eleanor poczuła skurcz mocniejszy niż poprzednie. Lekarz powiedział, że badanie, które wykonał po południu, może wywołać akcję porodową, ale był to tak naprawdę pierwszy bolesny skurcz, jaki odczuła.

– Coś się stało? – zapytał z nadzieją Alex, ale jego żona tylko potrząsnęła przecząco głową.

– Nie sądzę.

Poszła wziąć prysznic, łamało ją w krzyżu od dźwigania dziecka. Skierowała strumień gorącej wody na brzuch, a potem dolną partię pleców, co przyniosło jej sporą ulgę. Długo stała pod prysznicem, dlatego nie zauważyła, że odeszły jej wody. Dopiero gdy zaczęła się wycierać, zaskoczona zauważyła kałużę, która utworzyła się na podłodze, i zamarła. W tym czasie Alex zajrzał sprawdzić, czy nic jej się nie stało.

– W porządku?

Skinęła głową, choć wyglądała na przerażoną.

– Chyba właśnie wody mi odeszły.

Kałuża u jej stóp powiększała się. Eleanor owinęła się ręcznikiem i wróciła pod prysznic. Poczuła kilka gwałtowniejszych skurczów i narastający nacisk na miednicę.

– Coś się zaczyna.

Z szerokim uśmiechem podniosła na niego wzrok. Wreszcie nadeszła długo oczekiwana chwila. Mieli zostać rodzicami po ponad dziesięciu latach małżeństwa. Myśląc o tym, dostała tak silnego skurczu, że aż musiała usiąść i ukoić ból oddechem.

– Chyba położę się na chwilę – stwierdziła, ale Alex wpadł w panikę.

– Nie, nie. Nie tutaj. Jedziemy do szpitala. Zaczęło się, nie zamierzam odbierać porodu.

– Nie wygłupiaj się. Pierwszy poród zawsze się przeciąga.

– Wspaniale. Przypominam, że to twoja szósta ciąża, a nawet nie licząc poronień, musimy brać pod uwagę, że to ostatni raz. Ubierz się i jedziemy do szpitala.

Skurcze stawały się coraz silniejsze. Alex przyniósł jej ubranie do łazienki, a ona się roześmiała.

– Obiecuję, że nie urodzę w domu.

– Nie ufam ci – powiedział.

Eleanor ubrała się nieporadnie między kolejnymi skurczami. Ledwo zdołała zejść po schodach. Kiedy już wyszli z mieszkania, z torbą w ręku, Alex złapał taksówkę i podał kierowcy adres szpitala. Zadzwonili do lekarza przed wyjściem. Obiecał, że będzie na nich czekał.

Ledwo dotarli na miejsce, a akcja porodowa rozpoczęła się na dobre. Pielęgniarka z lekarzem pomogli Eleanor przygotować się do badania, po którym położnik stwierdził, że już niewiele zostało do finału.

– Dziecku spieszy się, żeby was poznać. – Uśmiechnął się, gdy Eleanor jęknęła z bólu. – Pani mąż może się już oddalić – zasugerował.

– Nie! – wydusiła przez zaciśnięte zęby. – Nie... wolę, żeby został.

Jej prośba była nietypowa, ale po ich ostatnich trudnych doświadczeniach na porodówce, lekarz nie oponował.

– Zostanę – stwierdził spokojnie Alex i ujął rękę żony. – Już prawie jest.

Dalszymi wydarzeniami pokierowała matka natura wraz z rodzącym się dzieckiem. Eleanor parła, aż wreszcie przeciągle zawyła, ściskając dłoń męża, a dziecko się urodziło i z głośnym krzykiem opuściło łono matki. Oboje rodzice patrzyli z zachwytem na swoją nowo narodzoną córeczkę. Matka jej trochę pomogła, ale mała spisała się na medal. Po dziesięciu minutach było już po wszystkim. Dziewczynka ważyła nieco ponad cztery kilogramy. Uspokoiła się w chwili, gdy usłyszała głosy rodziców. Była śliczna i wyglądała jak wykapana Eleanor, poza jasnymi włosami. Miała delikatne rysy twarzy, a jej usta przypominały pączek róży. Z zaciekawieniem przyglądała się rodzicom, którzy patrzyli na nią zachwyceni. Lekarz przeciął pępowinę, a potem dziewczynka zamknęła oczy i zasnęła. Alex pocałował żonę.

– Jesteś cudowna i bardzo cię kocham.

Uzmysłowił sobie, że gdyby nie zmusił jej do wyjścia z domu, sam musiałby przyjąć poród. Wszystko wydarzyło się bardzo szybko i choć dziewczynka była duża, obyło się bez komplikacji.

Potem pielęgniarka zabrała maleństwo, żeby je umyć i zawinąć w becik. Alex znów pocałował żonę, która spojrzała na niego i zapłakała z radości. Wreszcie szczęście się do nich uśmiechnęło. Mieli córeczkę.

Kilka minut później powiadomili rodziców, którzy z ogromną ulgą przyjęli dobrą nowinę. Eleanor obiecała jak najszybciej przyjechać z małą nad Tahoe, żeby dziadkowie mogli ją poznać. Maleństwo spokojnie ssało pierś matki.

– Jak będzie mieć na imię? – zapytał lekarz po zbadaniu Eleanor. Wszystko było w porządku, poród okazał się łatwy.

– Camille – postanowiła Eleanor i zerknęła na męża, który przytaknął. Obojgu spodobało się wybrane przez nią imię.

– To piękna i zdrowa dziewczynka – oznajmił lekarz. – Moje gratulacje!

Zasłużyli na to dziecko. Zabrało im to dziesięć lat, ale spełniło się ich największe marzenie. Przyszłość rysowała się przed nimi w jasnych barwach. Eleanor wzięła córkę na ręce, a Alex ją pocałował. Była najszczęśliwszą kobietą pod słońcem. Mąż podarował jej najwspanialszy dar, dar życia. Camille była od dawna wyczekiwanym, małym cudem.

Rozdział 8

Po stosunkowo spokojnym pierwszym roku w roli rodziców pojechali na weekend nad Tahoe, aby uczcić urodziny córki z rodzicami Eleanor, którzy ubóstwiali wnuczkę. Nastrój Charlesa zdecydowanie się poprawił i z o wiele większym optymizmem niż przez ostatnie lata podchodził teraz do życia. Louise przyniosła tort, w który wbiła dwie świeczki, jedna symbolizowała wiek dziewczynki, a druga życzenie, żeby szybko rosła. Pokazała Camille, jak je zdmuchnąć.

Dziewczynka była spokojnym i radosnym dzieckiem. Eleanor zostawiała ją pod opieką kobiety, zajmującej się w swoim domu jeszcze trójką innych maluchów, których rodzice pracowali. Wcześniej sama pracowała w szkole panny Benson, dopóki nie została matką. Eleanor odprowadzała Camille codziennie rano, a odbierała po pracy. Córeczka idealnie wpasowała się w ich życie. Spała w kołysce w ich sypialni. Jadła razem z nimi posiłki. Eleanor przestała ją karmić piersią po sześciu miesiącach. Kiedy nie pracowali, nie spuszczali z niej oka. Albo ojciec, albo matka nosili ją na rękach. Była światłem ich życia, centrum ich wszechświata i spełnieniem ich największych marzeń.

Uwielbiała odwiedzać dziadków nad Tahoe i bawić się z nimi na świeżym powietrzu. Charles lubił podrzucać ją w górę, a przebywanie z wnuczką sprawiało mu ogromną radość. Dzięki niej ich życie zyskało nowy wymiar. Była dla nich źródłem nadziei, dowodem na to, że jeśli wystarczająco mocno się o czymś marzy, to w końcu się to otrzyma. W ich dawnym świecie zostałaby oddana w ręce piastunek, nie wychodziłaby z pokoju dziecięcego na najwyższym piętrze rezydencji, widywaliby ją wystrojoną jak na pokaz przez kilka minut dziennie. Teraz była częścią codzienności swoich rodziców i często spędzała czas z dziadkami. Była zupełnie inaczej wychowywana niż jej matka i ojciec, którzy bardzo praktycznie podchodzili do życia i sami się nią zajmowali.

Tymczasem wojna w Europie wciąż trwała, alianci na próżno stawiali opór Hitlerowi w jego marszu przez kontynent. Niemcy zajęły Francję kilka dni po narodzinach Camille, w jej pierwsze urodziny, w czerwcu 1941 roku. Większość Europy znalazła się w rękach faszystów, którzy próbowali także podbić Wielką Brytanię. Jak dotąd im się nie udało. Latem 1941 roku obie strony odnotowały ogromne straty w ludziach.

Ameryka trzymała się z dala od konfliktu, choć bacznie obserwowała wydarzenia po drugiej stronie oceanu. Nie angażowała się po żadnej ze stron.

Eleanor bardzo chciała jeszcze raz zajść w ciążę, ale niestety nie było jej to dane. Miała już trzydzieści jeden lat. Coraz częściej dochodziło w niej do głosu przekonanie, że Camille będzie jedynaczką. Marzyła o tym, by mieć więcej dzieci, ale wiedziała, że nawet mając tylko jedną córeczkę, i tak będą szczęśliwi. Camille była chodzącym ideałem, małym, słodkim aniołkiem.

W pierwszy weekend grudnia byli nad Tahoe. W niedzielny ranek Eleanor gawędziła z matką, kiedy jej ojciec włączył radio i usłyszeli wiadomości. Pearl Harbor na Hawajach został zaatakowany i zbombardowany przez siły japońskie. Do nalotu doszło chwilę wcześniej. Informacje podawano w chaotyczny i bezładny sposób, a Eleanor z rodzicami wpatrywali się w siebie oniemiali, podczas gdy Camille radośnie szczebiotała. Alex właśnie przyszedł z domku gościnnego i z wyrazu ich twarzy wyczytał, że stało się coś strasznego. W skupieniu słuchali radia, więc do nich dołączył, żeby dowiedzieć się, o co chodzi. Wymieniali między sobą zatroskane i pełne strachu spojrzenia. Ten niespodziewany i zmasowany atak zmusi Amerykę do przystąpienia do wojny po stronie aliantów. Kiedy wreszcie pojawiły się sprawozdania końcowe, dowiedzieli się, że trzysta pięćdziesiąt samolotów japońskich zaatakowało nie tylko Pearl Harbor, ale również pięć amerykańskich pancerników. Dwa tysiące czterysta trzy osoby zginęły, tysiąc sto siedemdziesiąt osiem zostało rannych, trzy statki zostały zatopione, szesnaście uszkodzonych, a sto pięćdziesiąt dziewięć samolotów zniszczonych*.

Następnego dnia, ósmego grudnia, prezydent Franklin Roosevelt zwrócił się do Kongresu, aby ogłosił stan wojny pomiędzy Stanami Zjednoczonymi a Japonią. Kongres wypowiedział wojnę, a prezydent podpisał uchwałę. Ameryka wreszcie dołączyła do konfliktu, w którym Europa brała udział od ponad dwóch lat.

Wyjechali do domu wcześniej, ponieważ obawiano się, że Japończycy przypuszczą bezpośredni atak na Stany Zjednoczone, a dokładnie na Zachodnie Wybrzeże. Alex chciał wrócić do miasta. Charles zaproponował, żeby zostali z nimi nad jeziorem, ale Eleanor z mężem następnego dnia musieli iść do pracy.

W drodze do domu Alex był milczący, niewiele też mówił po powrocie do mieszkania. Czekał przy kuchennym stole, aż jego żona uśpi córkę. Eleanor nabrała złych przeczuć, gdy zobaczyła wyraz jego twarzy. Ostatnim razem był taki poważny, kiedy w czasie ich miesiąca miodowego do Włoch dotarły wiadomości o czarnym wtorku. Tym razem jednak nie był ani spanikowany, ani przerażony. Z jego rysów biła determinacja. Doskonale wiedział, co zamierza zrobić, i był przekonany, że to będzie słuszne.

---

* Źródła historyczne podają nieco odmienne dane. Atak przeprowadziło około dwustu samolotów japońskich, a armia Stanów Zjednoczonych straciła w sumie dwadzieścia jeden okrętów, w tym dwa pancerniki (Arizonę i Oklahomę), zniszczonych zostało też prawie dwieście samolotów [przyp. tłum.].

– Zamierzam się zaciągnąć – powiedział cicho z zaciętym wyrazem twarzy.

– Nie bądź niemądry. Masz czterdzieści pięć lat. Nie musisz. Poza tym już walczyłeś na jednej wojnie. Dlaczego chcesz się w to zaangażować i tym razem?

Deklaracja męża wystraszyła Eleanor, ale reakcja żony nie zdziwiła Alexa, spodziewał się jej.

– Nie trafię na front. Masz rację, jestem za stary – przyznał z chłodnym uśmiechem. – Ale jestem oficerem. Mam prawo się zgłosić. Mogą mnie umieścić w dziale finansowym czy zakopać w innych papierach, a wtedy ten, kogo zastąpię, zostanie przeniesiony do aktywnej służby. Uważam, że nie byłoby właściwe, gdybym został w domu. – Mówił spokojnym i poważnym tonem, był w pełni przeświadczony, że tak właśnie należy postąpić.

– Co z nami? Co ja pocznę sama z dzieckiem?

– A co byś chciała? Nie wolisz przeprowadzić się do rodziców nad Tahoe?

Zaprzeczyła ruchem głowy.

– Nie, czułabym się tam jak w pułapce, spędzając czas tylko z nimi.

Jej rodzice wiedli spokojne życie, ale mimo radości z posiadania wnuczki ojciec wciąż cierpiał na depresję. Nigdy tak naprawdę nie doszedł do siebie po utracie majątku. Matka bardzo się starała, żeby podnosić go na duchu, zapewnić mu rozrywkę, ale czasami ponosiła porażkę. Miewał trudniejsze dni, gdy zanurzał się w czarnych wspomnieniach o bolesnych stratach, których doznał w przeszłości. Przejście na emeryturę w stosunkowo wczesnym wieku wcale mu nie służyło. Eleanor potrzebowała własnego niezależnego życia, z dala od nich, bo inaczej sama popadłaby w przygnębienie. Wszyscy ucierpieli w wyniku trwającego dekadę kryzysu gospodarczego.

– Nie chcę rezygnować z pracy, wolę zostać w mieście. Nie rozumiem, dlaczego czujesz, że musisz się zaciągnąć. Nie sądzę, żeby pobór obejmował mężczyzn w twoim wieku.

– Ale może objąć, nie jestem aż tak zramolały, jak ci się wydaje. – Najwyraźniej go uraziła, ale mieli ważniejsze tematy do omówienia, jak choćby przyszłość ich córki czy ryzyko, na jakie się narażał Alex, zgłaszając się do służby w wojsku.

– A jeśli coś ci się stanie? Co wtedy będzie z nami? – zapytała ze łzami w oczach Eleanor.

– Nic mi się nie stanie – uspokoił ją z niezbitą pewnością siebie. – Ostatnio służyłem w piechocie, ale na pewno nie wyślą na front żołnierzy w moim wieku. Mogę jednak okazać się przydatny za biurkiem i wolę wesprzeć ojczyznę niż codziennie chodzić do marnej roboty, którą mam w banku. Tylko tracę tam czas. Muszę to zrobić, Eleanor. Każdy mężczyzna ma taki obowiązek. Jesteśmy w stanie wojny i chcę bronić swojego kraju. W pewnym sensie będę chronić ciebie i Camille, a także wszystko to, w co wierzymy i czego symbolem jest Ameryka.

Biła z niego ogromna determinacja i trochę mu zazdrościła możliwości działania w zgodzie z własnym sumieniem. Sama nie mogła sobie na to pozwolić. Miała małe dziecko, które jej potrzebowało. Nie mogła pójść na wojnę i zostawić męża z półtorarocznym niemowlęciem. Z Alexem było inaczej i wiedziała, że wszyscy będą podziwiać jego bohaterstwo. Wydało jej się to niesprawiedliwe. Na jego miejscu, gdyby była w jego wieku, nie poszłaby walczyć, nie zostawiłaby żony i dziecka, żeby tylko zdobyć laur bohatera. Podejrzewała, że prawdopodobnie mógłby wymigać się od wojska, gdyby tylko chciał, ale on uważał inaczej. Widziała, że wręcz nie mógł się doczekać, żeby się zaciągnąć. Pomyślała, że to raczej egoistyczne z jego strony. Wojna była najbardziej ekscytującą okolicznością, jaka mu się przytrafiła od lat, i nie mógł temu zaprzeczyć. Oczy mu błyszczały, taki był rozpromieniony.

– Kiedy planujesz się zaciągnąć? – zapytała martwym głosem, próbując sobie wyobrazić, jak będzie wyglądało jej życie, kiedy jego zabraknie.

Zdawała sobie sprawę, że będzie jej trudniej i bardziej samotnie, gdy zostanie tylko z Camille, bez żadnej pomocy. Będzie się o niego martwić, modlić i na niego czekać. A co, jeśli nie przydzielą go do pracy biurowej, lecz wyślą na front? Przyszłość rysowała się przed nią w ponurych barwach. Myślał o tym przez cały dzień, więc była pewna, że opracował szczegółowy plan. Jego odpowiedź jednak kompletnie zbiła ją z tropu.

– Jutro – powiedział cicho, czym ją zaszokował.

– Dlaczego tak szybko?

Miała wrażenie, że Alex nie może się doczekać, żeby skorzystać z okazji i wyrwać się ze znienawidzonej pracy, w której nie miał żadnej przyszłości. Postrzegał wojnę w kategoriach wielkiej życiowej szansy.

– Nie chcę czekać. Poza tym kraj potrzebuje ochotników. Chcę stanąć w pierwszym szeregu. Dać dobry przykład innym.

– Nawet ze świadomością, że zniszczysz nasze życie, jeśli coś ci się stanie? Camille zasługuje na ojca, który będzie przy niej i zobaczy, jak dorasta – wyrzuciła z siebie żarliwie.

Była na niego zła, że chce się zaciągnąć, ale czuła, że nie wygra z nim na argumenty. Przemawiały przez niego męskość i patriotyzm, chciał służyć ojczyźnie, wspomagać kraj w wojnie z Japończykami. Prezydent nazwał agresję dniem hańby i Eleanor nie zamierzała z tym dyskutować, ale nie chciała poświęcać męża dla zwycięstwa. Razem z Camille bardziej go potrzebowały niż Ameryka.

Położyli się wieczorem w milczeniu. Oboje myśleli o jego planach. Nie sądziła, aby udało się jej odwieść go od powziętej decyzji. Poczucie obowiązku tak nim zawładnęło, że nie zwracał uwagi na jej słowa. Poza tym pragnął wyruszyć na wojnę całą duszą i sercem.

Kiedy zasnął, rozpłakała się. Rano obudziła się i ubrała jako pierwsza. Przez całą noc prawie nie zmrużyła oka, zamartwiając się jego przyszłością. Długo czekali na dziecko, o którym bardzo marzyli. Tymczasem teraz, nie bacząc na ryzyko, on chciał je zostawić i iść na wojnę. Bała się, że go straci.

Przed wyjściem do pracy pocałował Eleanor z równie stanowczym wyrazem twarzy jak wieczór wcześniej. Kiedy późnym popołudniem wrócił do domu, usiadł przy kuchennym stole i spojrzał na nią z powagą.

– Zgłosiłem się dziś na ochotnika.

Mimo że była przygotowana na to, co usłyszy, odebrała jego słowa niczym cios w brzuch. Chciała być z niego dumna, ale nie potrafiła, była wściekła, że porzuca ją i ich córkę.

– Więc zrobiłeś to, co postanowiłeś. – Starała się zachować zimną krew, choć była kompletnie roztrzęsiona. – Kiedy wyjeżdżasz?

– Za trzy tygodnie mam się w stawić w Fort Ord w Monterey na sześciotygodniowy obóz dla rekrutów, a potem jeszcze czeka mnie szkolenie oficerskie. – Pozwolili mu zostać w domu do Bożego Narodzenia.

– Co potem?

– Jeszcze nie wiem. Prawdopodobnie przydzielą mnie do pracy w Waszyngtonie czy innym spokojnym miejscu, żebym zastąpił kogoś, kogo można wysłać na front.

– A jeśli wyślą cię w strefę walk?

– Nie wyślą – zaprzeczył stanowczo. – To byłoby absurdalne ze względu na mój wiek.

Uważała, że równie absurdalne było zgłaszanie się na ochotnika do wojska, ale nie było nikogo, kto by przemówił Alexowi do rozsądku, zresztą już się zaciągnął. Trudno było przewidzieć, jak długo potrwa wojna. Jej mąż mógł wyjechać nawet na kilka lat. Był oficerem, więc obawiała się, w przeciwieństwie do niego, że mimo wszystko wyślą go na front. Co wtedy? Nikt nie potrafił przewidzieć, co się wydarzy.

Kolejne trzy tygodnie przed wyjazdem Alexa do Fort Ord były dla niej niemal surrealistyczne. Wciąż był częścią ich codzienności, a jednocześnie już nie. Bez reszty pochłaniały go przygotowania i w konsekwencji był nieobecny duchem. Nocami kochali się czule, lecz ich zbliżenia miały słodko-gorzki posmak pożegnania i lęku przez nieznanym, które czekało ich oboje.

Święta Bożego Narodzenia, na które pojechali do jej rodziców nad jezioro, minęły w ponurym nastroju wśród doniesień z pola walki i z perspektywą rychłego wyjazdu Alexa. Ostatni wspólny weekend spędzili nad Tahoe. Charles chodził z zięciem na długie spacery, podczas których omawiali w szczegółach inwestycje Alexa, na wypadek gdyby coś mu się stało. Ostatnie dziesięć lat żyli z Eleanor bardzo skromne, dzięki czemu zdołał sporo zaoszczędzić z pieniędzy, które dostał ze sprzedaży rodzinnego domu. Nowy właściciel nabył posiadłość zdecydowanie poniżej jej wartości, mimo to była to niemała suma. Alex rozsądnie ją zainwestował i kupił polisę ubezpieczeniową na życie, żeby zabezpieczyć żonę i córkę. Odszkodowanie w razie jego śmierci było niewielkie, ale liczył się każdy grosz.

– Nic z tego nie jest konieczne – uspokajał teścia. – Nie wyślą mnie na front, ale w czasie wojny dzieją się różne nieoczekiwane rzeczy. Eleanor gniewa się na mnie, że się zgłosiłem.

– Są pewne sprawy, które mężczyzna musi zrobić – stwierdził ze zrozumieniem Charles. – Kobietom trudno to pojąć. Miałem czterdzieści jeden lat w tysiąc dziewięćset siedemnastym roku, kiedy Ameryka przystąpiła do poprzedniej wojny. Zgłosiłem się na ochotnika, a przydzielili mnie do pracy biurowej w Presidio, ale nie mógłbym nie służyć. Namówimy Eleanor, żeby przyjeżdżała do nas nad jezioro i spędzała tu weekendy tak często, jak będzie mogła. Zawsze też może się tu przeprowadzić, jeśli zmieni zdanie. Sprawiłaby nam wielką przyjemność. – Uśmiechnął się do swojego zięcia, był dumny z jego decyzji.

Chwila pożegnania, gdy weekend dobiegł końca, była bolesna. Louise mocno go przytuliła i prosiła, żeby na siebie uważał. Miał jej obiecać, że zadba o jej córkę i wnuczkę.

– Jadę tylko do Monterey, matko Deveraux. – Uśmiechnął się do niej. Z Charlesem byli w większej zażyłości, do jego żony odnosił się jednak o wiele bardziej oficjalnie. – Nie będę daleko.

Otarła łzy z oczu i jeszcze raz go uścisnęła.

Już wcześniej zwolnił się z banku, ostatniego dnia koledzy serdecznie go pożegnali, życząc mu powodzenia. Wielu młodszych pracowników też się zaciągnęło. Jeden z nich jechał razem z nim do Fort Ord. Ostatniej nocy przed wyjazdem męża Eleanor nie mogła zasnąć. Leżała w łóżku i patrzyła na niego, modląc się w duchu, aby opatrzność nad nim czuwała. Najpierw czekał go sześciotygodniowy obóz dla rekrutów, a potem jeszcze miesięczne szkolenie bojowe dla oficerów, które zostało skrócone z dwunastu tygodni po ataku na Pearl Harbor, a według Alexa było zwykłą rutyną. Twierdził, że jest organizowane dla odświeżenia pamięci, jak strzelać z pistoletu. W czasie pierwszej wojny światowej miał dwadzieścia trzy lata. Teraz znów poczuł się jak młody chłopak, który wraca do wojska z o połowę od niego młodszymi mężczyznami.

Następnego dnia rano Eleanor odprowadziła go na stację. Był pierwszy stycznia, mroźny zimowy dzień. Trzymała Camille na rękach. Chciała być z mężem do ostatniej chwili.

– Dbaj o siebie – powiedział i ją pocałował. Córeczka poklepała ojca po policzku i aż pisnęła z radości.

– Dada –powtarzała na okrągło, patrząc na całujących się rodziców.

– Zadzwonię, jak tylko będę mógł – obiecał, ale nie wiedział, kiedy to nastąpi.

Powiedziano mu, że żona będzie mogła przyjechać na widzenie po czterech tygodniach, a potem zobaczą się po zakończeniu całego szkolenia. Już nie mogła się doczekać ich spotkania zaplanowanego pod koniec stycznia.

Peron był zatłoczony, głównie przez młodych mężczyzn, ale też kilku starszych, z którymi żegnali się rodzice, dziewczyny, żony i dzieci. Pocałowali się po raz ostatni, a Eleanor stała z córką na rękach, aż wypełniony po brzegi pociąg odjechał ze stacji. Potem wróciła do mieszkania w Chinatown, do życia bez Alexa. Od dwunastu lat małżeństwa byli nierozłączni i nie mogła sobie wyobrazić, jak teraz będzie wyglądać jej codzienność.

Wieczorem położyła córkę do łóżeczka i oszołomiona usiadła w salonie. Nie przestawała o myśleć o ukochanym.

*

Cztery tygodnie później Eleanor pojechała do Monterey. Córkę zostawiła pod opieką zaufanej sąsiadki, która wprowadziła się mniej więcej wtedy, kiedy urodziła się Camille. Kobieta miała dziecko w jej wieku. Podróż z San Francisco do Monterey zabrała jej cztery godziny. Zostawiła samochód na parkingu przy Fort Ord i podeszła do wejścia dla odwiedzających, żeby spotkać się z mężem. Niemal go nie poznała. Stracił na wadze, był szczuplejszy, ale szerszy w ramionach. Twarz miał wychudzoną, a głowę ogoloną prawie na łyso, jednak emanował siłą, werwą i młodością. Oczy mu błyszczały, kiedy ją przytulił, zachwycony, że przyjechała. Powiedział, że jest zadowolony ze szkolenia, choć uznał je za zupełnie zbyteczne w jego przypadku. Mimo to od lat nie był w lepszej kondycji.

Usiedli i rozmawiali, pijąc kawę. Rozejrzała się wokół, zauważając, że przyjechało mnóstwo odwiedzających, niektórzy z małym dziećmi. Przespacerowali się, chłonąc rześkie nadmorskie powietrze, nad ich głowami skrzeczały mewy. Trzymali się za ręce jak w okresie narzeczeństwa, a dwie godziny później ich czas dobiegł końca. Pocałował ją. Miał przyjechać do domu za sześć tygodni, po zakończeniu szkolenia. Niewiele miała mu do powiedzenia poza tym, że tęskni. Od urodzenia córki wypracowała pewną rutynę, którą utrzymywała niezmiennie nawet teraz. Zostawiała córkę z opiekunką, cały dzień spędzała w szkole, a po pracy odbierała Camille, którą karmiła, kąpała i kładła do łóżka. Potem myślała o mężu. Bez niego doskwierała jej samotność. Starała się wykrzesać z siebie radość i siłę, kiedy nadeszła chwila pożegnania. Patrzyła do końca, jak znika z pozostałymi oficerami, kierując się w stronę koszar.

Wróciła do San Francisco, a kiedy dotarła do domu, była wyczerpana – w sumie tego dnia spędziła osiem godzin za kierownicą. Cieszyło ją jednak, że mogła się spotkać z Alexem. Musiała przyznać, że w mundurze był jeszcze przystojniejszy. Teraz żyli rozdzieleni. Wyruszył po nową przygodę, nie bacząc, dokąd los go zaprowadzi, jej zadaniem zaś było utrzymanie domowego ogniska i opieka na córką. Miała nadzieję, że kiedy szkolenie dobiegnie końca, zostanie przydzielony do pracy w San Francisco. On sam podejrzewał, że trafi do bazy wojskowej Presidio w mieście. Wtedy przynajmniej widywaliby się częściej.

Wieczorem położyła się do łóżka, ale nie mogła zasnąć, długo o myślała o mężu. Wiele by oddała, żeby Japończycy nie zbombardowali Pearl Harbor.

Pod koniec szkolenia, w marcu Alex dostał trzydniową przepustkę i przyjechał do San Francisco. Eleanor czekała na niego w mieszkaniu. Pozwolono jej wziąć wolne popołudnie w szkole i znów zostawiła Camille z sąsiadką.

Jak tylko przekroczył próg, natychmiast dali się porwać długo tłumionej namiętności. Kochali się pierwszy raz od dwóch miesięcy, które w jej przypadku wypełniała bezkresna samotność, a w jego – wysiłek fizyczny i liczne wyzwania. Wyglądał dziesięć lat młodziej niż w dniu wyjazdu.

Alex napisał do swoich braci, żeby ich powiadomić o wstąpieniu w szeregi armii. Harry cierpiał na astmę, miał też szmery w sercu, dlatego został odrzucony przez komisję. Natomiast Phillip został zwerbowany i przydzielono mu pracę za biurkiem w Waszyngtonie dzięki koneksjom żony. Obaj zareagowali niedowierzaniem, że ich brat, choć nie był już młody, zgłosił się na ochotnika na służbę. Podziwiali go za patriotyczną postawę.

Wieczorem Alex zabrał Eleanor na kolację do jednej z chińskich restauracji w sąsiedztwie. Potem odebrali Camille od sąsiadki. Alex wziął córkę na ręce, bo już spała, i delikatnie przeniósł do ich sypialni. Cicho zamknęli za sobą drzwi i znów się kochali na kanapie w salonie. Nie mogli się sobą nasycić.

Sobotę spędzili rodzinnie – poszli na długi spacer do parku. Wieczorem Eleanor przygotowała kolację, a Alex wykąpał córkę. Położyli ją do łóżka i usiedli w salonie, żeby porozmawiać. W niedzielę wieczorem musiał już wracać do Fort Ord. Oboje rozkoszowali się luksusem spokojnego wieczoru w przytulnym mieszkaniu. W trakcie rozmowy Eleanor zauważyła dziwny błysk w jego oczach, który wcześniej musiał umknąć jej uwadze. Nie wiedziała, o co chodzi, ale momentalnie uzmysłowiła sobie, że mąż coś przed nią ukrywa.

– Czego mi nie mówisz? – zapytała, mierząc się z nim wzrokiem.

Wtedy odwrócił się, żeby zapalić papierosa.

Wcześniej nie palił, ale to się zmieniło na szkoleniu. W nałóg wciągnęli go inni rekruci, którzy w ten sposób zabijali wolny czas. Nie chciał jej okłamywać, ale próbował zyskać parę chwil. Patrząc na niego, uświadomiła sobie, że przeczucie jej nie myliło.

– Co się stało?

Nagle się przestraszyła, że znalazł sobie inną kobietę. Nie wiedziała, o co chodzi, ale czuła, że nie ma dla niej dobrych wieści. Kiedy znów na nią spojrzał, nabrała co do tego stuprocentowej pewności.

– W czwartek przysłali rozkazy – przyznał cicho.

– Rozkazy? Jakie rozkazy? Powiedzieli, dokąd cię teraz wyślą?

Skinął głową dla potwierdzenia.

– Wracasz do San Francisco?

Zaczęła się bać, że jednak trafi na wschód, do Waszyngtonu, i nie będą się mogli widywać. Odwiedzanie go w stolicy byłoby zbyt skomplikowane i kosztowne, teraz bowiem do życia musiała jej wystarczyć jedna pensja i oszczędności.

W odpowiedzi przecząco pokręcił głową. Nie było łatwego sposobu, żeby jej to powiedzieć. Pozostali oficerowie, z którymi ukończył szkolenie, musieli przekazać identyczną wiadomość. Nie wiedział, jak się do tego zabrać.

– Wypływam – wyszeptał tak cicho, że ledwie była w stanie go usłyszeć.

Świdrowała go wzrokiem.

– Co masz na myśli?

Słyszała bicie swojego serca, które wręcz zagłuszało jego słowa.

– Zostałem oddelegowany do służby poza granicami kraju, na Pacyfiku, ale nie mogę ci zdradzić, gdzie dokładnie. Jest inaczej niż poprzednio, w czasie ostatniej wojny. Oficerowie w moim wieku trafiają do stref bojowych. Nie będę służył na ziemi w samym sercu walki, zostały nam przydzielone stanowiska dowodzenia na okrętach. Okazało się, że w tym właśnie celu nas szkolili.

– Okłamałeś mnie! – wykrzyknęła mu prosto w twarz i zamachnęła się na niego. Zatrzymał jej dłoń, zanim zdołała go uderzyć. – Powiedziałeś, że nie wyślą cię na front ani za granicę. Dlaczego musiałeś się zaciągnąć na tę głupią wojnę?!

Łkała, kiedy ją do siebie przyciągnął i mocno przytulił.

– Tak czy inaczej, mogłem zostać zwerbowany, zanim by się skończyła. Potrzebują każdego. Cała Europa walczy, a teraz bitwy toczą się też na Pacyfiku, wojsko nas potrzebuje.

Długo płakała, potem podniosła na niego wzrok.

– Kiedy wyjeżdżasz?

– W tym tygodniu. Za kilka dni. Nie powiedzieli dokładnie kiedy, ale wkrótce. To moja ostatnia przepustka, zanim wypłyniemy – wyjaśnił.

W całym swoim życiu nie bała się tak bardzo jak teraz. A jeśli nie wróci? Jeśli już nigdy go nie zobaczy? Ta myśl była zbyt przytłaczająca. Właśnie spędzali ostatnie godziny przed jego wyjazdem, a wcześniej nawet nie była tego świadoma.

– Dlaczego nie powiedziałeś mi wcześniej? Zaraz po przyjeździe.

– Nie chciałem popsuć naszych ostatnich wspólnych dni.

Skinęła głową, lecz jego wizyta nabrała zupełnie innego wymiaru, kompletnie nowego odcienia. Czuła upływające minuty niczym ziarenka przesuwające się w klepsydrze, za niecałą dobę rozstaną się, być może na zawsze.

Usiedli i rozmawiali do późna o tym, co teraz zrobić. Uważał, że powinna się przeprowadzić nad jezioro do rodziców, ale nie chciała. Inne kobiety, których mężowie trafią na wojnę, znajdą się w identycznym położeniu co ona. Nie chciała zrezygnować z pracy i chować się pod dachem ojca i matki niczym małe dziecko. Nie namawiał jej, ale martwił się, jak sobie poradzi sama w San Francisco. Nikt nie mógł przewidzieć, czy Japończycy nie poważą się i nie zaatakują Zachodniego Wybrzeża, nie chciał, żeby została w mieście, jeśli do tego dojdzie, ale ona z uporem trwała przy swoim. Położyli się kilka godzin później i leżeli w poświacie księżyca, mocno wtuleni w siebie, a Camille spała obok, w kołysce.

Kochali się cicho, żeby nie obudzić córki, a potem odpoczywali rozbudzeni, aż wreszcie zasnęli wraz z nastaniem świtu. Eleanor nie mogła przestać myśleć o tym, że to być może ich ostatnia wspólna noc. Wiedziała, że taka możliwość szybko się nie powtórzy. Alex nie miał pojęcia, jak długo zostanie na Pacyfiku.

Eleanor wstała, kiedy Camille się obudziła, Alex został w łóżku dłużej. Potem zjedli razem śniadanie i spędzili dzień, cieszące się każdą chwilą, tuląc się do siebie, całując i bawiąc się z córką. O czwartej po południu Eleanor z małą na rękach odprowadziła go na pociąg. Wszystko zostało już powiedziane. Nie potrzebowali więcej słów. Łzy płynęły po ich policzkach, kiedy się żegnali, a Camille stała obok, trzymając matkę za spódnicę.

– Uważaj na siebie… proszę… – wyrzuciła z siebie łamiącym się głosem Eleanor.

– Napiszę – obiecał szeptem.

– Kocham cię – powiedziała, kiedy złapał marynarski worek i wskoczył do wagonu.

Stał na schodkach, kiedy pociąg opuszczał stację i krzyczał w jej kierunku:

– Kocham cię!

Widziała, jak ruszają się jego usta, ale nie dochodził do niej żaden dźwięk, więc niemo odpowiedziała, że ona też. Camille pomachała do tatusia, aż wreszcie pociąg skręcił i zniknął z pola widzenia.

Rozdział 9

Kolejne urodziny Camille również świętowali nad Tahoe. Skończyła dwa latka. Trzy miesiące wcześniej Alex wypłynął na Pacyfik. Eleanor nie wiedziała dokładnie, gdzie jest. Jeździła do rodziców nad jezioro tak często, jak było to możliwe. Niedawno rozpoczęły się wakacje szkolne i planowała wrócić do San Francisco dopiero na kilka dni przed rozpoczęciem nowego roku we wrześniu.

Alex pisał do niej, kiedy tylko miał okazję. Czasem nie miała od niego żadnych wieści przez długie tygodnie, a potem niespodziewanie przychodził list za listem. Nie mógł zdradzić żadnych szczegółów dotyczących miejsca swojego pobytu ani tego, co tam dokładnie robił, ale powtarzał, że dobrze się czuje i tęskni za nią i córką. Zabrał ze sobą plik rodzinnych zdjęć. Eleanor co kilka tygodni wysyłała mu też najnowsze fotografie Camille. Do września zmieniła się nie do poznania, choć minęło zaledwie pół roku. Eleanor żyła od listu do listu, mimo że czas, który spędziła latem nad jeziorem, jej służył. Rodzice uwielbiali, gdy córka z wnuczką były w pobliżu.

Matka godzinami zaszywała się w ogrodzie i namawiała ojca, żeby jej towarzyszył. Wydawało się, że odnaleźli nowy cel w życiu. Mieli ogrodnika, który pomagał im w cięższych pracach, a Louise stworzyła kilka zachwycających aranżacji wokół ich domu i bardzo ją to radowało.

Dokładnie tak, jak Charles przewidział, wojna na nowo tchnęła życie w gospodarkę. Fabryki działały na pełnych obrotach, ludzie bez problemu znajdowali pracę, a poziom bezrobocia był najniższy od dekady. Wielki kryzys, najczarniejszy czas w dziejach Ameryki, wreszcie się skończył.

Eleanor i Camille spędziły Święto Dziękczynienia i Boże Narodzenie nad Tahoe. Charles samodzielnie ściął choinkę, na której razem zawiesili ozdoby zachowane przez Louise z ich dawnego domu. Widok dekoracji świątecznych ożywił wspomnienia, przypomniał o minionych tradycjach, które kultywowali, zanim ich życie tak diametralnie się odmieniło. Charles skończył sześćdziesiąt pięć lat, a Louise pięćdziesiąt dziewięć. Oboje wyglądali na dużo starszych. Charles nigdy się nie podniósł po ciosie, jakim była dla niego utrata majątku, ani upokorzenia, z jakim został zmuszony do zamknięcia banku i sprzedaży domu. Tahoe też już do nich nie należało. Był teraz tylko stróżem posiadłości, zatrudnionym przez nowego właściciela. Pozostał im jedynie mały domek, który zdecydowali się zachować. Mimo wszystko wizyty córki i wnuczki zawsze podnosiły go na duchu.

Ze smutkiem się żegnali trzy dni po świętach, ale Eleanor chciała spędzić trochę czasu na przygotowaniach do nowego semestru, który zaczynał się w styczniu. Lubiła swoją pracę, choć uczennice, które obecnie uczęszczały do szkoły, pochodziły z nieco mniej dystyngowanych środowisk.

Część dawnej elity zniknęła, jej miejsce zaczęli zajmować nowobogaccy. Rodziny, które wysyłały córki na pensję, nie należały do wyższych sfer z kręgów Eleanor, ale darzyła te dziewczęta sympatią i lubiła je uczyć.

Któregoś wieczoru po powrocie do domu siedziała przy biurku i przygotowywała się do lekcji francuskiego. Camille już dawno spała, kiedy rozległ się dzwonek do drzwi. Kurier Western Union wręczył Eleanor telegram. Od trzech tygodni nie miała żadnych wieści od Alexa, ale zdarzało się tak już wcześniej, więc nie martwiła się i cierpliwie czekała na nadejście spóźnionej korespondencji. Miała nadzieję, że żyje. Innej możliwości nie brała pod uwagę.

Posłaniec w pośpiechu przekazał telegram i był już w połowie schodów na dół, kiedy Eleanor otworzyła list. Został nadany przez Departament Wojny Stanów Zjednoczonych. Słowa napisane drukowanymi literami skakały jej przed oczami, zamknęła na chwilę powieki, a potem jeszcze raz przeczytała wiadomość, i ponownie:

Z żalem informujemy, że Pani mąż, podporucznik Alexander William Allen, został ranny 4 grudnia 1942 roku i ma przybyć do portu San Francisco około 12 stycznia na pokładzie okrętu szpitalnego USS Solace.

Podpisane przez głównodowodzącego generała. I tyle. Ani słowa o naturze jego obrażeń ani co dokładnie się wydarzyło. Po przeczytaniu lakonicznego komunikatu wiedziała tylko, że jej mąż był ranny, ale żył i wracał do San Francisco. Miał być na miejscu za dwa tygodnie, co stanowiło pewną pociechę, bo czuł się na tyle dobrze, żeby podróżować. Dziękowała Bogu, że nie zginął.

Serce jej mocno waliło, kiedy usiadła na kanapie z telegramem w dłoni i jeszcze raz go przeczytała. Wiadomość zawierała numer identyfikacyjny Alexa, ale nie wiedziała, do kogo mogłaby zadzwonić, żeby uzyskać więcej szczegółów. Musiała poczekać dwa tygodnie na jego przyjazd. Cieszyła się, że wraca. Nie było go już od dziewięciu miesięcy. Miała tylko nadzieję, że jego obrażenia nie są zbyt poważne, ale zarazem że uchronią go przed powrotem na front, kiedy już wydobrzeje w domu. Na nic więcej nie liczyła. Wiedziała, że do portu wpływają transporty wojskowe i statki medyczne z rannymi, których wysłano do domu, gdzie mogli być leczeni w szpitalach wojskowych. San Francisco było jednym z portów na Zachodnim Wybrzeżu, z którego korzystano w tym właśnie celu.

Następnego dnia rano przeczytała telegram jeszcze raz i zadzwoniła do rodziców, żeby im przekazać nowiny. Podobnie jak Eleanor uchwycili się myśli, że jeśli zięć był w stanie wracać do domu na statku, oznaczało to, że czuł się na tyle dobrze, żeby podróżować. Charles i Louise martwili się, ale na duchu podnosił ich fakt, że ich zięć żył i że obrażenia nie były na tyle poważne, aby musiał zostać w szpitalu polowym.

Powiadomiła o wszystkim szkołę, kiedy już zaczął się nowy semestr, a jej zostało jeszcze dziewięć dni czekania. Wkrótce miała się przekonać na własne oczy, w jakim stanie jest jej mąż. Nie wiedziała, co go czeka: czy będzie musiał zgłosić się do bazy wojskowej, czy przejdzie rekonwalescencję w szpitalu wojskowym, czy może będzie mógł wrócić do domu i być z nią i Camille. Wydawało się, że dni spędzone na czekaniu na USS Solace nie mają końca.

Piątego stycznia zadzwoniła do portu San Francisco i zapytała, czy mają jakieś wiadomości na temat położenia statku. Poproszono, aby skontaktowała się z nimi za dwa, trzy dni, spodziewali się bowiem, że wtedy będą znali więcej szczegółów. Okazało się, że okręt nie dotarł jeszcze na Hawaje, więc co najmniej tydzień mogło mu zająć dopłynięcie do San Francisco, o ile nie dłużej. Zapytana o powód swojego zainteresowania, wyznała, że na statku znajduje się jej ranny mąż. Wtedy osoba pod drugiej stronie słuchawki okazała jej odrobinę więcej zrozumienia.

– Większość z nich zostanie przetransportowana do szpitala Letterman w Presidio. Jeśli nie uda się wam spotkać w dokach, proszę wtedy tam sprawdzić. Kiedy przypływa okręt, zawsze panuje chaos. Łatwiej będzie pani odnaleźć męża w szpitalu niż w porcie.

W żadnym wypadku nie wyobrażała sobie takiej sytuacji. Zamierzała zrobić wszystko, aby po powrocie rannego Alexa do San Francisko przywitać się z nim po jego zejściu na ląd, a potem towarzyszyć mu tam, dokądkolwiek go skierują, o ile będzie to możliwe.

Dzwoniła codziennie po bieżące informacje. Dowiedziała się, że na Hawajach szaleją sztormy, ale wreszcie czternastego stycznia usłyszała, że statek powinien przypłynąć za dwa dni.

– Czy to duży okręt? – zapytała zaniepokojona tym, co jej powiedziano wcześniej, że mogą się minąć w dokach.

– Na pokładzie jest prawie sześciuset rannych. Jest spory. Normalnie mieści czterysta osiemnaście osób – wyjaśnił pracownik portu. Dodał, że Solace może czekać kilka godzin w zatoce, zanim będą gotowi na przyjęcie statku. – Zazwyczaj dostają pozwolenie na wpłynięcie około siódmej, ósmej rano. Staramy się wyładować rannych za dnia. – W jego ustach zabrzmiało to jak, jakby mówił o ładunku, a nie o ludziach.

Dwa ostatnie dni okazały się najdłuższe od czasu, kiedy siedemnaście dni wcześniej otrzymała telegram z lakoniczną informacją, zawierającą tak niewiele szczegółów. Od tamtej pory nie myślała o niczym innym.

Rankiem szesnastego stycznia Eleanor wsiadła w poranny autobus do Embarcadero, gdzie dokowały statki, żeby po dotarciu na miejsce zapewnić sobie wystarczająco dużo czasu na zlokalizowanie USS Solace. Jechała w towarzystwie robotników, budowlańców i dokerów. Choć była jedyną kobietą w autobusie, młodą i atrakcyjną, jej widok nikogo nie dziwił. Najwyraźniej udawała się w konkretnym celu, może do pracy. Przystanek znajdował się kilka przecznic od doków. Wysiadła i sprężystym krokiem ruszyła w stronę portu. Wciąż było ciemno. Zostawiła Camille u sąsiadki poprzedniego dnia wieczorem. Wyjaśniła, że jej mąż został ranny i wysłany z linii frontu do domu. Brat kobiety służył w piechocie w Europie, natomiast jej mąż ze względu na chorobę serca został w domu.

O szóstej rano dotarła na miejsce. Zauważyła ogromny czerwony krzyż wymalowany na białym tle, wskazujący miejsce, w którym miał się zatrzymać okręt szpitalny. Wokół kręcili się dokerzy i wojskowi. Wyjaśniono jej, gdzie najlepiej stanąć. Niestety, nikt nie wiedział, o której godzinie przypłynie Solace. Spodziewano się, że może to trochę potrwać, ale statek miał przybić tego ranka. Powietrze było wilgotne, nad portem unosiła się gęsta mgła. Z oddali dochodził dźwięk syren okrętowych. Eleanor skryła się w drzwiach. Przed ósmą zobaczyła sznur wojskowych karetek, które wjechały do portu i zatrzymały się gdzie popadnie przy dokach. Godzinę później wokół zapanował wielki gwar i poruszenie. Zauważyła ciężarówki z czerwonym krzyżem, kolumnę autobusów, kolejne karetki i pojazdy wojskowe. Potem w oddali dostrzegła wolno sunący przez wody zatoki statek z jej bezcennym pasażerem.

Okręt zadokował przed dziesiątą, Eleanor czekała już więc cztery długie godziny. Była zziębnięta, miała ubranie mokre od wilgoci i drobnego deszczu, ale nie dbała o to. Tuż przez samym cumowaniem statku nagle zaroiło się od ratowników, kierowców karetek, lekarzy, pielęgniarek. Cały tłum personelu medycznego i wojskowego tłoczył się na brzegu, czekając na rannych. Nie potrafiła sobie wyobrazić, jak się przez nich przeciśnie, żeby odnaleźć Alexa, ale wsunęła się w ciżbę i parła do przodu tak daleko, jak zdołała, a w tym czasie statek powoli się do nich zbliżał. Wydawał jej się ogromny.

Dopiero około jedenastej okręt z wielkim czerwonym krzyżem wymalowanym na burcie został bezpiecznie zacumowany w dokach, a stłoczony personel medyczny zbliżył się do wejścia na pokład. Ustawiono pół tuzina trapów i kilkoro sanitariuszy weszło z noszami na statek, żeby najpierw wynieść najciężej rannych. Teraz zrozumiała, dlaczego przestrzegano ją, że mogą minąć się w porcie, ale była zbyt determinowana i nie zamierzała się poddawać. Modliła się, żeby Alex nie musiał być transportowany na noszach. Stanęła tak, żeby zobaczyć jak największą liczbę rannych, którzy ją mijali, ale żaden z nich nie przypominał jej męża, choć niektórzy mieli zabandażowane twarze, więc trudno było to do końca orzec. Przykryto ich wojskowymi kocami, na których leżały osobiste drobiazgi żołnierzy. W tłumie było wielu wojskowych pielęgniarzy, głównie z marynarki, mężczyźni kierowali noszowych do karetek. Minęło trochę czasu, zanim pojawili się ranni o kulach, niektórzy potrzebowali asysty. Kiedy ich zobaczyła, zaczęła wołać męża po imieniu, mając nadzieję, że ją usłyszy w tłumie.

– Alex Allen… Alex Allen…

Panował taki harmider, że musiała krzyczeć, wzięła też ze sobą jego zdjęcie, żeby je pokazać, w razie gdyby spotkała kogoś, kto byłby w stanie jej pomóc.

Setki rannych w bandażach, kuśtykających o lasce lub z rękami na temblaku, wylewały się ze statku wszystkimi sześcioma trapami i kierowały się do autobusów i wozów transportowych. Ci, którzy ją dostrzegli, kręcili głowami, kiedy pytała, trzymając zdjęcie męża, czy znają lub widzieli Alexa Allena. Niektórzy wyglądali na zamroczonych, wielu się do niej nie odezwało, ale inni odpowiadali, że go nie spotkali, a przy okazji rzucali jej pożądliwe spojrzenia. Była pierwszą kobietą w cywilu, Amerykanką, którą zobaczyli, od kiedy opuścili Stany.

Eleanor od dwóch godzin wciąż wytrwale torowała sobie drogę w tłumie, zastanawiając się, czy nie powinna zrezygnować i raczej pojechać do szpitala w Presidio, żeby odszukać Alexa. Sytuacja w dokach wyglądała beznadziejnie. Potem zauważyła długą kolejkę wózków inwalidzkich czekających na opuszczenie pokładu, jeden po drugim kolejni żołnierze popychali je ostrożnie w dół jednego z trapów. Eleanor wytężyła wzrok i z tyłu dostrzegła twarz męża. Pomachała, ale jej nie widział, przepchnęła się przez tłum, aż dotarła do stóp trapu i czekała. Patrzyła w górę na niego, kiedy zjeżdżał w dół i wtedy ją zauważył. Rozpłakał się, a ona mu zawtórowała. W sekundzie, w której koła wózka dotknęły ziemi, objęła go i mocno przytuliła, a wtedy załkał w jej ramionach. Sanitariusz, który popychał jego wózek, zjechał na bok, żeby nie tarasowali przejścia. Kiedy Alex odsunął się od niej, uważnie na niego popatrzyła. Był potwornie wychudzony, miał zapadnięte oczy i bandaż na jednej ręce, poza tym wydawało się, że nie ma innych obrażeń. Co prawda siedział na wózku, lecz ona sądziła, że pewnie jest zbyt osłabiony, aby stać. Mimo że był okryty kocem, drżał z zimna. Sanitariusz zaczął go pchać w kierunku jednego z autobusów przystosowanych do przewożenia pacjentów na wózkach.

– Dokąd go zabieracie? – zapytała szybko Eleanor, nim wózek z jej mężem został wniesiony do środka.

– Do szpitala Lettermana w Presidio. Może go pani tam odwiedzić.

Skinęła głową i pocałowała Alexa. Odpowiedział uśmiechem, choć bał się, że już nigdy jej nie zobaczy. Nie mógł uwierzyć, że jego żona właśnie przed nim stoi. Dla niej również było to surrealistyczne. Nie wierzyła, że udało jej się go znaleźć. Spędziła długie osiem godzin w porcie, ale było warto. Znalazła go i była przy nim, kiedy opuszczał statek.

– Zobaczymy się w szpitalu – obiecała z uśmiechem i znów go pocałowała.

– Dziękuję, że po mnie wyszłaś. Nie wiedziałem, czy cię powiadomili o moim powrocie.

– Dostałam telegram trzy tygodnie temu. Codziennie dzwoniłam.

Uścisnął jej dłoń i łzy zalśniły mu w oczach, ale zebrał się w sobie.

– Co się stało?

– Zbombardowali statek, na którym służyłem. Przenosili nas w nowe miejsce. To był bezpośredni strzał. Straciłem prawie wszystkich ludzi. Przeżyło tylko trzech i ja.

Wyglądał na wyczerpanego, kiedy jej o tym opowiadał. Dwóch sanitariuszy podniosło wózek, a po chwili Alex pomachał jej z odjeżdżającego autobusu. Był przerażająco wycieńczony, ale wydawało się, że wyszedł z ataku obronną ręką.

Szybko wróciła na przystanek autobusowy, na którym wysiadła kilka godzin wcześniej, i pojechała prosto do Presidio. Uświadomiła sobie, jakie to szczęście, że odesłali Alexa do San Francisco. Przecież mógł trafić gdziekolwiek. Teraz może widywać go codziennie. Podróż do Presidio zabrała jej godzinę, dojechała na miejsce niemal w tym samym momencie co on. W szpitalu panował istny młyn, personel próbował przypisać morze nowo przybyłych pacjentów do odpowiednich oddziałów i sal, w zależności od rodzaju obrażeń. Pół godziny później skierowali ją na oddział, na który został przyjęty Alex. Wciąż siedział na wózku, kiedy go zobaczyła. Podbiegła do niego. Pielęgniarz właśnie miał go przenieść na łóżko. Najpierw zdjął okrywający Alexa koc i wtedy zobaczyła, dlaczego wysłali go do domu. Stracił obie nogi. Jego uda wciąż były mocno obandażowane. Kikuty kończyły się w okolicy kolan. Obserwował wyraz jej twarzy, gdy dotarło do niej, co mu się stało. Ich spojrzenia na chwilę się spotkały. Po tym, co jej opowiedział, Eleanor uważała, że i tak miał szczęście, że żyje, i byłaby za to wdzięczna nawet wtedy, gdyby wrócił z większymi obrażeniami i oprócz nóg stracił także ręce.

– Jest dobrze – powiedziała cicho i delikatnie opuszkami palców dotknęła jego twarzy. Wtedy chwycił i ścisnął jej dłoń.

– Naprawdę? – zapytał i w tym jednym słowie zawarł milion pytań.

Skinęła głową w odpowiedzi.

– Tak, naprawdę. Poradzimy sobie, ty też sobie poradzisz.

Pozwolił się przenieść na łóżko. Doznał też wewnętrznych obrażeń, ale najgorsza była utrata nóg.

Usiadła na krześle obok niego, a tymczasem na oddział napływali nowi pacjenci. Zrozumiała, że życie tych wszystkich ludzi zmieni się diametralnie. Przypomniała sobie miesiąc miodowy, kiedy znany im świat rozpadł się na tysiące kawałków. Pomyślała, że historia lubi się powtarzać, choć tym razem tylko Alex został poturbowany przez los. Postanowiła, że niezależnie od tego, ile ich to będzie kosztowało, razem stawią czoło przeciwnościom. Nie pozwolą, aby to, co się stało, ich zniszczyło. Ona na to nie pozwoli. Pochyliła się i go pocałowała. Siedział na łóżku i nie spuszczał z niej wzroku.

– Kocham cię, Alex – powiedziała stanowczym tonem, a on przywarł do niej całym ciałem. Tuląc się do niego, czuła wystające kości na jego plecach i ramionach.

– Też cię kocham – wyznał z poczuciem winy i niemymi przeprosinami, że wrócił do niej w takim stanie.

Czuł się bezużyteczny. Eleanor to widziała, ale nie chciała przyjąć tego do wiadomości. Mocno go przytuliła, żeby przekazać mu swoją siłę i wiarę, które były niczym rwąca rzeka miłości. Nic nie było w stanie stanąć na jej drodze ani jej wyczerpać.

– Dziękuję Bogu, że pozwolił ci wrócić do domu – dodała, a wtedy zamknął oczy i oparł głowę o jej ramię.

Były to dokładnie słowa, jakich teraz potrzebował i nic ponad to nie musiał wiedzieć. Zrozumiał, że wciąż go kocha, choć teraz był kaleką.

Rozdział 10

Alex szybko popadł w szpitalną rutynę. Lekarz zamierzał wysłać go na fizjoterapię, ale pacjent nie był jeszcze gotowy. Wewnętrze obrażenia wciąż się goiły, w ciele utkwiło mnóstwo odłamków. Usunęli, co mogli, ale to, co zostało, martwiło specjalistów, którzy się nim opiekowali. Co wieczór rosła Alexowi gorączka, rany się zaogniały. Najbardziej obawiano się, że wda się gangrena, która zresztą była przyczyną amputacji obu nóg po ataku.

Eleanor przychodziła do niego codziennie po pracy. Poprawiała zeszyty uczennic, siedząc przy jego łóżku, gdy zapadał w spokojną drzemkę u jej boku. Zostawała aż do kolacji, potem odbierała córkę od opiekunki i wracała z małą do domu, żeby się nią zająć.

Rodzice byli zszokowani i głęboko zasmuceni wiadomością o tym, że Alex stracił obie nogi. Jej ojciec chciał po raz pierwszy od trzynastu lat przyjechać do miasta, ale Alex nie mógł przyjmować innych odwiedzających. Wciąż był zbyt słaby i obawiano się stanów zapalnych, które nieustannie go męczyły. Eleanor martwiła się o męża. Niebezpieczeństwo jeszcze całkiem nie minęło. Umarłby, gdyby którykolwiek z odłamków tkwiących w jego ciele przesunął się znacząco.

Lekarze orzekli, że czeka go pięcio-, sześciomiesięczny pobyt w szpitalu, a potem Eleanor chciała go zabrać nad jezioro Tahoe, żeby spędził wakacje z Camille. Wiedziała też, że musi znaleźć inne mieszkanie, zanim go wypiszą. Schody były dla niego przeszkodą nie do pokonania, a w ich budynku nie było windy. Utknąłby w mieszkaniu. Zamierzała zająć się tym latem, bo na razie miała zbyt wiele spraw na głowie: odwiedziny w szpitalu, pracę u panny Benson i opiekę nad córką wieczorami. Tahoe miało zapewnić im obojgu solidny wypoczynek, którego Alex nie mógł się już doczekać. Chciał jak najszybciej wyjść ze szpitala, żeby zobaczyć córkę. Nie widział jej już od ponad roku i bał się, że Camille go nie rozpozna. Eleanor obiecała małej, że tatuś już niebawem wróci do domu.

W kwietniu nastąpiła u niego zdecydowana poprawa. Tymczasem pewnego wczesnego ranka, gdy Eleanor szykowała córkę do wyjścia, zadzwoniła do niej matka. Louise histerycznie szlochała, prawie nie można było jej zrozumieć. Okazało się, że Charles umarł we śnie. Jego serce się poddało. Miał tylko sześćdziesiąt pięć lat, lecz bolesne doświadczenia, których nie szczędził mu los, sprawiły, że zestarzał się przedwcześnie. W ostatnich latach znacznie podupadł na zdrowiu, mimo że starał się mężnie stawiać czoło życiowym zawieruchom. Nigdy się nie skarżył ani nie wspominał przeszłości, ale też nigdy na dobre się nie podniósł po bankructwie.

– O mój Boże, mamo, to straszne – wydusiła z siebie ze łzami w oczach Eleanor, a Camille patrzyła z niedowierzaniem na płaczącą matkę. – Przyjadę dziś po południu, muszę tylko zawiadomić szkołę i Alexa. Wszystkim się zajmę.

Matka wciąż łkała, a Eleanor biła się z myślami. Miała teraz dużo obowiązków, ale przecież musiała pomóc Louise. Przekonanie o tym niemal przyćmiło smutek związany z żałobą po ojcu. Wiedziała, że on chciałby, żeby zaopiekowała się matką. Śmierć ukochanego męża była dla Louise przytłaczającą stratą, która mogła ją samą wpędzić do grobu, a Eleanor w żadnym razie nie mogła do tego dopuścić.

Zostawiła córkę u opiekunki, a w szkole wyjaśniła, że musi wziąć wolne do końca tygodnia, żeby zorganizować pogrzeb ojca. Gdyby ojciec zmarł czternaście lat wcześniej, Eleanor odziedziczyłaby ogromny majątek, lecz obecnie nie oczekiwała żadnego spadku. O ile wiedziała, ojcu nie zostało zbyt wiele oszczędności – jedyne garść inwestycji, o których wspominał jej i matce w ostatnich latach, że przypadną im po jego śmierci. Nigdy nie pozwoliła mu mówić więcej na ten temat, nie poznała żadnych szczegółów, a on się przy tym nie upierał. Nie chciała rozmawiać o tym, co będzie potem, gdy go zabraknie. Teraz, gdy umarł, nie miała pojęcia, jak wygląda sytuacja finansowa matki, ale cokolwiek udało się zaoszczędzić ojcu, musiało wystarczyć na jej utrzymanie. Nie spodziewała się żadnej zawrotnej sumy. Był to zresztą najmniejszy z jej problemów na tę chwilę. Musiała się zająć mężem i córką, a teraz także matką. Louise od zawsze całkowicie polegała na Charlesie, cały jej świat krążył wokół niego.

Panna Benson bez przeszkód zgodziła się udzielić jej urlopu. Eleanor jej podziękowała i pojechała do szpitala wojskowego w Presidio, żeby porozmawiać z Alexem. Był zaskoczony, że przyszła tak wcześnie, ale się ucieszył. Dopiero kiedy zauważył wyraz jej twarzy, zrozumiał, że stało się coś złego. Była zdruzgotana. Wstrzymał oddech, modląc się, żeby nie chodziło o Camille.

– Co się stało? Dlaczego jesteś tak wcześnie? – zapytał, bojąc się, co mu odpowie.

– Papa nie żyje – wydusiła z siebie i zalała się łzami.

Tym razem to on ją pocieszał, odwzajemniając się ogromem czułości za troskę, jaką mu okazywała. Przekonała go przecież, że sobie poradzą. Zamierzała dalej pracować. On miał dostać rentę, a może nawet udałoby mu się znaleźć odpowiednią pracę. Będą zaciskać pasa i odkładać po trochu. Brak drugiej pensji nie był aż takim problemem. Eleanor nie poddawała się i podnosiła męża na duchu siłą swojej miłości. Teraz jednak śmierć ojca była dla niej bolesnym ciosem, a jeszcze gorszym dla jej matki. Eleanor znów zostawiła Camille u sąsiadki i wieczorem pojechała nad Tahoe starym samochodem Alexa, choć rzadko sama prowadziła.

Kiedy dotarła na miejsce, zaszokowana Louise wciąż rozpaczała. Czuła się samotna.

– Nie wiem, jak sobie bez niego poradzę – pożaliła się córce, kiedy usiadły, trzymając się za ręce w salonie domu, który z taką troską urządziła.

– Nie masz innego wyjścia, mamo. Potrzebujemy cię. Ja cię potrzebuję. Masz wnuczkę, która cię kocha.

Louise patrzyła na nią nieobecnym spojrzeniem, jakby zabłądziła w gęstym lesie. Eleanor uświadomiła sobie, że ojciec nadawał sens życiu matki. Była silniejsza od niego i utrzymywała go na powierzchni po tym, jak stracili cały majątek. Ale na niej także odcisnęło to swoje piętno.

Następnego dnia Eleanor zajęła się pogrzebem. Zaplanowała skromną ceremonię w miejscowym kościółku. Od kiedy rodzice przeprowadzili się nad jezioro, Charles wiódł pustelniczy żywot. Nie utrzymywał kontaktów z dawnymi znajomymi. Louise była całym jego światem, a on był najważniejszy dla niej. Byli do siebie tak bardzo przywiązani, że Eleanor poważnie martwiła się o matkę.

Na pogrzeb oprócz Eleanor i Louise przyszła garstka osób, które pracowały w posiadłości. To była smutna, ale podniosła uroczystość. Eleanor wspierała matkę przy wyjściu z kościoła, kiedy szły za trumną na cmentarz.

Wróciła do San Francisco w niedzielę po nabożeństwie i obiecała matce, że przyjadą do niej na całe wakacje, jak zresztą mieli w zwyczaju. Do tego czasu Alex zostanie wypisany ze szpitala. Louise uzmysłowiła sobie, że piętrowy domek gościnny, w którym zawsze się zatrzymywali, nie będzie dobry dla zięcia poruszającego się na wózku, ponieważ Alex nie byłby w stanie dostać się po schodach do sypialni, ale dom jej i Charlesa był parterowy. Zaproponowała więc, żeby się zamienili na lato, co nie tylko było rozsądne, lecz także zapewniało jej zajęcie do ich przyjazdu. Szkoła kończyła się za sześć tygodni i mieli nadzieję, że wtedy Alex już będzie w domu.

Eleanor w drodze powrotnej myślała o tym wszystkim, czym musi się teraz zająć i za co będzie odpowiedzialna. Alex, Camille i matka. Koniecznie powinna znaleźć nowe mieszkanie w mieście i utrzymać pracę. Była tym przytłoczona, uzmysłowiła sobie, że śmierć ojca spowodowała wielką wyrwę także w jej życiu. Był dobrym i mądrym człowiekiem, który zawsze służył dobrą radą i troszczył się o córkę. Myślała o nim i o tym, jak bardzo będzie jej go brakować. Płakała przez całą drogę do domu. Musiała się zająć wieloma sprawami i bała się, że sobie nie poradzi. W szpitalu uczono ją, jak dbać o męża. Wiedziała, że konieczne będzie zatrudnienie mężczyzny do pomocy nad jeziorem, mimo że Alex ze wszelkich sił starał się radzić sobie samodzielnie.

Kiedy odebrała córkę od sąsiadki i położyła ją do łóżka, sama była tak wyczerpana, że od razu zasnęła. Zobaczyła się z mężem dopiero następnego dnia po południu. Bardzo jej współczuł z powodu śmierci ojca, sam również mocno przeżywał odejście Charlesa. Martwił się o Eleanor, bo dźwigała teraz ciężkie brzemię. Chciał jak najszybciej opuścić szpital, żeby jej pomóc, niestety wciąż był na to zbyt słaby.

Następne sześć tygodni minęło niepostrzeżenie. Wreszcie skończył się rok szkolny, a Alex był już silniejszy i po pięciu miesiącach został wypisany ze szpitala. Wewnętrzne obrażenia, jak i rany po amputacji prawidłowo się goiły. W połowie czerwca Eleanor odebrała go ze szpitala i razem z Camille pojechali nad jezioro. Pierwszy raz po piętnastu miesiącach zobaczył córkę – zaskoczyło go, że tak urosła. Była rezolutną i rozszczebiotaną dziewczynką, miała prawie trzy lata.

W drodze nad Tahoe czuł się szczęśliwy i Eleanor w końcu się odprężyła przy boku męża. Życie było o wiele łatwiejsze we dwoje niż w pojedynkę, nawet jeśli Alex był inwalidą. Po kilku minutach nieufności Camille swobodnie zachowywała się w obecności ojca. Pytała go, gdzie poszły jego stopy, i chciała pojeździć z nim na wózku.

Kiedy dojechali nad jezioro, przekonali się, że Louise już się przeprowadziła do domku gościnnego, a dom, w którym dotąd mieszkała, przystroiła kwiatami na ich powitanie. Parterowy budynek był idealny dla Alexa. Nie było w nim żadnych schodów, a jeden z miejscowych fachowców, zatrudniony w posiadłości na stałe, dostosował go nieco do potrzeb osoby niepełnosprawnej, montując poręcze, specjalne siedzisko pod prysznicem i drewnianą rampę przy frontowym i tylnym wejściu. Alex jeździł z pokoju do pokoju, ciesząc się powrotem na łono rodziny po półtorarocznej nieobecności. Trafił do piekła, ale zdołał się stamtąd wyrwać. Nigdy nawet nie przypuszczał, że wróci tak mocno okaleczony. Musiał teraz uczyć się mnóstwa rzeczy na nowo. Louise przytuliła go na powitanie, a on złożył jej najszczersze kondolencje w związku ze śmiercią Charlesa. W oczach gospodyni zalśniły łzy, ale szybko opanowała tę chwilową słabość. Chciała być silna dla córki i zięcia, żeby ich wspierać.

Wakacyjny czas, który spędzili rodzinnie, wszystkim dobrze zrobił. Louise i Eleanor przeżyły niemały szok w trakcie odczytania testamentu Charlesa. Nie był bogaczem, jeśli porównywać jego obecny majątek z tym sprzed lat, ale mądrze zainwestował to, co mu zostało, zaoszczędził pieniądze ze sprzedaży działki nad Tahoe i praktycznie nie wydawał rocznego wynagrodzenia wypłacanego przez hrabiego za opiekę nad majątkiem. Louise nie musiała się martwić finansami do końca swoich dni, połowę majątku zostawił córce – Charles obie zabezpieczył na przyszłość, o ile nie będą żyć rozrzutnie.

Alex z każdym dniem spędzonym w górach czuł się coraz silniejszy i zdrowszy. Udało mu się nawet wymyślić, jak zabrać żonę na przejażdżkę łódką. Pewnego dnia wyciągnął ją do hangaru i wspierając się na rękach, wsiadł do ich ulubionej łódki, a potem zaprosił Eleanor, żeby usiadła przed nim. Sięgnął wokół jej talii do kierownicy i poinstruował ją, jak korzystać z pedałów, które przypominały samochodowe. Razem prowadzili łódkę – Alex sterował, a Eleanor wciskała hamulec lub dodawała gazu. Początkowo szło im trochę nieporadnie, ale szybko się zgrali i wspaniale się bawili, pływając po jeziorze. W tym czasie matka opiekowała się Camille. Uwielbiała zajmować się wnuczką. Słyszała śmiech Alexa i Eleanor, kiedy wracali znad wody. Żona pchała wózek męża. Serce Louise radowało się na ten widok. Bolesne wspomnienia Alexa z wojny powoli słabły, choć był świadkiem wielu potworności i uporanie się z traumą wiele go kosztowało. Nadal często miewał koszmary, ale one również stopniowo traciły swą moc.

Napisał do braci, żeby ich poinformować o utracie obu nóg. Obaj serdecznie mu współczuli. Nie potrafili go sobie wyobrazić przykutego do wózka inwalidzkiego do końca życia, był przecież mężczyzną w kwiecie wieku. Niestety, po wymianie zaledwie kilku serdecznych listów rzadko się później odzywali. Nie był już integralną częścią ich życia, a tylko odległym głosem z przeszłości. Zdawał sobie z tego sprawę, więc nie spodziewał się niczego więcej. Utrzymywali sporadyczne kontakty, bo byli braćmi, przynajmniej z nazwiska. Całym jego życiem były teraz Eleanor i Camille.

Alex i jego żona byli razem szczęśliwi, w letnie dni odpoczywali w hamaku i śmiali się, a nocą tulili się do siebie w ciszy. Miłość i siła Eleanor były lepszymi lekarstwami niż specyfiki przepisywane przez lekarzy.

Pewnego dnia, gdy Louise zajmowała się ogrodem, jej córka postanowiła przejrzeć sprzęty zgromadzone w stodole. Szukała pudła z rzadkimi książkami należącymi do ojca, które matka zachowała. Alex przypomniał sobie o nich i miał ochotę je przejrzeć. Minęły lata, od kiedy Eleanor ostatni raz przepatrywała z zainteresowaniem zawartość stodoły. Teraz zaglądała pod pokrowce, niektóre szyte na zamówienie, ściągała narzuty, płachty, plastikowe pokrycia i przypominała sobie meble, wśród których dorastała w rodzinnym domu, zachwycając się ich pięknem.

Była zaskoczona, jak wiele udało się matce uratować. Nie potrzebowała ich w swoim ciasnym domu ani w domku gościnnym nad jeziorem. Było tu wystarczająco dużo sprzętów do umeblowania kilku sporych mieszkań. Eleanor ze smutkiem patrzyła, jak leżą nieużywane i nikomu niepotrzebne. Wiedziała, że nigdy więcej z nich nie skorzystają. Teraz, kiedy gospodarka się podniosła z upadku, były więcej warte, o wiele więcej niż wtedy, gdy Louise je tu złożyła. Wieczorem, podczas kolacji, Eleanor wspomniała o tym matce.

– Może teraz, skoro i tak przeglądasz rzeczy taty, wybierzesz też i wyślesz niektóre meble na aukcję? Możesz się ich równie dobrze pozbyć, bo tylko od lat stoją i się kurzą w stodole.

Zalegały tam od czternastu lat. Sprzęty były piękne, ale Eleanor nie była nimi zainteresowana. Wcześniej nie zwracała uwagi na to, co matka zatrzymała. Według Eleanor przechowywanie wszystkiego dłużej było pozbawione sensu. Uważała, że wszystko należy sprzedać.

Louise przez chwilę milczała.

– Sądziłam, że kiedyś się nam przydadzą – przyznała z melancholią. – Kiedy znaleźliśmy kupca na dom, nie były nic warte. Wtedy wszyscy wyprzedawali majątki za grosze i nikt nie miał pieniędzy. Dlatego postanowiłam zatrzymać najcenniejsze sztuki. Przypominają mi bezpowrotnie minione szczęśliwsze czasy – stwierdziła tęsknie.

Sprzedaż domu i wszystkiego, co posiadali, była dla nich bolesnym ciosem. Louise nigdy o tym nie mówiła, podobnie jak Charles. Eleanor nie chciała jej teraz martwić, ostatecznie przecież te przedmioty nikomu nie przeszkadzały. Widząc cierpienie w oczach matki, porzuciła temat sprzętów ze stodoły. Louise nie była jeszcze gotowa na pożegnanie okruchów przeszłości, które jej pozostały.

– Trzymam tam też twoją suknię ślubną i sukienkę z twojego pierwszego balu – dodała Louise i obie z córkę uśmiechnęły się na to wspomnienie.

Teraz nikt nie chodził w takich strojach ani nie wyprawiał takich wesel. Należały do bezpowrotnie minionej epoki, do czasu, który już nigdy nie powróci. Cały ich świat dosłownie runął kilka tygodniu po ślubie Eleanor i Alexa. Mieszkanie w Chinatown stanowiło ostry kontrast do ich dawnego stylu życia, który w tej chwili wydawał się snem.

Po śmierci ojca musiały także postanowić, kto będzie sprawował pieczę nad posiadłością nad jeziorem należącą do angielskiego hrabiego. Na razie, dzięki ludziom zatrudnionym przez Charlesa, wszystko kręciło się samo, ale nadzorca był potrzebny od zaraz. Alex powiedział żonie, że z przyjemnością by się tym zajął w czasie weekendów. Poza tym jej matka doskonale wiedziała, jak utrzymać wszystko w należytym porządku i uwielbiała zajmować się ogrodem. Hrabia przesłał im bardzo uprzejme kondolencje i wcale nie naciskał w kwestii następcy Charlesa. Obie kobiety z wdzięcznością przyjęły propozycję Alexa. Nie chodził, ale na pewno mógł przyjeżdżać, żeby rozmawiać z dozorcami i ogrodnikami, łódkarzami i personelem odpowiedzialnym za sprzątanie, zresztą potrzebował zajęcia. Nie chciał tylko siedzieć i użalać się nad swoim inwalidztwem. Przypomniało to Eleanor, jakim błogosławieństwem było, że jej rodzice mogli nadal przebywać w posiadłości ze względu na nieobecność właściciela. Wcale nie brakowało im wielkiej rezydencji, w której wcześniej mieszkali, a przynajmniej nigdy o tym nie wspominali. Zastanowiło ją to jednak teraz. Pomyślała o tych wszystkich sprzętach przechowywanych przez matkę w stodole z nadzieją, że okażą się potrzebne w przyszłości. Jaki to miało sens? Było pewne, że nie odzyskają już dawnego życia i majątku.

Pod koniec wakacji sprawy niespodziewanie się skomplikowały. W sierpniu, na miesiąc przed planowanym powrotem do miasta, Eleanor postanowiła pojechać do San Francisco rozejrzeć się za nowym mieszkaniem, które byłoby odpowiednie dla Alexa. Niestety jej matka dostała zawału. Śmierć męża była dla niej zbyt dużym ciosem. Eleanor i Alex odbyli poważną rozmowę, gdy Louise dochodziła do siebie w szpitalu. Eleanor nie chciała zostawić jej samej nad Tahoe, ponieważ matka była zbyt słaba i nie miała nikogo, kto mógłby się nią zająć. Alex natomiast wręcz rozkwitał nad jeziorem.

– Może wezmę roczny urlop i zostaniemy z nią tutaj – zaproponowała Eleanor.

Do takiego rozwiązania skłaniało ich też to, że nie udało im się znaleźć odpowiedniego mieszkania w mieście. W Chinatown były schody, które stanowiły dla Alexa na wózku przeszkodę niemożliwą do pokonania, a Eleanor nie znalazła czasu, żeby poszukać czegoś innego. Rok nad jeziorem pozwoliłby jej mężowi nabrać sił i zapoznać się z bliska z posiadłością, którą miał zarządzać. Poza tym pieniądze, które zostawił jej ojciec, sprawiały, że praca w mieście przestała być niezbędna – Eleanor już nie potrzebowała aż tak rozpaczliwie nauczycielskiej pensji. Miała prawo wziąć rok wolnego, jeśli było to niezbędne, i tak właśnie do tego podeszła. Na razie nie zamierzała korzystać ze spadku po ojcu, gdyż nad Tahoe prawie nic nie wydawali. Dyskutowali o tym kilkakrotnie przed powrotem Louise ze szpitala i podjęli decyzję o pozostaniu nad jeziorem na rok. W obecnej sytuacji wydawało się to najrozsądniejszym wyjściem dla całej trójki.

Eleanor nie czułaby się dobrze, gdyby zostawiła niedomagającą matkę samą i tak krótko po śmierci ojca, a perspektywa roku nad jeziorem bardzo przypadła do gustu Alexowi. Nie miał pomysłu na płatne zajęcie w mieście. Mógł ewentualnie wrócić do pracy w banku, bo utrata nóg w tym nie przeszkadzała, ale jeszcze nie odzyskał pełni zdrowia. Prócz tego uwielbiał przebywać blisko żony i córki. Od lat nie cierpiał swojej przygnębiającej pracy w banku. Wcale mu się nie spieszyło do powrotu, ale na wózku miał ograniczony wybór. Wielu mężczyzn znalazło się w podobnej sytuacji, wracali z wojny i szukali zatrudnienia, a niejeden weteran kończył, żebrząc na ulicy.

Kiedy Louise wyszła ze szpitala, powiadomili ją o swojej decyzji, i choć nie chciała być dla nich ciężarem, ucieszyła się, że z nią zostaną. Powiedziała, że dobrze jej się mieszka w domku gościnnym, dlatego przekonała ich, żeby zostali w większym domu, w którym spędzili lato. Klamka zapadła. Eleanor napisała długi list z przeprosinami do panny Benson, prosząc o udzielenie rocznego urlopu w związku z tym, że spadł na nią obowiązek opieki nad powracającymi do zdrowia matką i mężem. Tydzień później dostała ciepłą i serdeczną odpowiedź wraz ze zgodą na dłuższą przerwę w pracy z powodów rodzinnych. Trudno byłoby jej odmówić, przecież Eleanor była lojalnym pracownikiem szkoły z czternastoletnim stażem.

We wrześniu Eleanor wróciła do San Francisco, żeby zwolnić mieszkanie. Z żalem się wyprowadzała. Byli tam naprawdę szczęśliwi i polubiła sąsiadów, jednak ten rozdział jej życia dobiegł końca. Wysłała meble nad Tahoe i wstawiła je do stodoły, skąd wcześniej je pożyczyła. Wybrały je razem z matką. W pewien ciepły dzień babiego lata po raz ostatni zamknęła drzwi do mieszkania w Chinatown. W drodze do zaparkowanego nieopodal samochodu minęła targowisko i znajome kąty, żegnały ją odgłosy sąsiedztwa. Czuła, że kończy się kolejny etap jej życia, a ona znów staje na progu nieznanej, pełnej tajemnic przyszłości.

Rozdział 11

Jesienią Louise odzyskała siły po zawale serca i znów zaczęła spędzać całe dnie w ogrodzie. Była to dla niej ważna część procesu leczenia, często powtarzała, że przebywanie wśród roślin działa niczym balsam na jej duszę. Ogród dawał jej poczucie bezpieczeństwa i był wielkim pocieszeniem także wcześniej, kiedy przed laty osiedlili się nad Tahoe na stałe.

Eleanor i Alex troskliwie się nią opiekowali, a wraz z nastaniem zimy, gdy pogoda się pogorszyła i spadł śnieg, Louise większość dnia spędzała w swoim przytulnym domku i dużo spała. Wydawało się, że bez Charlesa, którego rozpieszczała i którym się zajmowała, straciła zainteresowanie życiem. Córka się o nią martwiła, dlatego Louise cieszyła się z ich decyzji o pozostaniu nad Tahoe.

Alex natomiast w pełni wrócił do formy i zaangażował się w sprawowanie pieczy nad posiadłością. Wręcz na powrót tryskał werwą. Mimo że nie mógł chodzić, niewiele było rzeczy poza jego zasięgiem. W czasie ataku ucierpiał również jego kręgosłup, więc nie był w stanie korzystać z protez, ale wszędzie się poruszał na wózku, kiedy ścieżki zostały odśnieżone. Uwielbiał też bliskość swojej rodziny. Eleanor wiedziała, że ich decyzja o pozostaniu nad jeziorem była słuszna. Miała czas dla męża, a ich córka rozkwitała pod bacznym okiem rodziców, którzy byli w zasięgu ręki. Eleanor martwiła się tylko o matkę, coraz trudniej było ją wyciągnąć z domu. W styczniu po spokojnym Bożym Narodzeniu, pierwszym bez Charlesa, Louise praktycznie nie wychodziła na zewnątrz. Lubiła zaszywać się w cieple z książką i coraz więcej spała.

Któregoś ranka Eleanor poszła sprawdzić, jak się miewa Louise, czy już wstała, a to, co zastała w domku, zaszokowało ją, choć nie do końca zaskoczyło. Matka w nocy dostała kolejnego zawału, którego tym razem nie przeżyła. Lekarze stwierdzili, że zmarła natychmiast. Jej śmierć, która nastąpiła tak szybko po odejściu ojca – oboje nie byli przecież starzy – zasmuciła Eleanor. Traumatyczne przeżycia z ostatnich czternastu lat załamały oboje rodziców i nadwyrężyły ich zdrowie; Louise bez męża straciła ochotę do życia. Nawet obecność córki i wnuczki nie wystarczała, żeby pokonać postępujące przygnębienie. Odchodziła powoli, nie widząc sensu w dalszym życiu, kiedy zabrakło Charlesa. Eleanor pogrążyła się w żałobie, której jednak towarzyszył pewien spokój ducha.

Pokrzepiała ją świadomość, że ostatnie lata życia upłynęły rodzicom przyjemnie w miejscu, które kochali, a co najważniejsze, do końca mogli na siebie liczyć.

Wiosną 1944 roku w Europie już od kilku lat toczyła się okrutna wojna. Alex bacznie śledził rozwój wydarzeń, czytał gazety i słuchał radia. Alianci ze wszelkich sił stawiali opór Hitlerowi, ale zwycięstwo wciąż było niepewne. Mimo to udało im się w czerwcu 1944 roku wyzwolić Rzym, w tym samym czasie zaczęło się też lądowanie w Normandii. Poza tym dokładnie tak, jak przewidział to przed laty Charles, wojna zakończyła wielki kryzys i gospodarka znów stanęła na nogi. Stany Zjednoczone były silniejsze dzięki wzmożonej produkcji zaopatrzenia wojskowego; tworzyły się nowe fortuny. Nikt już nie żył tak, jak bogacze w młodości Eleanor i Alexa, ale kapitał krążył, a kraj się wzmacniał.

Wczesną wiosną Eleanor wróciła do przeglądania sprzętów zgromadzonych w stodole. Postanowiła wszystko sprawdzić pod kątem ewentualnej sprzedaży. Wynajęła dwóch miejscowych chłopaków do pomocy przy wynoszeniu rzeczy na zewnątrz przy dobrej pogodzie, zachwycając się kolekcją matki, w której znalazły się jej suknie ze ślubu i pierwszego balu. Louise pieczołowicie zabezpieczyła obie kreacje w specjalnych pudłach.

Z mebli wcześniej stojących w rezydencji Deveraux zachowała najcenniejsze, niektóre miały wręcz wartość muzealną.

Żaden przedmiot nie ucierpiał przez lata składowania w stodole. Wszystko zostało starannie zakryte i teraz prezentowało się nieskazitelnie, choćby obicia z pierwszorzędnych tkanin. Louise zatrzymała nawet zasłony – zostały przywiezione przed laty razem z meblami z Francji i podobnie jak meble można je było uznać za antyki.

– Co my z tym wszystkim zrobimy? – zapytał Alex, objeżdżając sprzęty dookoła i podziwiając niekwestionowaną doskonałą jakość ich wykonania, która charakteryzowała także meble z jego rodzinnego domu.

Po jego dawnym majątku nie został nawet ślad. Eleanor tymczasem zachowała górę antyków ze stodoły, których nie potrzebowała w swoim obecnym życiu. Louise zgromadziła również sporą kolekcję obrazów znanych artystów. W 1929 i 1930 roku, kiedy byli zmuszeni do sprzedaży domu, który został przerobiony na szkołę, poszłyby za bezcen.

– Uważam, że powinniśmy to sprzedać – postanowiła Eleanor, przypominając sobie dzięki meblom wnętrza ich dawnego domu. Widok sprzętów obudził wspomnienia szczęśliwej przeszłości. Był dla niej niczym podróż w czasie.

Eleanor sporządziła szczegółowy spis inwentarza z fotografiami, żeby wysłać listę do domu aukcyjnego. Myślała o galerii Parke-Bernet w Nowym Jorku. Potem wstawili wszystko z powrotem do środka. Nocą leżała w łóżku, myśląc o tych wszystkich pięknych rzeczach, które zostawiła jej matka. Słusznie postąpiła, nie wystawiając ich przed laty na sprzedaż, a zachowując je. Po czternastu latach znów były warte fortunę, bo ludzie wreszcie mogli sobie pozwolić na kosztowniejsze zakupy. Śniło jej się, że wszystko sprzedała. Kiedy się obudziła rano, Alex już siedział w kuchni z córką i jedli śniadanie.

– Alex, wpadłam na rewelacyjny pomysł – oznajmiła, pocałowawszy go na dzień dobry, z roziskrzonym z podekscytowania spojrzeniem.

– Czy chcesz się wybrać ze mną na łódkę po śniadaniu? – zapytał uradowany na widok żony.

– Nie, mówię poważnie!

– Ja też – droczył się z nią, a Camille zapytała, czy może im towarzyszyć.

Eleanor dała córce kartki i kredki, żeby ją czymś zająć, bo sama chciała w spokoju porozmawiać z mężem. Ich sytuacja finansowa nie była już tragiczna dzięki temu, co odziedziczyli po jej rodzicach, ale zawartość stodoły była warta niemały majątek i otwierała pewne możliwości. Prawdę mówiąc, w obecnym klimacie wzrostu krajowego dobrobytu sprzęty zgromadzone przez jej matkę oraz nieduża działka nad jeziorem, która teraz należała do Eleanor, już stanowiły niewielką fortunę. Może nie była aż tak zamożna jak w dzieciństwie, ale miała w ręku kapitał, który wystarczyłby na założenie firmy albo kupno większego domu, jeśliby tego chcieli. Nie mieli zbyt wiele gotówki, lecz odziedziczyli fundusze inwestycyjne Charlesa, a jej rodzice żyli bardzo oszczędnie.

– Nie wystawiajmy rzeczy ze stodoły na aukcję, tylko sami je sprzedajmy.

– Jak? Osobiście czy zamieścimy ogłoszenie w gazecie? „Bajeczne meble na sprzedaż"? Szykuje się obłędna wyprzedaż garażowa. – Uśmiechnął się do niej.

– Mówię poważnie – powtórzyła z oczami rozpalonymi z ekscytacji. – Może otworzymy ekskluzywny antykwariat z prawdziwego zdarzenia?

– Tutaj?

Mieszkali w skromnej okolicy, nikt nad jeziorem Tahoe nie miał w domu eleganckich antyków rodem z Wersalu.

– Nie. W San Francisco. Moglibyśmy wynająć lokal w odpowiedniej dzielnicy. Ludzie mają teraz pieniądze i są gotowi je wydawać. Mama zgromadziła w stodole wystarczająco dużo sprzętów, żeby starczyło nam na kilka pierwszych lat działalności.

– A co, kiedy skończą nam się rzeczy po twoich rodzicach? – zapytał sceptycznie.

Pomysł wydał mu się szalony. Sprzedaż na aukcji byłaby zdecydowanie prostsza.

– Wtedy popłyniemy do Europy i przywieziemy więcej. Wojna niebawem się skończy. Podejrzewam, że mnóstwo ludzi potraciło majątki i będzie sprzedawać zamki z całym wyposażeniem. Nie mieszka się już tak, jak kiedyś moi rodzice. Ludzie wolą mniejsze domy, prostsze sprzęty, ale na pewno istnieje popyt na luksusowe dobra wśród bogaczy, tylko może na mniejszą skalę, niż przywykliśmy w młodości. Wydaje mi się, że wtedy nikt nie doceniał wspaniałości, która nas otaczała. Spowszedniała nam. Nie znaliśmy innego życia. Jesteśmy dziećmi złotej epoki. Wierzę, że odniesiemy sukces w branży sprzedaży antyków. – Miała nadzieję, że Alex jej pomoże. Zajmowałby się księgami i rachunkami. Żeby handlować antykami, nie trzeba chodzić. – Co o tym myślisz?

– Naprawdę tego chcesz? Zostać handlarką? – zapytał zaskoczony, na co ona się roześmiała.

– Nie bądź takim snobem. Jakbym słyszała własnego ojca albo dziadków. Tak, chcę. Z przyjemnością zajmę się handlem, nie przeraża mnie to. Mam ochotę spróbować. Możemy otworzyć sklep, nie musiałabym wracać do szkoły. Jeśli pomysł nie zaskoczy i nikt nic nie kupi, zamkniemy interes i wyślemy wszystko na aukcję. Wcześniej jednak wolałabym się sprawdzić.

Chwilę się zastanawiał i musiał przyznać, że pomysł go zaintrygował. Dobrze prosperujące przedsiębiorstwa miewały dziwniejsze początki, poza tym mieli wystarczająco dużo zapasów na początek.

– Wolisz wrócić do miasta? Mnie się tu podoba – przyznał w zadumie.

– Możemy przyjeżdżać w weekendy i święta.

Mieszkali nad jeziorem od dziewięciu miesięcy i choć okolica zachwycała malowniczym pięknem, było tam bardzo spokojnie. Eleanor miała trzydzieści cztery lata i jeszcze nie była gotowa na wiejską sielankę. Brakowało jej ludzi, pracy, zajęcia. Po śmierci matki niewiele miała do zrobienia. Poza tym chciała wysłać córkę do dobrej prywatnej szkoły w mieście, choć Camille miała dopiero cztery lata. Alex byłby szczęśliwy, gdyby się stamtąd nie ruszali, ale leniwe wiejskie życie nie wystarczało jego żonie.

Nigdy wcześniej o tym nie myślała, lecz niespodziewanie zachwyciła ją perspektywa prowadzenia sklepu z antykami. Byłaby to dobra okazja do poznania ciekawych ludzi.

Przez kilka kolejnych dni przedyskutowali jej pomysł w szczegółach i w końcu udało jej się przekonać męża. Pojechała na rekonesans do miasta, żeby rozejrzeć się za odpowiednim lokalem do wynajęcia. Decyzję mogli podjąć po jej powrocie, uzależniając ją od wysokości czynszu. Nie chciała przeinwestować i ryzykować całego majątku ani stawiać wszystkiego na jedną kartę, na wypadek gdyby im się nie powiodło, ale mieli towar, więc brakowało im jedynie przestrzeni, w której mogli go wystawić.

Wyjechała trzy dni później, umówiła się z agentem od nieruchomości użytkowych, żeby pokazał jej lokale do wynajęcia na sklep w San Francisco.

– Za bardzo nie szalej – przestrzegł ją Alex na pożegnanie, ale był ciekawy, jak jej pójdzie.

Potem wszystko potoczyło się bardzo szybko. Eleanor uznała, że to było przeznaczenie. Po południu obejrzała cztery sklepy i jeden wydał jej się wręcz idealny. W pobliżu Jackson Square, w niewielkim budynku z cegły można było przeznaczyć parter i pierwsze piętro na ekspozycję antyków, a na drugim urządzić magazyn, na samej górze zaś było mieszkanie z dwiema sypialniami. Była tam nawet winda. Dokładnie tego potrzebowali, mogli się od razu wprowadzić. Większe sprzęty zostawiliby w stodole nad jeziorem, gdzie leżały od lat i były porządnie zabezpieczone. Następnego dnia, w ciągu jednej szalonej chwili, udało jej się przekonać męża przez telefon do wynajęcia budynku. Kiedy więc wróciła nad Tahoe dwa dni później, mieli już lokal w San Francisco, w którym zamierzali otworzyć sklep. Eleanor wymyśliła, że nazwą go Deveraux-Allen. Alexowi jej pomysł przypadł do gustu, bo nazwa była bardzo dystyngowana. Lokal wymagał małego remontu: odmalowania ścian i instalacji świateł potrzebnych do wyeksponowania najcenniejszych mebli.

Zapał Eleanor był zaraźliwy i w połowie kwietnia w sklepie wszystko było dopięte na ostatni guzik: ściany lśniły świeżością, a reflektory umieszczono w odpowiednich miejscach. Byli też spakowani i gotowi, żeby wprowadzić się do mieszkania na górze oraz żeby otworzyć podwoje sklepu dla kupujących.

Wynajęli dwie długie ciężarówki do przeprowadzki, które przewiozły większość mebli do San Francisco. Eleanor czekała w mieście, chciała jak najszybciej urządzić mieszkanie i pokazać tragarzom, gdzie ustawić antyki. Niektóre były naprawdę niezwykłe. Rodzice zostawili jej stodołę pełną skarbów. Znów uzmysłowiła sobie, jak dobrą decyzję podjęła matka, że zachowała wszystko. Sprzęty okazały się wartościowym spadkiem dla Eleanor i zabezpieczeniem ich przyszłości, choć Louise składowała je jedynie przez sentyment.

Pod koniec kwietnia otworzyli sklep, który prezentował się imponująco. W papierach matki Eleanor znalazła listę gości zaproszonych na jej wesele, wykorzystała ją i wysłała każdemu eleganckie zaproszenie. Była pewna, że wystarczy, żeby przyszli, a skuszą się na jakiś zakup albo opowiedzą o nich znajomym, którzy będą zainteresowani. Na główną wystawę wybrała najpiękniejszą komodę w stylu Ludwika XV. Wcześniej była ozdobą ich bawialni, to był zachwycający mebel. Prawdziwie muzealny eksponat, który zdecydowanie upiększyłby elegancką willę lub zamek.

Cztery dni po otwarciu sprzedali pierwszy mebel kobiecie, która niedawno przeprowadziła się do San Francisco z Nowego Jorku. Zaprosiła Eleanor do siebie, żeby jej poradziła, gdzie najlepiej ustawić nowy zakup. Jej meble z Nowego Jorku dopiero co przyjechały.

Następnego dnia po południu Eleanor udała się pod podany adres. Kobieta była właścicielką pięknego dworku przy Broadwayu, położonego niedaleko dawnej rezydencji Allenów, lecz mniej okazałego. Budynek został dobrze rozplanowany i pokoje były przestronne, ale gospodyni nie miała pomysłu, jak je umeblować. Wyjaśniła, że marzy jej się posiadanie najpiękniejszego domu w całym San Francisco, i poprosiła Eleanor o pomoc w realizacji tego planu. Była wdową, a jej zmarły mąż przemysłowiec zostawił jej niemałą fortunę, nie wiedziała jednak, jak nią właściwie rozporządzić.

Eleanor poświęciła dwie godziny, udzielając licznych rad kobiecie, która uwielbiała piękne sprzęty i bibeloty, a następnego dnia kupiła jeszcze trzy meble z ich sklepu. Żona Alexa zamierzała pomóc klientce gustownie urządzić wnętrza i stworzyć elegancki dom marzeń. Z przyjemnością przedstawiała ją innym ludziom z branży, choć jej sieć kontaktów nie była jeszcze zbyt imponująca. Prócz tego sprzęty, które Louise zdołała ocalić, było piękniejsze niż przedmioty dostępne na rynku u innych sprzedawców.

W maju i czerwcu rozwinęli skrzydła. Wpadali do nich dawni przyjaciele jej rodziców i miło było odnowić kontakty. Przychodzili powodowani tęsknotą za przeszłością i ze smutkiem dowiadywali się o śmierci Charlesa i Louise. Wielu straciło ogromne majątki i już nigdy nie stanęło na nogi, przychodzili do sklepu z ciekawości. Niektórzy mieli pieniądze i kupowali jedną lub dwie rzeczy z dawnych mebli Deveraux, bo od dawna je podziwiali. Wśród klientów byli też nieznajomi z wypchanymi portfelami, a Eleanor z przyjemnością pomagała im odciążyć kieszenie. Większość zawierzała jej gustowi i byli zachwyceni tym, co dla nich wybierała.

W lipcu sklep działał w najlepsze, Allenowie prowadzili go z niekłamaną radością. Pomysł Eleanor okazał się strzałem w dziesiątkę, eksperyment się powiódł. Oboje byli zachwyceni. Alex przyznał, że teraz czerepie o wiele większą satysfakcję niż z pracy w banku, poza tym biznes okazał się naprawdę lukratywny. Jego żona lubiła sklep bardziej niż nauczanie i była wdzięczna, że szczęście się do nich uśmiechnęło.

Najlepszą nowiną było to, że sklep Deveraux-Allen odniósł spektakularny sukces. Małżonkowie zaś cieszyli się, że mogą pracować razem. Bez wątpienia nowy rozdział ich życia rozpoczął się z przytupem.

Rozdział 12

Sklep Deveraux-Allen błyskawicznie, niemal od samego otwarcia, zyskał sławę najlepszego butiku z antykami w mieście. Sprzedawano w nim tylko przedmioty najwyższej jakości. Eleanor dużo wiedziała o historii poszczególnych mebli, starannie sprawdzała, skąd pochodziły, kto je zaprojektował i wykonał, znalazła nawet odpowiednie certyfikaty w papierach matki. Alex też się zaangażował i chętnie pogłębiał wiedzę. Z zainteresowaniem poznawał dzieje każdej sprzedanej sztuki, która wcześniej do nich należała, dowiadywał się, dla których angielskich czy francuskich arystokratów zostały wykonane i w jakim okresie.

Poszerzyli biznes o działalność dekoratorską, której siłą sprawczą było rewelacyjne wyczucie smaku Eleanor.

Przedsiębiorstwo przynosiło takie zyski, że nie musiała wracać do nauczania. Wystarczyło, że sprzedali kilka cenniejszych przedmiotów, żeby się rozwijać. Gwarantowali klientom najlepszą jakość w dobrej cenie. Sukces, który odnieśli, pozwolił Alexowi na dobre porzucić myśl o posadzie w banku. Wciąż odzyskiwał siły po wojennych przejściach, a zarządzanie sklepem pozwalało im na dużą swobodę – sami decydowali o godzinach otwarcia i tempie pracy. Początkowo szybko się męczył, ale stopniowo wracał do formy. Na odległość opiekował się posiadłością nad Tahoe, która należała do angielskiego hrabiego. Dwa razy w miesiącu spędzał po kilka dni nad jeziorem, co w zupełności wystarczało, żeby uniknąć wszelkich problemów, poza tym spędzali tam razem każde święta i długie weekendy.

Kiedy otworzyli sklep, co nastąpiło dość szybko, ale przebiegło bardzo sprawnie, Camille miała prawie cztery lata. Eleanor znalazła dla niej opiekunkę. Najęli też pomocnika, Tima Avery'ego, którego głównym zadaniem było przesuwanie i przenoszenie cięższych mebli w sklepie. Był dla Alexa niczym syn. Też został ranny w czasie wojny. Chętnie woził swojego szefa wszędzie, gdzie było trzeba. Był im bardzo oddany. A Camille uwielbiała Annie, swoją młodziutką nianię, która przypominała Eleanor pokojówkę matki, Wilson. Ona również miała irlandzkie korzenie i była urocza. Często śpiewała swojej podopiecznej, żeby ją uspokoić, a dziewczynka z łatwością naśladowała piękny głos opiekunki i do wtóru nuciła irlandzkie ballady. Camille przejawiała prawdziwy talent muzyczny, którego na pewno nie odziedziczyła ani po matce, ani po ojcu.

Eleanor utrzymywała listowny kontakt z Wilson, która przed wyjazdem została panią Houghton. Po rozpoczęciu nalotów na Londyn oboje zwolnili się z nowych posad i wyprowadzili na emeryturę do Irlandii. Ze smutkiem dowiedzieli się o śmierci swoich dawnych chlebodawców, ale podziwiali ich córkę za sukces, który odniosła, i żałowali, że nie mogą jej odwiedzić. Dobrze sobie radzili, żyli oszczędnie i od czternastu lat byli małżeństwem. Wciąż z nostalgią wspominali lata służby u państwa Deveraux.

Pierwszy rok działalności sklepu Alexa i Eleanor okazał się ostatnim rokiem wojny w Europie. Momentami docierały do nich zatrważające wieści, ale alianci parli do zwycięstwa. W sierpniu wyzwolili Paryż.

Alex stracił nogi w służbie ojczyźnie, ale mieli dobre życie, a teraz dzięki rozważnym inwestycjom i ciężkiej pracy byli w stanie wykupić budynek, który dzierżawili i w którym mieścił się zarówno sklep, jak i ich mieszkanie. Wiedli proste życie, do wszystkiego podchodzili z rozwagą i spokojem, mądrze zarządzali tym, co mieli, i byli szczęśliwym małżeństwem. Największą jednak ich radością była Camille.

W 1946 roku, kiedy sklep Deveraux-Allen działał już od dwóch lat, a wojna na dobre się skończyła, wyprzedali wszystkie meble zgromadzone przez Louise; stodoła nad Tahoe świeciła pustkami.

– Potrzebujemy nowej dostawy towaru – oznajmiła mężowi Eleanor, gdy pewnego popołudnia razem przeglądali księgi.

Wciąż nie mogła uwierzyć, ile osiągnęli. Przyjeżdżali do nich klienci z całego kraju, dowiadywali się o ich sklepie pocztą pantoflową, poza tym usługi dekoratorskie, które oferowali, cieszyły się dużym zainteresowaniem w San Francisco. Kraj się rozwijał, a oni we właściwym momencie załapali się na falę.

– Na miejscu nic nie dostaniemy – dodała. – Wilson napisała mi, że połowa zamków w Irlandii została wystawiona na sprzedaż, a wraz z nimi na rynek trafiły również piękne antyki. – Wciąż nazywała byłą pokojówkę matki panieńskim nazwiskiem, bo nie potrafiła się przestawić i zwracać do niej per pani Houghton ani po imieniu, Fiono. – Francuzi również sprzedają na potęgę.

Rok po zakończeniu wojny Europa wciąż była w zgliszczach, a ludzie głodowali, lecz z miesiąca na miesiąc było łatwiej. Alex i Eleanor od czasów utraconej epoki świetności nie jeździli wspólnie nigdzie dalej niż nad jezioro Tahoe. Jeśli jednak planowali utrzymać biznes na powierzchni, musieli dysponować atrakcyjnym towarem, a większość antyków z San Francisco została sprzedana na początku wielkiego kryzysu i wywieziona z miasta. Oboje z nostalgią w sercu mijali swe dawne domy. Alex poprzysiągł sobie, że nie przekroczy progu hotelu, w który zamieniła się jego rodzinna posiadłość. Nie potrafił się do tego zmusić. Nie widział braci od szesnastu lat. Od kiedy wyprowadzili się z San Francisco, utrzymywali tylko sporadyczny kontakt listowny. Stali się dla niego obcymi ludźmi, a życie, które kiedyś ich łączyło, było teraz zaledwie wyblakłym wspomnieniem, nierealnym snem. Nigdy nie poznał ich żon ani dzieci, nie wiedział, czy kiedykolwiek nadarzy się taka okazja.

Szkoła Hamiltona, która powstała w byłej rezydencji rodziny Deveraux, wciąż funkcjonowała. Za każdym razem, gdy Eleanor przejeżdżała obok, pokazywała dom córce i opowiadała, że w nim dorastała, ale niestety nie mogli do niego wrócić, co nieszczególnie interesowało dziewczynkę. Dla niej był to tylko stary i wielki gmach. Budynek i związane z nim czasy nie miały żadnego związku z ich obecnym życiem. Należał do przeszłości, był szczęśliwym wspomnieniem przechowywanym w pamięci Eleanor i Alexa. Ogrody zostały sprzedane przez szkołę i na ich terenie zamożna nowobogacka rodzina wybudowała nowoczesną, lecz niestety dość pokraczną willę. Eleanor za każdym razem, gdy mijała swój dawny dom, czuła delikatne ukłucie w sercu.

Alex zarezerwował dla nich bilety na RMS Aquitanii, która w czerwcu 1946 roku wypływała z Nowego Jorku do Europy. Parowiec wciąż pływał na zasadach „polityki oszczędnościowej" – bez zdobiących dawniej wnętrza wartościowych dzieł sztuki i z szarymi ścianami, od kiedy na potrzeby wojska został przerobiony na transportowiec. Ze statkiem łączyły ich miłe wspomnienia z podróży poślubnej, nawet jeśli teraz nie był aż tak luksusowy. Alex uparł się na pierwszą klasę, co Eleanor uznała za niepotrzebną ekstrawagancję. Doszedł jednak do wniosku, że mogą sobie na to pozwolić. Annie zgodziła się zaopiekować Camille podczas ich nieobecności, a podekscytowany Tim Avery przejął stery w sklepie do czasu ich powrotu.

W razie konieczności mogli się kontaktować telegraficznie. W ciągu ostatnich dwóch lat, kiedy dla nich pracował, bardzo dużo się nauczył o antykach, które mieli w ofercie. Był młody, bystry i sumienny, z dumą opowiadał, że pracuje dla nich, w tak dobrze prosperującej firmie.

Wiedzieli, że stewardzi na statku pomogą Alexowi, jeśli zajdzie taka potrzeba, ale przede wszystkim miał przy sobie Eleanor gotową w każdej chwili służyć mu pomocą. Poza tym wspaniale sobie radził sam, a na miejscu zamierzali nająć szofera, który miał im pomóc podczas podróży po Europie. Planowali w miesiąc objechać Francję, Anglię i Irlandię, opracowali długą listę zamków, w których, jak podejrzewali, znajdą ciekawe sprzęty do wystawienia w sklepie. Wejście na pokład Aquitanii w nowojorskim porcie obudziło w Eleanor żywe i piękne wspomnienia obu wypraw z matką w poszukiwaniu sukien na debiut i ślub, a także początku miodowego miesiąca na statku, którym teraz płynęli. Przeczytała, że Jeanne Lanvin nie jest w dobrej formie, słynnym domem mody zarządzała teraz jej córka Marie-Blanche de Polignac. Na czele Domu Mody Worth wciąż stał Jean-Charles Worth, prawnuk założyciela. Dom mody Chanel zamknął podwoje, ponieważ Gabrielle Chanel uciekła do Szwajcarii, gdyż w czasie wojny kolaborowała z okupantem.

Pierwsza podróż przez Atlantyk, którą odbyła na pokładzie SS Paris, wydała się Eleanor tak odległa w czasie, jakby należała do innego życia, jednak nie opłakiwała minionej epoki ani za nią nie tęskniła. Czasami odnosiła wrażenie, jakby przeszłość dotyczyła kogoś innego. Była szczęśliwa u boku Alexa. Miała teraz trzydzieści sześć lat, a on niedawno skończył pięćdziesiąt. Czuł się młody duchem, wciąż miał bardzo lotny umysł, a Eleanor tchnęła w niego na nowo życie dzięki ich dynamicznie rozwijającemu się biznesowi. Niestety, obrażenia, których doznał w czasie wojny, odcisnęły na nim niezatarte piętno, przez co wyglądał poważnie jak na swój wiek. Ludzie często pytali, czy jest jej ojcem, co niezmiennie ją szokowało. Nigdy nie zważała na dzielącą ich różnicę wieku, poza tym byli sobie teraz bliżsi niż kiedykolwiek wcześniej.

Zatrzymali się w Ritzu, jak wcześniej z matką. Hotel został odrestaurowany i znów działał normalnie, bo w czasie okupacji kwaterowali w nim oficerowie z niemieckiego dowództwa. Jedyną osobą cywilną, która mieszkała w nim w czasie wojny, była Gabrielle Chanel, co stanowiło wystarczający dowód na jej kolaborację z wrogiem.

Eleanor nie mogła się oprzeć pokusie, żeby sprawdzić, jakie trendy dominowały w europejskiej stolicy mody, i wybrała się na krótkie zakupy. Szybko jednak wyjechali z Paryża. Wynajęli jednego z pracowników hotelu jako szofera, żeby służył pomocą Alexowi, i rozpoczęli podróż po wiejskich drogach ku skarbom, które czekały, aż je odkryją i sprzedadzą w San Francisco. Nie mieli żadnego problemu z ich znalezieniem. Zubożali arystokraci sprzedawali rodowe posiadłości z całym inwentarzem. Francja potwornie ucierpiała w czasie okupacji, a także podczas przemarszu wojsk alianckich w trakcie wyzwalania kraju. Wysłuchiwali tragicznych opowieści: o mężach zsyłanych do obozów, którzy nigdy nie powrócili, o domach zajmowanych przez Niemców, o gwałtach na kobietach i młodych dziewczynach dokonywanych przez nazistowskich żołdaków, a także o bohaterskiej śmierci synów i córek, którzy działali w ruchu oporu. Ludzie, z którymi się spotykali, byli silni i dumni, ale rozpaczliwie potrzebowali pieniędzy, aby przeżyć. Niektórzy decydowali się zachować domy, ale wyprzedawali całe wyposażenie, inni sprzedawali zamki wraz z umeblowaniem. Raz za razem Alex i Eleanor trafiali na piękne antyki i kupowali je niemal za bezcen od właścicieli. Chwilami czuli się z tym potwornie. Praktycznie wszystkie zamki zostały wystawione na sprzedaż, wiele zostało zniszczonych lub znajdowało się w opłakanym stanie. Wybrali się na kilka lokalnych aukcji, zaglądali na pchle targi, które okazywały się kopalniami prawdziwych skarbów.

W Anglii sytuacja przedstawiała się bardzo podobnie, choć Brytyjczycy się nie poddawali i próbowali odbudować z gruzów zniszczony świat, mimo że nie było to łatwe. Ubóstwo zmusiło wielu właścicieli do sprzedaży rodowej ziemi, żeby zachować dach nad głową. Utrzymywali ogromne posiadłości i zamki przy pomocy jedynie garstki ludzi. Sprzedawali to, co posiadali, ale niechętnie odchodzili od stylu życia, jakie wiedli przez długie stulecia i który był fundamentem współczesnego świata. Alex i Eleanor bardzo im współczuli, bo przypominało im to o stratach, które sami ponieśli przed laty. Często byli zapraszani na kolacje przez ludzi, którzy z konieczności ogałacali z cennych dzieł ściany własnych domów. Francja wciąż tkwiła w traumie po okupacji, Anglia była po prostu biedna. Brytyjczycy obronili kraj przed inwazją, ale nie dało się dłużej utrzymać dawnego porządku. Sytuacja w Stanach Zjednoczonych wydawała się stabilniejsza, bo ich ojczyzna nie została bezpośrednio zaatakowana ani najechana przez wroga. Poza tym Ameryka dysponowała większym zapleczem surowców, na których mogła się oprzeć, a powojenny boom przemysłowy tchnął w gospodarkę nowe życie, wypełniając po brzegi portfele obywateli i tworząc nową klasę nowobogackich.

Równie piękne rzeczy znaleźli w zamkach w Irlandii, a Eleanor nie mogła się doczekać spotkania z mieszkającymi w Dublinie Houghtonami. Uściskały się serdecznie z Wilson, jak tylko się zobaczyły, niczym długo niewidziane krewne, a Houghton patrzył na nie serdecznie wilgotnymi ze wzruszenia oczami. Oboje bardzo się postarzeli od czasu ich pożegnania w 1930 roku, ale byli zdrowi, mimo że mieli już ponad siedemdziesiąt lat. Mieszkali w małym, schludnym domku, ale przyznali, że tęsknią za Kalifornią i życiem w Stanach. Dobrze im się wiodło na irlandzkiej ziemi. Prowadzili skromne życie, mieli trochę oszczędności i nie szukali pracy po wojnie, zresztą nie mieli wielkiego wyboru. Londyn wciąż był zniszczony po nalotach, choć Alex z Eleanor widzieli place budowy na każdym rogu. Wielka Brytania z determinacją realizowała plan odbudowy.

Kiedy w końcu dotarli do Cherbourga, gdzie mieli wsiąść na statek powrotny, wyładowali trzy ogromne kontenery bezcennymi antykami i nadali je do San Francisco. Za miesiąc z okładem zapełnią sklep po brzegi meblami na sprzedaż, które były równie piękne jak wcześniej sprzęty należące do rodziny Deveraux. Podróż okazała się wielkim sukcesem, choć widok cierpiącej po doświadczeniu wojennym Europy budził pokorę i był wstrząsający.

Podróż powrotna na znanym parowcu upłynęła spokojnie. Eleanor i Alex byli zmęczeni po miesiącu, który spędzili niemal bez przerwy w drodze, na przeglądaniu wyposażenia angielskich, irlandzkich i francuskich zamków. Z każdą rzeczą, którą kupili, wiązała się niepowtarzalna historia, a także wspomnienie byłych właścicieli, którzy urzekli ich swoją odwagą i wzruszyli zwierzeniami o doznanych nieszczęściach. Oboje wiedzieli, że nigdy nie zapomną tej podróży. Sklep Deveraux-Allen miał zapas towaru na kilka lat.

Kiedy małżonkowie wrócili do San Francisco, zauważyli, że ich córka bardzo urosła. Miała już sześć lat i w trakcie ich nieobecności nauczyła się nowych piosenek od Annie. Muzyczny talent dziecka nie budził wątpliwości, poza tym niezmiennie od dnia swoich urodzin była pogodną i radosną dziewczynką. Eleanor kupiła jej śliczne sukienki i nową lalkę, którą mała od razu pokochała. Camille uroczyście oświadczyła rodzicom, że następnym razem nie pozwoli im nigdzie jechać bez niej.

Zamknęli sklep na cały sierpień i wybrali się na zasłużone wakacje, które spędzili nad jeziorem, a kiedy wrócili z wypoczynku, ładunek z Europy już na nich czekał. Razem z Timem Averym przez kilka dni rozpakowywali nowe nabytki, a potem ustawiali je w sklepie w jak najkorzystniejszym miejscu. Magazyn na drugim piętrze został wypełniony i byli zmuszeni przewieźć większe sprzęty do stodoły nad Tahoe, aż zwolni się dla nich miejsce.

Stali klienci od razu rzucili się po nowe piękne rzeczy i biznes kwitnął w najlepsze.

Przez następne dwanaście lat czas mijał niepostrzeżenie Eleanor i Alex odbyli jeszcze kilka wypraw handlowych do Europy. Gospodarka po drugiej stronie oceanu stawała na nogi powoli, znacznie wolniej niż w Stanach. Stary Kontynent okazał się najlepszym źródłem antyków, kiedy jeden po drugim upadały wielkie majątki, arystokraci sprzedawali rodowe posiadłości, a Amerykanie kupowali domy i ich zawartość, bo mieli pieniądze.

Alex i Eleanor przestali pływać statkami, teraz latali samolotami dla zaoszczędzenia czasu. Dwa razy zabrali ze sobą Camille, kiedy była już nastolatką, ale przez cały czas marudziła i była znudzona. Nie interesowały jej zajęcia rodziców, uważała je za przygnębiające: handlowanie reliktami przeszłości, okruchami dawnej świetności. Bardzo się zmieniła, odkąd ukończyła piętnaście lat. Po sympatycznej dziewczynce nie został ślad. Nastoletnia Camille nienawidziła szkół, do których ją wysyłali, naśmiewała się z ich zwyczajów i buntowała się przy każdej okazji. Jej rodzice chcieli, żeby ukończyła college, lecz kategorycznie się im sprzeciwiła. Nie zamierzała nawet brać tego pod uwagę, bo jak mówiła, nie nauczono by jej tam niczego ciekawego. Doszło do straszliwej awantury, kiedy Eleanor próbowała namówić osiemnastoletnią córkę na udział w balu debiutantek w ramach San Francisco Cotillion Debutante Ball. W 1958 roku wielkie prywatne bale z przeszłości były odległym wspomnieniem, bo ludzie nie mogli już sobie na nie pozwolić ani nie mieli odpowiednio przestronnych domów. Zamiast tego organizowano grupowy bal, kotylion, na który zapraszano dwadzieścia młodych panien z dobrych rodzin z tradycjami, aby je wprowadzić w towarzystwo i oficjalnie przedstawić, zgodnie z wieloletnią tradycją. Camille zareagowała oburzeniem na sam pomysł i podarła zaproszenie na strzępy, kiedy je dostała.

– Jest to najbardziej obmierzła rzecz, o jakiej słyszałam! – wykrzyczała matce prosto w twarz.

Była piękną dziewczyną, wysoką, jasnowłosą, o niebieskich oczach i zachwycającej figurze, ale od ostatnich trzech lat upartą i trudną. Jej charakter zmienił się o sto osiemdziesiąt stopni i rodzice nastolatki z trudem dawali sobie z nią radę. W czerwcu miała ukończyć naukę; w ciągu czterech lat trzykrotnie zmieniała szkołę. Nieustannie się buntowała. Okres dojrzewania Camille okazał się ciężką próbą dla jej matki. Alex miał do córki więcej cierpliwości, ale i tak nie zawsze udawało mu się dojść z nią do porozumienia. Uparła się, żeby odrzucić wszystko, co było dla nich ważne. Uważała, że są dinozaurami, pochodzą z zamierzchłych czasów, które nie mają już dłużej racji bytu i kończą się na dobre. Sprzeciwiała się wszystkiemu, co trąciło tradycją, a debiutancki bal znalazł się na pierwszym miejscu tej listy.

– Na kotylion nie zaprasza się kolorowych ani Włochów czy Żydów, ani nikogo, z wyjątkiem takich ludzi jak wy. Czy w ogóle to widzicie? – wytknęła im wyraźnie zniesmaczona.

Ojciec przyznał jej rację, ale dodał, że może pewnego dnia to się zmieni. Doskonale wiedział, że choć motywacja, jaką kierowała się córka w krytykowaniu balu debiutantek, była jak najbardziej szlachetna, tak naprawdę nie chciała robić tego, czego od niej oczekiwano, ani niczego, co sprawiłoby przyjemność jej rodzicom. Boleśnie odebrali to odrzucenie. Buntowała się na każdym kroku. Słodka dziewczynka, którą kiedyś była, zniknęła. Spodziewali się, że nastoletnie lata Camille będą wyzwaniem, ale nie przypuszczali, że aż tak ekstremalnym.

Eleanor z sentymentem wyjęła suknię, w której sama wystąpiła na swoim pierwszym balu, od trzydziestu lat starannie zapakowaną, jednak córka tylko ją wyśmiała.

– Wyglądałabym w tym jak wariatka, którą i ty musiałaś w tym przypominać – skrytykowała bezlitośnie piękną kreację z Domu Mody Worth, którą Eleanor nosiła z taką rozkoszą. – Wszystko, co robicie z ojcem, jest potwornie staroświeckie. Potwornie wczorajsze. Żyjecie przeszłością – dodała okrutnie.

Nie była to prawda. Szanowali dawne tradycje, w których dorastali, lecz mimo życiowych przeszkód i bolesnych ciosów, które na nich spadły, a o których ich córka nie miała pojęcia albo nie chciała pamiętać, szli do przodu. Uważała ich za skamieliny, które nie rozumieją współczesności.

– Kotylion to zwyczajny targ bydła, mamo, a ja nie zamierzam być jedną z krów. Szukają mężów, z tego samego też powodu chcą iść do college'u, bo kiedy tylko się zaręczą, w jednej sekundzie rzucają studia. Albo zachodzą w ciążę i są zmuszone wziąć ślub. Nie zamierzam wychodzić za mąż i nie pozwolę wam puszyć się mną na kotylionie ani wydać mnie za jakiegoś snoba.

– A czego chcesz? – zapytał ją ojciec na krótko przed jej osiemnastymi urodzinami.

Nie złożyła podania do college'u, miała fatalne oceny, w ogóle się nie uczyła. Kategorycznie odrzuciła możliwość wystąpienia na balu debiutantek organizowanym w zimie, choćby tylko dlatego, żeby sprawić przyjemność rodzicom. Camille robiła to, co chciała. Otaczała się nieokrzesanymi znajomymi, którzy również nie zamierzali studiować, i miała słabość do przystojnych niegrzecznych chłopców z miasta. Jej bohaterem był James Dean, uosobienie buntu i gniewu. Opłakiwała jego śmierć miesiącami, kiedy miała piętnaście lat. Ten właśnie moment był punktem zwrotnym, wtedy się tak diametralnie zmieniła.

Nieustannie się o nią martwili, ciągnęło się to już od kilku lat. Irytowała Eleanor, Alex natomiast zawsze starał się iść na kompromis, próbował ją przekonywać, co nie zawsze mu się udawało. Oboje się bali, że wpadnie w złe towarzystwo i fatalnie się to dla niej skończy. Znali takie przypadki. Najwyraźniej nie miała najmniejszego zamiaru podążać ścieżką wytyczoną przez rodziców. Powtarzała, że budzi się świt nowej ery. Dawne tradycje nic dla niej nie znaczyły.

Camille wpadła w popłoch, kiedy ojciec zapytał, czego tak naprawdę chce. Wcześniej ciągle miała do nich pretensje, że nigdy ich nie interesuje, co ona myśli, i tylko próbują jej narzucać swoją wolę. Alex postanowił zmienić taktykę. Kilka razy groziła, że ucieknie z domu, choć nigdy się do tego nie posunęła. Rozumiał jednak, że istnieje taka ewentualność, jeśli okażą się dla niej zbyt surowi, więc za wszelką cenę unikał wywierania jakichkolwiek nacisków na córkę. Nienawidziła ich mieszkania nad sklepem, choć był elegancki i zapewniał niemały zysk. Uważała, że meble, które sprzedają, są jak stare kości wygrzebane na cmentarzu. Eleanor całym wysiłkiem woli powstrzymywała się, żeby nie reagować na obraźliwe słowa córki, nie chciała się wikłać w niepotrzebne kłótnie. Alex miał silniejsze nerwy. Była ich jedynym dzieckiem i nie chciał jej stracić. Eleanor kochała córkę nad życie, ale nieustanie się spierały i nigdy się ze sobą nie zgadzały.

– Chcę śpiewać – przyznała szczerze Camille. Muzyka była jej pasją od dziecka. Od zawsze miała piękny głos, choć brakowało jej wykształcenia muzycznego. Poza tym była śliczną młodą kobietą, która wyglądała bardzo dojrzale jak na swój wiek. – Chcę śpiewać z zespołem, nagrywać płyty. – Od lat tylko o tym marzyła.

Kilka znanych kapel zaczęło karierę w San Francisco. Alex wiedział, że w mieście działały niewielkie studia nagrań, ale nie miał pojęcia, jak się z nimi skontaktować.

– Jak zamierzasz to zrealizować? – zapytał ciekawy, co mu odpowie.

Eleanor tylko się żachnęła. Ludzie z show-biznesu, których znała, nie budzili jej sympatii. Uważała, że jeśli córka pójdzie tą ścieżką, zmarnuje sobie życie. Alex jednak się uparł, żeby wynegocjować zawieszenie broni, z nadzieją, że się uda.

– Znam kilku chłopaków, którzy razem grają. Jeden powiedział, że mogą mnie zabrać na przesłuchanie w Vegas.

Las Vegas było prawdziwą mekką tancerek i muzyków, ale w oczach jej rodziców przede wszystkim sodomą i gomorą. Często bawiło tam wielu hollywoodzkich gwiazdorów, na przykład Frank Sinatra ze swoją bandą, a Eleanor nie chciała, żeby jej córka wpadła w ich łapska. W mieście szerzyła się również prostytucja, co narażało młode dziewczyny na duże niebezpieczeństwo. Alex również nie miał najlepszego zdania o stolicy hazardu, ale uważał, że jeśli pozwolą Camille posmakować muzycznego świata, szybko jej się znudzi takie życie i wróci do domu, żeby się ustatkować. Może nie zostanie debiutantką – z tym już się pogodzili – ale zdobędzie wykształcenie i znajdzie uczciwą pracę. W tym byli zgodni, oboje uważali, że ich córka powinna pracować, tak jak oni. Chcieli, żeby wiodła stateczne życie, co w oczach Camille było prawdziwym przekleństwem.

– Nie sądzę, żeby Las Vegas było dobrym pomysłem – przyznał cicho – ale może zaczniesz śpiewać z miejscowym zespołem i zobaczymy, dokąd cię to zaprowadzi.

Miała ładny głos, ale nie wierzył, żeby odniosła wielki sukces na scenie. Liczył, że szybko się zniechęci. Taką nadzieję żywił w głębi serca.

– Dziękuję ci, tato – powiedziała, patrząc na Eleanor wilkiem.

Camille uważała, że jej matka nic nie rozumie. Chwilę później dziewczyna wyszła z domu na spotkanie z przyjaciółmi. W kręgach, w których się obracała, nikt nie myślał o studiach. Jej znajomi, tak jak ona, snuli większe plany, ale jej rodzice twierdzili, że zaprowadzą ich one donikąd. Według nich powinna porzucić mrzonki o show-biznesie, zejść na ziemię i wreszcie dorosnąć. Na razie jednak nie zapowiadało się na to.

– Moim zdaniem popełniasz wielki błąd, wspierając ją w tym szaleństwie – wytknęła mężowi wyraźnie niezadowolona Eleanor, ale rozumiała, dlaczego mąż tak postąpił.

– Czy mamy inny wybór? Przecież wiesz, że może uciec z domu. Straszny z niej uparciuch.

Eleanor nie miała innych pomysłów. Byli bezradni. Ani groźby, ani prośby nie działały, nie sprawdzały się też kompromisy, umowy ani próby dyscyplinowania. Camille uparła się, że zrobi to, co chce, i miała za nic opinie oraz niepokój rodziców. Widziała w nich wrogów.

Kilka tygodni później udało jej się z wielkim trudem ukończyć liceum. Po ceremonii rozdania dyplomów wyrzuciła świadectwo do kosza, a potem ze znajomym zespołem przez miesiąc czy dwa występowała w obskurnym barze w centrum. Pewnego razu usłyszał ją przyjaciel głównej wokalistki. Szukał dziewczyny do chórku w swojej kapeli. Za kilka dni wybierali się do Vegas, gdzie mieli wystąpić jako support na koncercie bardziej znanego zespołu. To była okazja, na którą Camille od dawna czekała i której obawiali się jej rodzice. Powiedziała im o wszystkim następnego dnia. Nie spodobał im się ten pomysł, ale nie pytała ich o zgodę. Poinformowała ich o swoich zamiarach, a wokalista, który ją zaprosił do zespołu, zapowiedział, że wkrótce nagrają płytę i właśnie negocjują trasę koncertową. Jeśli Camille okaże się dobra, zostanie z nimi i pojedzie na trzymiesięczne tournée, w trakcie którego zjadą cały kraj.

Eleanor robiło się niedobrze na samą myśl o takiej perspektywie, ale z wielkimi oporami ustąpiła. Rodzice poprosili tylko, żeby Camille odzywała się regularnie, i przypomnieli, że na razie nie wyrazili zgody na udział w trasie koncertowej, a jedynie pozwalają jej na krótki wypad do Las Vegas. Roześmiała im się w twarz. Jeśli o nią chodziło, to akurat wybierała się na tournée. Po koncercie planowali nagrać album i miała nadzieję, że trafi do studia nagrań. Przecież właśnie o tym od lat marzyła.

Dwa dni później pożegnała się z rodzicami i wyjechała z zespołem do Vegas. Alexowi i Eleanor serce podeszło do gardła przy pożegnaniu. Pod dom przyjechał po nią wokalista w dżinsach, T-shircie i czarnej skórzanej kurtce. Był opryskliwy, arogancki i przystojny. Wrzucił torbę Camille do bagażnika, ale słowem się nie odezwał do jej rodziców, traktując ich jak powietrze. Przed wejściem do samochodu dziewczyna niechętnie ich uścisnęła i podziękowała ojcu, że pozwolił jej jechać. Piosenkarz, który nazywał się Flash Storm, roześmiał się, gdy ją usłyszał.

– Kim ty jesteś? Dzieckiem? Nie potrzebujesz chyba pozwolenia staruszków, żeby jechać. Skończyłaś już osiemnaście lat, co nie?

Skinęła głową w odpowiedzi, a Alexowi i Eleanor znów wydała się małą dziewczynką sterroryzowaną przez piosenkarza, który wcale nie przypadł im do gustu: antypatyczny typ z przylizanymi włosami i papierosem wetkniętym za ucho.

– Zapamiętaj sobie: płacę kobietom, nie dzieciom – dodał i usadowił się za kierownicą.

Wsunęła się do środka obok niego i ruszyli, a kiedy zniknęli z pola widzenia, Eleanor się rozpłakała.

– Zniszczy ją – zawyrokowała, a Alex przyciągnął żonę do siebie i mocno przytulił.

– Nie możemy tracić nadziei, że szybko jej się to znudzi – pocieszył żonę, modląc się w duchu, żeby się okazało, że postąpił słusznie.

Rozdział 13

Po wyjeździe do Las Vegas Camille prawie się nie odzywała. Zadzwoniła, żeby im podać numer do domu, w którym się zatrzymała z resztą zespołu, ale za każdym razem, gdy próbowali się z nią skontaktować, nikt nie odbierał. Ostatecznie udało im się porozmawiać z innymi członkami grupy, którzy też tam mieszkali, i obiecali przekazać Camille wiadomość. Odezwała się dopiero kilka tygodni później, mimo że obiecała dawać im o sobie znać częściej. Powiedziała, że angaż w klubie nocnym, w którym grali, został przedłużony, poza tym pracowali nad albumem. Czuła się dobrze i nie wspominała o trasie koncertowej. Ulżyło im. Pozostało tylko przeczekać do końca i mieć nadzieję, że do nich zadzwoni.

Camille wróciła do San Francisco we wrześniu. Po prostu pewnego wieczoru stanęła na progu ubrana w obcisłe niebieskie dżinsy i kusy satynowy top z głębokim dekoltem; wyglądała bardzo ponętnie i o wiele bardziej dorośle niż kiedy wyjeżdżała. Eleanor zauważyła, że język jej się plątał, i podejrzewała, że jest pijana. Została w domu, w swoim dawnym pokoju.

Poinformowała ich, że za tydzień rusza w trasę ze swoim zespołem, który będzie supportem dla bardziej znanej grupy. Wydała im się bardzo kobieca, nie zachowywała się już jak podlotek. Nie dbała też o zachowanie choćby pozorów niewinności. Dla jej rodziców było oczywiste, że są z Flashem kochankami. Aż ich mdliło, gdy o tym myśleli. Matka zapytała wprost, czy Camille bierze narkotyki, na co ona tylko się roześmiała. Reakcja córki potwierdziła domysły Eleanor.

Większość czasu spędzonego w domu Camille przesypiała, a kiedy wstawała, zachowywała się nieco chaotycznie, choć była w euforycznym nastroju. Twierdziła, że Flash zostanie wielką gwiazdą, a ona będzie mu towarzyszyć w podróży na szczyt. Wymieniała nazwiska znanych muzyków i powtarzała, że według jej ukochanego prześcigną ich wszystkich. Uważała, że jest seksowniejszy od Elvisa Presleya i zdecydowanie bardziej utalentowany. Karmiła się tysiącami marzeń i złudzeń, i widzieli, że była odurzona narkotykami. Flash obiecał, że nagra z nią singla, co miało jej pomóc wypromować się na niezależną gwiazdę.

Alex i Eleanor z każdą rozmową czuli, że córka coraz bardziej się od nich oddala. Nie byli w stanie jej zatrzymać. Flash jej płacił, więc była finansowo niezależna. Wiedzieli, że jeśli spróbują jej przeszkodzić, na dobre zniknie z ich życia. Ze łzami w oczach patrzyli, jak odjeżdża.

– Proszę, dbaj o siebie – błagała żarliwie matka, ale Camille zbyła jej prośby śmiechem.

– Zadzwonię z trasy – rzuciła niedbale na odchodnym i wsiadła do taksówki.

Miała się spotkać z Flashem na lotnisku, skąd lecieli do Los Angeles, gdzie zaczynali tournée. Stamtąd kierowali się na wschód, potem przez środkowy zachód na południe, a kończyli pod koniec roku, w grudniu, w Nowym Jorku. Zapowiadało się na wyczerpującą i ciężką pracę, ale o tym właśnie marzyła, a Flash został jej bohaterem. Zrobił to wszystko dla niej, a przynajmniej tak jej wmawiał.

Odzywała się sporadycznie, czasem dzwoniła co tydzień, to znów milczała przez miesiąc. Praktycznie co wieczór występowali, przemieszczali się z miasta do miasta autokarem, który współdzielili z drugim zespołem. Ostatni koncert grali na stadionie Coney Island w Nowym Jorku w grudniu. Obiecała, że wróci do domu na Boże Narodzenie, ale przez święta milczała, a w San Francisco zjawiła się dopiero w sylwestra. Weszła do domu jak gdyby nigdy nic, stanęła w kuchni, gdzie właśnie jedli kolację, i popatrzyła na nich. Była skąpo odziana i najwyraźniej bardzo zmęczona, wręcz na skraju wyczerpania. Pod oczami miała głębokie cienie. Tym razem nie mieli żadnych wątpliwości – była naćpana. Przyjechała sama, bez Flasha. Powiedziała, że udał się do matki do New Jersey.

– Podpisaliśmy umowę na kolejną trasę – dodała. – Zagramy jako support dla jeszcze bardziej znanej kapeli. Wyruszamy za dwa tygodnie.

Wybrała sobie trudne życie i byli przerażeni spustoszeniem, do jakiego w ich mniemaniu doprowadziła ją znajomość z Flashem. Wsiadła jednak do ekspresu, którego nie byli w stanie zatrzymać. Próbowali przemówić jej do rozsądku, kiedy była w domu, ale to było jak rzucanie grochem o ścianę, poza tym była dorosła, więc nie mogli jej zamknąć w pokoju. Kilka dni później zniknęła, milczała przez całe dwa miesiące. Sama myśl o niej sprawiała im okropny ból. Nigdy nie wiedzieli ani gdzie jest, ani co robi. Mogli być pewni jedynie tego, że jest w drodze z Flashem i naćpana. Dziecko, które tak kochali, odeszło.

W czerwcu skończyła dziewiętnaście lat. Kilka dni po swoich urodzinach przyjechała do rodzinnego domu. Rodzice nie widzieli jej od pięciu miesięcy. Wydawała się trzeźwiejsza niż ostatnim razem, ale nie całkowicie. W sekundzie, w której przestąpiła próg, Eleanor domyśliła się, że córka jest w ciąży. Jako matka przeżyła szok, choć podświadomie oczekiwała najgorszego. Postępowanie Camille już jej nie dziwiło. Rok wcześniej dziewczyna zaczęła kroczyć ścieżką do zatracenia, a teraz nie tylko była uzależniona od narkotyków, lecz także spodziewała się dziecka z podłym facetem, który traktował ją jak seksualną niewolnicę i zwodził obietnicami o muzycznej karierze. Eleanor zebrała w sobie wszystkie siły, żeby się nie rozpłakać w trakcie rozmowy z córką.

– Co zrobisz z dzieckiem? – wyszeptała z rozpaczą.

Alex jeszcze o niczym nie wiedział, ale Eleanor nie miała wątpliwości, że będzie zdruzgotany. Facet o imieniu Flash doprowadził do upadku ich jedynaczkę. Co stanie się z ich dzieckiem?

– Zamierzam urodzić. Bo co? – Była zdziwiona pytaniem matki.

– Czy weźmiecie z Flashem ślub? – zapytała ostrożnie Eleanor, nie chcąc rozdrażnić córki.

Dziewczyna tylko wzruszyła ramionami, jakby to nie miało żadnego znaczenia.

– Może. Później. Nie wiem.

Nie była ani skrępowana, ani zakłopotana.

– Gdzie zamierzasz urodzić?

Wolałaby, żeby Camille została w domu. Tak byłoby najlepiej dla niej i dla dziecka.

– Nie mogę przerwać tournée. Urodzę tam, gdzie akurat będę. To żaden problem, mamo. Kobiety ciągle rodzą dzieci, kładą je na polu i harują dalej.

– Czy tak właśnie powiedział ci Flash? – Eleanor zapragnęła go udusić gołymi rękami za to, co robił ich córce. Manipulował nią, faszerował ją narkotykami, tego była pewna. Dzięki temu łatwiej mu było ją kontrolować, zresztą sam żył na krawędzi.

– No, jedna z dziewczyn urodziła dziecko w zeszłym roku. W hotelu. Następnego dnia śpiewała na scenie. – Camille wydawała się nieporuszona.

– Córko, powinnaś zostać w domu, zajmiemy się tobą i dzieckiem – zaproponowała łagodnie Eleanor, ale dziewczyna momentalnie się nastroszyła.

– Sami się nim zajmiemy z Flashem. Nie potrzebujemy was.

– Bierzecie narkotyki. – Eleanor zdobyła się na szczerość. – Zniszczysz dziecko i siebie. Zostań w domu przynajmniej do porodu.

– Do diabła, nie! – krzyknęła gwałtownie Camille. – Nie zostawię Flasha. Jesteś zwyczajnie zazdrosna, bo nam się układa i jestem szczęśliwa.

– Nie powiedziałabym, że wam się układa. Codziennie jesteście w innym mieście i tylko Bóg jeden wie, co on ci daje. Możesz stracić dziecko i sama umrzeć. Lepiej zrobisz, jeśli zostaniesz.

– Nie wysilaj się – przerwała jej ze złością.

W tym samym momencie do środka wjechał na wózku Alex i zauważył zaokrąglony brzuch córki. Zaszokowany przeniósł wzrok na jej twarz.

– Co to jest?

– Twój wnuk, dziadku – rzuciła hardo Camille i wyszczerzyła zęby w uśmiechu. Nigdy wcześniej tak się do niego nie odzywała. Miał ochotę się rozpłakać, ale zachował zimną krew.

– Pobraliście się?

Pokręciła głową, wyraźnie nim rozczarowana.

– Brzmisz jak mama. Nie muszę być mężatką, żeby mieć dziecko.

– Tak byłoby zdecydowanie lepiej – wydusił z siebie szorstkim głosem. Zauważył, że jest naćpana. – Powinnaś zostać w domu i o siebie zadbać. – Zrozumiał, że znalazła się na prostej drodze do samozniszczenia.

– Flash się mną zaopiekuje. Przyjmie poród. Już raz to zrobił – przyznała znudzonym tonem.

– Potrzebny ci lekarz, szpital i nasza troska. Kochamy cię – błagał Alex, ale odwróciła się od niego.

Wtrącał się w jej życie, a nie zamierzała pozwolić, aby cokolwiek stanęło między nią a Flashem, a już na pewno nie rodzice. Zresztą muzyk uprzedził ją, że będą próbowali na nią wpłynąć, aby zmieniła zdanie, i radził stawiać opór. Miał rację i posłuchała jego rady.

Zatrzymała się w domu na dwa dni i przez cały ten czas strasznie się kłócili. Trzeciego ranka po przebudzeniu zauważyli, że jej nie ma. Wróciła do Flasha. Według Eleanor wyglądała na trzeci, czwarty miesiąc ciąży, ale pewności nie miała. Sytuacja rozdzierała im serce, ale nic nie mogli zrobić.

Camille rzadko się potem odzywała, więc ciągle się zamartwiali o nią i o maleństwo. Alex był zdruzgotany. Jego jedyne dziecko wpadło w sidła potwornego typa. Eleanor była równie zrozpaczona, na dodatek niepokoiła się o zdrowie męża, ale opieka nad nim pozwalała jej uciec od ponurych myśli. Miał już sześćdziesiąt trzy lata, lecz na skutek wojennej traumy, wieku i stresu, który przechodzili z powodu Camille, bardzo się postarzał. Eleanor miała czterdzieści dziewięć lat i psychicznie lepiej sobie radziła. Była dużo młodsza od Alexa i cieszyła się lepszym zdrowiem. Lęk o córkę towarzyszył im zawsze i wszędzie. Rozmawiali o niej, nieustannie się zastanawiając, gdzie właśnie przebywa.

Pierwszego grudnia odebrali rozmowę z New Jersey na koszt abonenta. Natychmiast się zgodzili. Dzwoniła Camille. Z trudem mówiła, była bardzo osłabiona. Trafiła do szpitala w Newark.

– Wczoraj urodziłam. Dziewczynkę. Przed terminem. Jest bardzo mała. Waży dwa kilo. Dostałam skurczów po zejściu ze sceny. Nie wiedziałam, że to początek porodu, wróciliśmy do hotelu i tam… – Zamilkła, a oni wypełnili ciszę domysłami: sięgnęli po narkotyki, dlatego nie wiedziała, że rodzi, albo było jej wszystko jedno. – Flash odebrał poród. Nie bolało tak bardzo, ale straciłam dużo krwi. Powiedzieli, że jest problem z łożyskiem. Wezwali karetkę i miałam transfuzję. Już jest dobrze. Jestem tylko zmęczona. Za kilka dni mnie wypiszą, ale ona musi zostać dłużej, aż urośnie i będzie miała silniejsze płuca.

Camille wydawała się odurzona, ale nie wiedzieli, czy dostała jakieś leki w szpitalu, czy wciąż była pod wpływem środków, które zażyła dzień wcześniej. Oba scenariusze były prawdopodobne i oba stanowiły zagrożenie dla dziecka, które mogło nie przeżyć albo być umysłowo lub fizycznie niepełnosprawne z powodu nałogu matki.

– Jest śliczna. Wygląda jak ty, mamo – szepnęła słabym głosem Camille – poza tym, że ma rude włosy.

Alex z Eleanor nie kryli łez, słysząc o przejściach córki i wnuczki.

– Po wyjściu ze szpitala zostawię ją pod opieką mamy Flasha. Musimy dokończyć trasę, a nie mogę jej ze sobą zabrać. Jest za mała.

– Przyjedziemy i się nią zajmiemy – zaoferowała zdesperowana Eleanor.

– Nie, nie trzeba. Mama Flasha zobowiązała się nią opiekować aż do naszego powrotu za kilka miesięcy.

– Wolałbym przyjechać i zabrać twoją córkę do San Francisco – zagrzmiał Alex, który nagle wtrącił się do rozmowy.

Przeszli już przez tak wiele, podobnie jak ich wnuczka, choć urodziła się zaledwie kilka godzin temu. Razem z Eleanor wciąż pamiętali, jakim cudem była dla nich Camille, kiedy przyszła na świat przed dziewiętnastu laty. Wystarczającym koszmarem było, że nie potrafili uratować córki, chcieli przynajmniej pomóc wnuczce.

– Nie, tato, nie rób tego – wyszeptała ledwo słyszalnie Camille. – Flash nie będzie zachwycony. To również jego córka. Chce, żeby została u jego matki. Nie oddalibyście jej i pewnie zmuszalibyście ją do tych wszystkich rzeczy, które mnie próbowaliście narzucić: bal debiutantek i prestiżowe szkoły.

Ważył się los noworodka. Nie chodziło o prestiżowe szkoły. Dziecko miało nieodpowiedzialnych, uzależnionych od narkotyków rodziców, a Alex i Eleanor nie mieli pojęcia, jaka jest matka Flasha, czy nie okaże się gorsza.

– Chciałbym cię zobaczyć – poprosił łamiącym się od łez głosem Alex. – I twoją córkę też. Gdzie teraz jesteś?

Podała im nazwę szpitala w Newark, mówiła coraz ciszej, była bardzo osłabiona, nie miała siły na dalszą rozmowę.

– Jak ma na imię? – zapytała Eleanor, zanim Camille się rozłączyła.

– Ruby Moon – odparła Camille i westchnęła. – Rubinowy Księżyc. Kiedy ją urodziłam, świecił jasnoczerwony księżyc, a niebo było poprzecinane smugami we wszystkich kolorach tęczy. Ruby Moon Allen.

Po tych słowach odłożyła słuchawkę. Domyślili się, że była naćpana, kiedy rodziła.

Alex i Eleanor jeszcze tego samego dnia wieczorem polecieli do Newark, a z lotniska udali się prosto do szpitala. Dotarli na miejsce wcześnie rano. Bez problemu znaleźli córkę na oddziale położniczym. Była bardzo blada, co kontrastowało z rozległymi cieniami pod oczami, i właśnie robiono jej kolejną transfuzję. Miała zamknięte powieki, ale podniosła je z trudem, kiedy usłyszała, że przyszli. Na ich widok się rozpłakała.

– Nie zabierajcie mnie do domu – zaczęła błagać. – Chcę zostać z Flashem i naszą córką.

Wnet się zdenerwowała, więc Eleanor próbowała ją uspokoić. Alex odwrócił głowę, żeby ukryć łzy. Nie mogli zabrać do domu ani jej, ani dziecka. Nie mieli do tego prawa. Była pełnoletnia.

– Bardzo byśmy chcieli, żebyś z nami wróciła, ale cię nie zmusimy – przyznał cicho jej ojciec, kiedy znów na nią spojrzał, a wtedy Camille z ulgą zamknęła oczy.

Zapewnili ją, że nie zamierzają porwać ani jej, ani dziecka. Flash wmówił jej, że na pewno będą próbować. Ich własna córka widziała w nich wrogów. Przekonał ją, że źle jej życzą. Alex wywnioskował to ze sposobu, w jaki się do nich odzywała. Camille popatrzyła na matkę.

– Bolało bardziej, niż się spodziewałam, choć była taka maleńka... i wszędzie była krew.

Eleanor mogła to sobie wyobrazić i była wdzięczna, że Camille nie umarła, choć teraz wyglądała koszmarnie. Kilka minut później poszli zobaczyć wnuczkę. Była najmniejszym noworodkiem, jakiego w życiu widzieli. Leżała w inkubatorze, gdzie podawano jej małymi dawkami tlen. Maleńka i krucha patrzyła na nich przez szybę ogromnymi oczami i głośno płakała, gdy położna zmieniała jej pieluchę. Piła mleko z butelki, bo jej matka była zbyt słaba i schorowana, żeby ją karmić.

Wrócili do Camille, ale spała. Wyszli ze szpitala i zameldowali się w hotelu. Przez kolejne dwa dni odwiedzali córkę. Flash nie pojawił się ani razu. Tłumaczyła, że jest zajęty w studiu nagrań, bo pracuje nad singlem, który jej obiecał. Próbowali ją przekonać do powrotu do domu, lecz na próżno. Trzeciego dnia, kiedy przyszli, nie zastali Camille. Wypisała się i zabrała ze sobą dziecko. Rozmawiali z lekarzami z oddziału noworodków, którzy powiedzieli, że zabranie wcześniaka z tak niską wagą urodzeniową z pewnością go nie zabije, ale narazi na różnorakie komplikacje zdrowotne, co może się skończyć tragicznie. Alex z Eleanor nie mieli pojęcia, gdzie szukać córki, dokąd pojechała z Flashem, czy zabrali ze sobą dziecko, czy może zostawili je pod opieką jego matki, jak wcześniej postanowili. Nawet nie znali prawdziwego nazwiska Flasha Storma ani jego matki. Nie wiedzieli też, jak się skontaktować z zespołem. Nie mieli żadnych numerów telefonów ani adresów. Chodzili po okolicy, próbując zgadnąć, gdzie może być ich córka, ale bez rezultatu, więc tydzień później wrócili do domu – bez Camille i bez wnuczki.

Byli potwornie przygnębieni i martwili się o obie. Nie mieli jednak innego wyjścia jak pogodzić się z własną bezradnością. Tydzień później córka wysłała im telegram, który nadała z biura Western Union w Nowym Jorku:

> Razem z Ruby czujemy się dobrze. Jesteśmy z Flashem u jego matki. Nie martwcie się. Kocham Was.

Było to dla nich niewielkie pocieszenie. Eleanor z trudem zachowywała spokój, kiedy wrócili do pracy. W obecności klientów udawali zadowolonych. Nikt nawet się nie domyślał, że pękają im serca. Przynajmniej wiedzieli, że ich córka i wnuczka żyją, i byli wdzięczni za ten krótki telegram. Mieli nadzieję, że nic im się nie stanie.

Święta Bożego Narodzenia były smutne, zamartwiali się o Camille i Ruby. Prześladowała ich wizja maleńkiej dziewczynki, którą zobaczyli w inkubatorze. Sklep był zamknięty aż do stycznia i planowali spędzić kilka dni nad jeziorem Tahoe.

Skończyli jeść śniadanie w pierwszy dzień świąt, kiedy zadzwonił telefon. Eleanor zabrała się do mycia naczyń, więc odebrał Alex. Jego żona domyśliła się, że stało się coś złego, dlatego bacznie go obserwowała. Z kamienną twarzą zapisał kilka słów na kartce i odłożył słuchawkę, potem zwiesił głowę i dopiero zebrawszy się w sobie, odwrócił się w stronę żony. Na próżno walczył ze łzami, które cisnęły mu się do oczu.

– Kto to był? – Właściwie nie musiała pytać. Wzięła głęboki oddech. – Camille?

Skinął głową.

– Bostońska policja. Wczoraj wieczorem grali w jakimś barze. W nocy, po występie, przedawkowali w pokoju hotelowym. Perkusista znalazł ich dziś rano. Nie żyli już od kilku godzin. Miała nasze dane obok dowodu w portfelu – wydusił z siebie, łkając.

Przytulili się do siebie. Ich córka nie żyła. Flash ją zabił. Spełnił się najczarniejszy scenariusz, którego obawiali się od półtora roku, kiedy odjechała z nim spod domu. Eleanor nagle przypomniała sobie o wnuczce.

– Gdzie jest Ruby?

– Nic nie powiedzieli. W telegramie napisała, że została z matką Flasha.

Nie mieli pojęcia, gdzie jej szukać ani jak się nazywa.

Alex skontaktował się z bostońską policją kilka minut później. Sierżant, z którym wcześniej rozmawiał, poinformował go, że perkusista zidentyfikował zwłoki, więc miejscowy koroner pozwoli im zabrać ciało Camille. Alex zapytał teraz o dziecko i czy znają adres matki Flasha.

– Ma pan na myśli Herberta Gooblemana? – przerwał mu głosem kipiącym od złości mężczyzna. Nie cierpiał takich historii. Dziewczyna była jeszcze dzieckiem, a Goobleman miał trzydzieści sześć lat i całe ramiona oraz nogi pokryte siniakami. Od lat zażywał twarde narkotyki. Był wielokrotnie notowany za handel nimi i ich posiadanie. – To prawdziwe nazwisko Flasha Storma. Znaleźliśmy dane najbliższej krewnej wpisane w jego prawie jazdy. Florence Goobleman. Właśnie do niej dzwoniliśmy, ale bezskutecznie. Jej chłopak powiedział, że jest w więzieniu. Sprawdziliśmy. Wystawianie czeków bez pokrycia, nielegalne posiadanie broni i drobne przestępstwa związane z narkotykami. Ma grubą kartotekę, wcześniej była skazana za prostytucję.

– Moja córka zostawiła dziecko pod jej opieką – wyznał spanikowany Alex. – Trzymiesięczne niemowlę.

– Zajmę się tym – obiecał współczująco policjant.

Po zgłoszeniu nie pozostało im nic innego jak czekać. Telefon zadzwonił pół godziny później.

– Dziecko przejęła opieka społeczna i trafiło do rodziny zastępczej w Newark, w New Jersey. Zostało odebrane pani Goobleman po jej aresztowaniu tydzień wcześniej. Nie została oficjalne wyznaczona na opiekuna dziecka. Próbowali ustalić miejsce pobytu rodziców, ale zatrzymana nie chciała podać żadnych informacji, prawdopodobnie sama nie wiedziała, gdzie są.

– Przyjedziemy najszybciej, jak to możliwe – powiedział zdenerwowany Alex.

Camille nie żyła. Jej dzieckiem opiekowała się rodzina zastępcza w New Jersey. Cały ich świat wywrócił się do góry nogami i rozpadł na drobne kawałki. Streścił całą sytuację żonie, a potem pospiesznie się spakowali.

Tego samego dnia wieczorem wsiedli do samolotu i polecieli do Newark. Po wylądowaniu wczesnym rankiem prosto z lotniska pojechali do opieki społecznej. Urzędnik zajmujący się sprawą ich wnuczki okazał się bardzo życzliwy. Jeszcze przed południem spotkali się z sędzią sądu rodzinnego. Okoliczności były jasne, mieli prawo do opieki nad dzieckiem. Zastępcza matka, którą wyznaczono na czas wyjaśnienia sprawy, przyszła z niemowlęciem do gmachu sądu. Była dobrą, uprzejmą kobietą. Dziewczynka wciąż była maleńka. Jej tymczasowa opiekunka poinformowała ich, że kiedy mała do niej trafiła, była niedożywiona, ale teraz miała zdrowy apetyt. Alex i Eleanor podpisali wszystkie konieczne dokumenty, a sędzia złożył im kondolencje z powodu śmierci córki, której ciało zostało przetransportowane do San Francisco na pogrzeb. Życzył im wszystkiego dobrego. Lekarz z opieki społecznej zbadał dziecko i wydał zgodę na lot do Kalifornii. Dostali zapas mleka w proszku, pieluch i ubranek potrzebnych na podróż do domu, które miały im wystarczyć jeszcze na dzień lub dwa.

Wieczorem wsiedli do samolotu i polecieli do San Francisco. Eleanor trzymała Ruby na rękach. Dziewczynka spokojnie spała, a oni płakali nad losem córki, zachwycając się darem, który im zostawiła. Modlili się, żeby tym razem spisać się lepiej niż w przypadku Camille. Ruby Moon była ich, mogli ją kochać i się nią zaopiekować. Było to jedyne, co mogli zrobić dla tragicznie zmarłej córki. Ciało Camille w trumnie zostało przetransportowane samolotem z Bostonu do domu.

Rozdział 14

Kiedy Ruby zamieszkała z dziadkami, w pewnym sensie odmłodnieli, ale jednocześnie ciągle byli wyczerpani. Niejako cofnęli się w czasie do lat, gdy Camille była niemowlęciem, a wnuczkę kochali tak mocno, jakby była ich rodzoną córką. Dziewczynka rosła, odprowadzali ją do szkoły, a w wolne dni i na wakacje jeździli razem nad jezioro. Oglądali szkolne przedstawienia, kibicowali jej podczas rozgrywek sportowych i zapisali na lekcje baletu. Eleanor znalazła młodą dziewczynę do pomocy, kiedy Ruby była mała, lecz jeśli tylko pozwalał im na to czas i obowiązki związane z prowadzeniem sklepu, zajmowali się nią sami, dzieląc z wnuczką każdą chwilę.

Nigdy nie udawali, że są jej rodzicami. Gdy Ruby podrosła, pokazali jej zdjęcia matki i opowiadali o radosnych, ale też smutnych wydarzeniach z przeszłości. Kiedy była na tyle duża, żeby zrozumieć, szczerze opisali okoliczności jej narodzin i śmierci Camille. Niczego przed nią nie ukrywali. Mimo zażywania narkotyków przez ich córkę w czasie ciąży nie odbiło się to na zdrowiu Ruby. Wychowywali ją tak jak Camille, przy czym to, co rozwścieczało jej matkę, Ruby przyjmowała z uśmiechem i wdzięcznością. Nigdy się nie buntowała, nawet w okresie dojrzewania. Z natury była konserwatywna, fascynowała ją rodzinna historia i uwielbiała wszelkie dawne tradycje. Z wyglądu bardzo przypominała matkę, była też podobna do babki, bo Camille i Eleanor były jak dwie krople wody, pomijając karnację. Matka miała ciemne włosy, a córka była blondynką. Ruby odziedziczyła po nich rysy i figurę, jak również błękitne oczy, tylko jej włosy były płomiennorude. Była śliczną dzieckiem i wyrosła na piękną kobietę.

W odróżnieniu od matki pilnie się uczyła. Została przyjęta na Stanford, jej pasją była informatyka. Godzinami wyjaśniała dziadkom działanie komputerów, na co Eleanor reagowała śmiechem, bo jak twierdziła, nie rozumiała ani słowa, zresztą nawet nie próbowała zrozumieć. Ruby przedkładała naukę nad życie towarzyskie, była nieśmiała, z trudem zawierała przyjaźnie, często wolała spędzać czas w towarzystwie dziadków niż rówieśników. W wakacje z radością pomagała im w sklepie. Kiedy po ukończeniu liceum przyszedł list z zaproszeniem na kotylion w roli debiutantki, Eleanor była przekonana, że wnuczka się wymówi, uznawszy to za zbyt płytkie i staroświeckie. Przez ponad dekadę, całe lata sześćdziesiąte, w epoce dzieci kwiatów, dziewczęta, podobnie jak Camille, bojkotowały takie imprezy. Ale w 1977 roku, kiedy Ruby otrzymała zaproszenie na bal debiutantek, rzuciła się na nie i pomachała kartonikiem.

– Czy mogę iść, babciu? Mogę?

We wrześniu zaczynała studia na Stanfordzie, ale myśl o wystąpieniu w roli debiutantki w grudniu, tuż przed świętami, wydała jej się ekscytująca, podobnie jak jej babci pół wieku wcześniej. Wyobrażała sobie, że na jedną noc przemieni się w Kopciuszka albo królewnę z bajki, i nie wstydziła się do tego przyznać, a Eleanor z uśmiechem i radością przyjęła wyznanie wnuczki. Życie zatoczyło koło.

– Oczywiście, że możesz. Bałam się, że uznasz to za głupie.

– Wręcz przeciwnie, jestem cała w skowronkach. Ty miałaś swój bal, ja też chcę.

Eleanor uśmiechnęła się na to wspomnienie i na widok reakcji Ruby, diametralnie odmiennej od stanowczej odmowy Camille przed dwudziestoma laty.

– Wtedy świat był inny – powiedziała, głośno wzdychając, Eleanor. – Każda rodzina wydawała osobny bal, a nie tak jak teraz, kiedy wprowadza się was grupowo. Twojego dziadka poznałam właśnie na swoim pierwszym balu. Był niczym książę z bajki.

Pokazała jej też swoją sukienkę zaprojektowaną przez Wortha, wciąż starannie przechowywaną. Opowiedziała o podróży do Paryża i poszukiwaniu odpowiedniego projektanta. Krój był nieco staroświecki, w końcu została uszyta w 1928 roku. Razem z Ruby poszła do Saksa i wybrała piękną białą kreację z organdyny, która falowała wokół niej, podkreślając zgrabną figurę i wąską talię dziewczyny. Ruby zaprosiła kolegę ze szkoły, żeby jej towarzyszył. Przyjaźnili się, nic więcej. Też był maniakiem komputerowym. Dotąd nie miała chłopaka, ale wcale o to nie dbała. Nie mogła się doczekać grudniowego balu.

Alex z Eleanor patrzyli, jak Ruby, wsparta na ramieniu swojego towarzysza, schodzi po schodach w hotelu Sheraton Palace w zachwycającej białej sukni i z burzą ognistych loków opadających na plecy. Dziadkowie uśmiechnęli się do siebie. Właśnie o tym marzyli dla córki i w tym celu stoczyli niejedną bitwę. Dwadzieścia lat później Ruby była zachwycona możliwością uczestnictwa w balu. Uwielbiała oglądać stare fotografie Eleanor z jej pierwszego balu i zdjęcia dziadka z tej samej epoki, a także ich wspólne zdjęcia ze ślubu, który odbył się rok później. Eleanor pokazała Ruby również suknię ślubną, która nadal zachwycała. Dziewczyna przyznała, że to najpiękniejsza kreacja, jaką w życiu widziała.

Ruby świetnie się bawiła na kotylionie. Dobrze wybrała partnera. Jej przyjaciel studiował na Harvardzie i przez całą noc rozmawiali o komputerach. Cieszyli się ze spotkania ze znajomymi z liceum, bo kilka debiutantek chodziło razem z nimi do jednej szkoły.

Wieczór okazał się bardzo udany dla Ruby i jej dziadków. Może brakowało mu przepychu pierwszego balu Eleanor, który odbył się pół wieku wcześniej, ale idealnie przystawał do współczesności. Przyjęcie było fantastyczne i wszyscy goście – młodzież oraz ich rodzice i dziadkowie – stawili się elegancko ubrani. Camille gardziła tym wszystkim, ale Ruby była zachwycona. Więcej ją łączyło z dziadkami, którzy ją wychowali, niż z rodzoną matką buntowniczką. Ruby nigdy im się nie sprzeciwiała. Jedynie czasami za dużo się uczyła i wtedy musieli jej przypominać, że niekiedy warto odpocząć i zrobić sobie wolną chwilę. Nauka jednak sprawiała jej frajdę.

Na drugim roku studiów uczyła się w weekend w bibliotece, kiedy starszy student usiadł naprzeciwko niej przy stoliku. Był nią najwyraźniej urzeczony i z niekłamanym podziwem patrzył na jej rude włosy. Razem wyszli z biblioteki. Powiedział jej, że przygotowuje pracę dyplomową. Rok wcześniej w wakacje pracował w Centrum Badawczym Xeroxa w Palo Alto, gdzie zainteresował się GUI. Wyjaśnił, że to interfejsy graficzne umożliwiające ludziom wchodzenie w interakcję z komputerem na podstawie grafiki. Był tym zafascynowany. W ramach swojej pracy dyplomowej zamierzał zaprojektować aplikację GUI, która ułatwi użytkownikom korzystanie z komputerów. Nazywał się Zack Katz, a ona w lot rozumiała wszystko, co jej mówił. Pomyślała, że jest prawdziwym geniuszem. Uśmiechnął się, gdy mu to wyznała, i od tej pory byli przyjaciółmi. Opowiadał jej o postępach swojego projektu, razem uczyli się do egzaminów. Dorastał w Palo Alto, jego ojciec pracował dla Hewletta-Packarda. Rodzice się rozwiedli, kiedy miał jedenaście lat, i od tamtej pory się nienawidzili. Dlatego nigdy nie miał prawdziwego domu. Pobrali się tylko dlatego, że jego matka zaszła w ciążę. Teraz rzadko się z nimi widywał. Był jedynakiem, tak jak Ruby. Jego matka ponownie wyszła za mąż i przeprowadziła się do Teksasu. Ojczymem pogardzał, nie lubił ich odwiedzać, więc rzadko u nich gościł. Ojciec się nie ożenił powtórnie, jednak zmieniał dziewczyny jak rękawiczki, a wszystkie partnerki były od niego dużo młodsze.

– Moja rodzina jest uosobieniem dysfunkcyjności – podsumował Zack.

Ruby słuchała go ze smutkiem. Opowiedziała mu o swoich rodzicach, o tym, jak przedawkowali trzy tygodnie po tym, jak się urodziła, i o dziadkach, którzy ją wychowywali i którzy byli fantastyczni. Uwielbiała ich. Wydawała się szczęśliwa, normalna i zrównoważona, od razu się polubili z Zackiem, szybko zostali najlepszymi przyjaciółmi i nierozłącznymi towarzyszami.

Inni studenci nazywali Zacka geekiem. W dni wolne od nauki i weekendy, kiedy wracała do dziadków, wpadał z wizytą do jej domu nad sklepem w centrum. Lubił prowadzić długie dyskusje z Alexem i uważał, że Eleanor jest „fajna". Dobrze się czuł w ich towarzystwie, zupełnie inaczej niż ze swoją rodziną. Zostawał tak długo, jak mu pozwalano.

– Jest taki mądry, nieprawdaż, dziadku? – pytała z podziwem Ruby, a Alex tylko się śmiał.

– Nie mogę zaprzeczyć. Przez większość czasu nie mam bladego pojęcia, o czym do mnie mówi.

Lubił go jednak i uważał, że jest dobrym chłopakiem i wspaniałym przyjacielem dla jego wnuczki. Było mu przykro, że życie rodzinne Zacka okazało się tak boleśnie wyboiste.

– Naprawdę? – Ruby zaskoczyła uwaga dziadka, że teorie Zacka go przerastają. – Przecież zawsze tłumaczy w bardzo zrozumiały sposób – dodała dla wyjaśnienia, na co Alex pokręcił głową.

– Może dla ciebie. – Dziadek się do niej uśmiechnął. – Dla nas, zwykłych zjadaczy chleba, mówi po chińsku.

Zack zaprosił Ruby na Stanford na rozdanie dyplomów. Matka nie przyjechała. Już wcześniej Ruby poznała jego ojca, który przyszedł w towarzystwie wyzywającej dziewczyny w obcisłej sukience z głębokim dekoltem. Musiała być młodsza od Zacka. Nie przeszkodziło to starszemu panu w czasie ceremonii podrywać Ruby. Jej przyjaciel był tym zażenowany. Zaprosił Ruby, żeby dołączyła do nich na lunch w restauracji w Palo Alto. Czuła się niezręcznie, ale została.

Dwa tygodnie później aplikację z wykorzystaniem interfejsów, którą zaprojektował Zack w ramach pracy dyplomowej, a także nowy program, który napisał, kupiła firma z branży hi-tech za dwieście milionów dolarów. Przeprowadzono z nim wywiad dla „Time'a", wszyscy byli oszołomieni jego osiągnięciami. Zack uznał, że to nic nadzwyczajnego, i od razu wziął się do pracy nad bardziej wymagającymi zagadnieniami sieciowymi, które umożliwiłyby kontakt naukowcom z całego świata. Pewnego dnia zaprosił Ruby na kolację, żeby jej o tym powiedzieć.

– Chwila, moment. Sprzedałeś swój dyplomowy projekt za dwieście milionów dolarów? To coś niebywałego, Zack. – Próbowała mu to uświadomić, ale się zmieszał.

Przyszedł po nią ubrany w krótkie dżinsy, wyblakły T-shirt i wyświechtane wysokie conversy z dziurami, a ona włożyła szorty, klapki i koszulkę z logo uczelni. Stanowili dobraną parę.

– Następny będzie lepszy. To był tylko siermiężny model. Nie wiem, dlaczego go kupili. – Był autentycznie zaskoczony.

– O mój Boże. Oszalałeś. Jesteś bogaty. Odniosłeś fenomenalny sukces. Będziesz gwiazdą wśród ludzi z branży.

Już był, ale nie dbał o to. Gazety rozpisywały się na jego temat przez dwa dni z rzędu. Zapisał się już w historii.

– Ojciec pomoże mi odpowiednio zainwestować pieniądze.

Nie przepadał za nim, ale uważał, że ma smykałkę do interesów. Zack miał dwadzieścia dwa lata i wyglądał jak przerośnięty dzieciak, tak też się zachowywał. Na kolację zjedli burgery w Jack in the Box, a potem przespacerowali się do mieszkania jej dziadków nad sklepem, w którym wciąż mieszkała, gdy miała wolne na uczelni. Zackowi nawet nie przyszło do głowy, żeby zaprosić ją do eleganckiej restauracji po sukcesie, który odniósł. Zresztą żadne nie uważało tego spotkania za randkę. Byli przecież tylko przyjaciółmi.

– Wybieram się z ojcem do Europy, to prezent od niego na zakończenie studiów. Zabiera ze sobą jedną ze swoich dziewczyn. – Przewrócił oczami. – A ty co planujesz?

– Jedziemy nad Tahoe, jak co roku. Powinieneś nas odwiedzić po powrocie, jest tam naprawdę ładnie.

Skinął głową, pomysł przypadł mu do gustu. Uścisnął ją na pożegnanie i zostawił na progu. Po wejściu do środka wpadła na dziadka.

– Twój przyjaciel Zack zrobił wspaniały interes – skomentował Alex, a ona przytaknęła.

Dowiedział się o sukcesie chłopaka z gazet. Wszędzie o nim pisano.

– Już pracuje nad nowym projektem.

Było jasne, że jest geniuszem branży hi-tech. Pieniądze nie miały dla niego większego znaczenia, liczyło się tylko wyzwanie i jeszcze frajda, jaką mu sprawiało programowanie, i za to właśnie go uwielbiała. Nie lubiła pozerów, a Zack był ich całkowitym przeciwieństwem. Był prawdziwym geekiem i jej najlepszym przyjacielem.

Po powrocie z Europy przyjechał na weekend nad jezioro swoją rozklekotaną toyotą, a potem zimą regularnie, jeśli czas tylko mu na to pozwalał, odwiedzał Ruby na Stanfordzie. Wciąż wynajmował obskurną studencką kawalerkę nieopodal kampusu i tam mieszkał. Nie dbał o to, jak to wygląda. Projekt, nad którym teraz pracował, był zawiły i absorbujący, pochłaniał całą jego uwagę. Wyjaśnił jej dokładnie, o co chodzi, a że całkiem nieźle orientowała się w teorii, uwielbiała z nim na ten temat rozmawiać. Też studiowała informatykę, ale należała do zupełnie innej ligi. W porównaniu z nim czuła się zwyczajna, on unosił się gdzieś w stratosferze. Marzyła tylko o znalezieniu dobrej pracy w branży hi-tech po ukończeniu studiów. Obiecał, że jej pomoże. Został jej jeszcze rok studiów.

Nigdy między nimi nie iskrzyło. Zack od czasu do czasu umawiał się na randki, ale zazwyczaj już po pierwszym spotkaniu zrażał do siebie dziewczyny. Był aż do bólu skrępowany albo pochłonięty pracą i zapominał o umówionych spotkaniach. Ruby poradziła, żeby ustawiał sobie budzik, ale nie umiał flirtować, zresztą wcale mu na tym nie zależało. Inne rzeczy bardziej go pociągały, na przykład praca. Większość dziewczyn śmiertelnie go nudziła i w takich przypadkach potrafił w połowie kolacji powiedzieć to na głos. Ruby bezskutecznie starała się mu pomóc. Nazywała go kosmicznym neandertalczykiem świata randek.

Ruby też umawiała się z chłopakami, ale jeszcze nigdy się nie zakochała. Lata spędzone na uczelni sprawiły jej ogromną radość, otrzymała dyplom z wyróżnieniem, lecz kujonowaci koledzy, których spotykała na studiach, zawsze ją nużyli, a według jej babci przypominali niezasłane łóżka. Najbystrzejsi byli bardziej obyci, ale nastawieni wyłącznie na sukces, mieli wybujałe ego i byli zbyt płytcy, żeby zainteresować Ruby. A ładni chłopcy okazywali się narcyzami. Ona zaś chciała się zakochać w normalnym mężczyźnie, jakim był na przykład jej dziadek.

Podziwiała związek Alexa i Eleanor, którzy byli ze sobą od pięćdziesięciu dwóch lat. Babcia miała już siedemdziesiąt jeden, a dziadek osiemdziesiąt pięć, ale wciąż trzymał się krzepko. Oparli się próbie czasu i wszystkim przeciwnościom losu, z którymi przyszło im się zmierzyć. Ruby nie zadowoliłaby się związkiem mniej doskonałym niż ich, a nigdy nie spotkała odpowiedniej osoby. Większość rodziców jej przyjaciół była rozwiedziona, jej rodzona matka okazała się uosobieniem katastrofy. Po ukończeniu studiów Ruby nie interesowało rozglądanie się za mężem, skupiła się na szukaniu pracy, w której mogłaby wykorzystać wiedzę nabytą na studiach, a także wrodzony talent do komputerów.

Miesiąc po rozdaniu dyplomów, kiedy właśnie wysyłała podania o pracę, zadzwonił do niej Zack i powiedział, że podpisał kolejną umowę i sprzedał pomysł na nowy system operacyjny. Przyznał, że zarobił więcej niż poprzednio, bo projekt był o wiele bardziej złożony. Przez telefon wydał jej się oszołomiony. Rozwodził się na temat pasków menu i elementów sterujących, które wykorzystał w swoim najnowszym systemie operacyjnym. Mówił też o filmach animowanych.

– To wspaniale! – pogratulowała mu. – Ile dostałeś tym razem? – zapytała od niechcenia. – Świętujemy dziś wieczorem w Jack in the Box?

– No, pewnie – zgodził się równie beztrosko, a potem dodał ciszej: – Miliard.

– Jaki miliard?

– Sprzedałem za miliard dolarów – wyjaśnił. – Jestem totalnie zdezorientowany. To góra pieniędzy. Za dużo mi zapłacili.

– Jasny gwint! Mówisz poważnie?! – aż krzyknęła. – Miliard dolarów? Co zrobisz z takim majątkiem?

– Nie wiem. Muszę sobie kupić nowe trampki. Czy znajdziesz czas, żeby wybrać się ze mną jutro na zakupy?

– Zack, czy możesz przestać na chwilę? To ogromne osiągnięcie. Nie możesz się nim nacieszyć? Możesz zrobić, cokolwiek tylko zechcesz. Jesteś kimś superważnym i teraz też bardzo bogatym.

Jeszcze nie potrafił w to uwierzyć, dlatego starał się nie zaprzątać sobie tym głowy.

– Tak... Może... Nie wiem... Nigdy o tym nie myślałem w ten sposób.

Wieczorem umówili się na kolację w Jack in the Box, a następnego dnia poszli razem kupić mu nowe buty. Namówiła go za zakup dwóch par: niskich czarnych, które mógłby wkładać na bardziej oficjalne okazje, i wysokich białych na co dzień. Nie był skąpy, tylko nie dbał o rzeczy materialne. Uwielbiał programować i usprawniać systemy komputerowe. Pieniądze miały dla niego mniejsze znaczenie. Miał dwadzieścia cztery lata i był już miliarderem. On sam nie potrafił tego pojąć. Ruby wiedziała, że inni mogą próbować go teraz wykorzystać. Niektórzy starali się to zrobić już od pierwszej umowy, którą podpisał. Zack również był tego świadom. Czasami mu współczuła. Trudno było odgadnąć, kto jest wobec niego szczery. Jedyną stałą w jego życiu była ona. Wciąż się bardzo przyjaźnili i to nigdy nie miało się zmienić. Wiedzieli, że zawsze mogą na siebie liczyć.

– Nie zapominaj, że obiecałeś mi pomóc w znalezieniu pracy – przypomniała mu. – Może twój tata mógłby mi załatwić rozmowę w Hewletcie-Packardzie.

Jego ojciec piastował w firmie kierownicze stanowisko. Zack rzadko z nim rozmawiał, ale taki układ mu odpowiadał.

– Zapytam, ale nie potrzebujesz jego pomocy. Jesteś najmądrzejszą dziewczyną, jaką znam – powiedział Zack, uśmiechając się do niej.

Mógł z nią rozmawiać o wszystkim: o swoich nowatorskich projektach informatycznych, ale też o sporcie, książkach, ludziach czy pomysłach.

Myślał o tym wieczorem po powrocie do domu. Dostał wiadomości z „The New York Timesa" i „The Wall Street Journal" z propozycjami wywiadów, jak również z kilku zagranicznych czasopism i z „Time'a", ale je wyrzucił. Nie miał nic do powiedzenia dziennikarzom. Nie był zainteresowany rozmowami z przedstawicielami prasy. Wiedział, że Ruby przyznałaby mu rację. Uważała, że chcą go wykorzystać, i przestrzegała go już nie raz.

Zastanawiał się, jak mógłby pomóc Ruby w znalezieniu pracy, kiedy nagle uzmysłowił sobie, że dokładnie wie, co może jej zaproponować. Zadzwonił do niej rano. Obudził ją.

– Czemu jeszcze śpisz? – zapytał zdziwiony.

– Bo jest siódma rano i jest sobota, a wczoraj długo siedziałam i oglądałam telewizję – zrzędziła. – Dobrze wychowani ludzie nie dzwonią do nikogo przed dziewiątą w dni powszednie i przed dziesiątą w weekend. Babcia zawsze mi to powtarza.

– To dotyczy innych, ale nie ciebie. Poza tym wymyśliłem dla ciebie idealną pracę.

– Rozmawiałeś z ojcem? – odezwała się z nadzieją w głosie i usiadła na łóżku.

Był letni poranek, lekka mgła spowijała San Francisco. Ruby obiecała dziadkom, że pomoże im dziś w sklepie. Od ukończenia szkoły przed paroma tygodniami często się angażowała w sprzedaż antyków.

– Nie, pomysł jest mój – przyznał Zack. – Wpadnę później i opowiem ci wszystko ze szczegółami.

– Dziś pracuję w sklepie.

– Muszę coś jeszcze załatwić, ale przyjdę do ciebie później.

– Nigdzie się nie wybieram – odpowiedziała i się rozłączyli.

Wstała chwilę później. Sklep otwierali dopiero o jedenastej, miała pracować razem z Timem Averym i młodą asystentką, którą niedawno zatrudnili. Pomagała babci przy projektach dekoratorskich. Dziadkowie zrobili sobie dzień wolny. Poszli na wystawę do muzeum, którą Eleanor bardzo chciała zobaczyć.

Ruby obsługiwała klientkę zainteresowaną angielskim biurkiem, kiedy mniej więcej w porze lunchu przyszedł Zack. Rozsiadł się w fotelu i uśmiechnął się do niej, patrząc, jak udziela kobiecie szczegółowych informacji, a potem wręcza zdjęcia antyku, żeby mogła pokazać mężowi i przemyśleć zakup. Po wyjściu klientki Ruby podeszła do przyjaciela. Miał na sobie stare szorty i nowiutkie białe, wysokie conversy. Wyglądał na podekscytowanego i nie przestawał się uśmiechać.

– Co to za praca, którą masz dla mnie?

– Powoli. Myślałem już o tym wcześniej, ale i tak trzeba było poczekać, aż skończysz studia.

– Duża firma czy dopiero zaczynająca na rynku? – Była zaciekawiona.

– Bardziej to drugie. Jesteś idealną kandydatką. Bo jesteś geniuszem, Ruby Moon. Możesz robić wszystko. Nigdy nie masz najmniejszych problemów, żeby mnie zrozumieć. – Cały czas się do niej uśmiechał, a nagle zsunął się, przyklękając na jednym kolanie. W szortach i białych trampkach przypominał dzieciaka, którym zresztą wciąż był. Miał dwadzieścia cztery lata, ale wyglądał na piętnaście. – Czy zostaniesz moją żoną, Ruby? – zapytał z nadzieją w oczach.

Dziewczyna patrzyła na niego z niedowierzaniem i lekką irytacją.

– Przestań się wygłupiać! Myślałam, że na poważnie chcesz mi pomóc. To nie jest śmieszne. Potrzebuję pracy. Nie mogę wiecznie żyć na koszt dziadków.

– Jestem poważny – powiedział, wciąż klęcząc przed nią na jednym kolanie.

Tim i nowa asystentka obserwowali ich z zainteresowaniem. Tim czytał w gazecie o niespodziewanym przypływie gotówki Zacka. Zresztą nie była to żadna tajemnica, chyba cały świat już o tym wiedział. Zauważyli, że chłopak wyjmuje coś z kieszeni rozciągniętych i spranych szortów, które były czyste, ale porwane, a ich pierwotny kolor zupełnie wyblakł. Trzymał teraz w dłoni małe, szare, skórzane pudełeczko obwiązane białą satynową wstążką. Podał je Ruby.

– Co to jest? – Była wyraźnie zbita z tropu, ale wzięła je do ręki.

– To dla ciebie. Otwórz.

Ostrożnie rozwiązała kokardkę i uniosła wieczko, a ogromny okrągły przedmiot błysnął z taką siłą, że prawie ją oślepił.

– Jasny gwint, Zack, co to jest?

Wtedy się podniósł, wyjął błyskotkę z pudełka i wsunął jej na palec.

– To pierścionek zaręczynowy, głuptasie. Nigdy wcześniej żadnego nie widziałaś?

– Ale nie taki.

Podniosła na niego wzrok i zrozumiała, że nie żartuje, a wtedy oniemiała.

– Wczoraj wieczorem uświadomiłem sobie, że cię kocham. Jesteś najwspanialszą kobietą, jaką znam, i chcę cię poślubić. O taką właśnie pracę mi chodziło. Chciałbym, żebyś została moją żoną. Na pełen etat. – Szeroko się do niej uśmiechnął, na co i ona się roześmiała. – Brylant ma trzydzieści karatów. Wybrałem największy, jaki był w sklepie. Pomyślałem, że większy byłby zbyt pretensjonalny, ale możemy zamówić, jeśli chcesz. – Opowiadał o tym, jakby chodziło o deskorolkę albo telewizor, i z zadowoleniem patrzył na jej dłoń.

Ruby wpatrywała się w klejnot, który lśnił jak samochodowy reflektor. Miała na sobie dżinsową spódnicę i sweterek, a on wyglądał, jakby wybierał się do parku wyprowadzić psa na spacer. Byli niczym dwójka dzieciaków. Nie odrywała wzroku od niesamowitego kamienia na swoim palcu.

– Czy nie jesteśmy za młodzi na ślub? Mam tylko dwadzieścia dwa lata, a ty dwadzieścia cztery.

– Kocham cię, Ruby – odpowiedział po prostu i ją pocałował po raz pierwszy w życiu.

Pracownicy sklepu uśmiechnęli się na ten widok. Kiedy oderwał się od jej ust, Ruby promieniała.

– Też cię kocham. Zawsze cię kochałam, Zack. Choć myślałam, że tylko się przyjaźnimy.

– Przyjaźnimy się, i to właśnie jest najcudowniejsze. Każde z nas poślubi najlepszego przyjaciela. Poza tym fajnie byłoby mieć kiedyś dzieci. Chciałabyś?

Skinęła głową. Wszystko potoczyło się błyskawicznie, w tym samym zawrotnym tempie co jego sukcesy zawodowe. Zack żył na pełnych obrotach i nie lubił marnowania czasu. Ale kochała go i chciała zostać jego żoną, choć nigdy wcześniej nie była w poważnym związku. Może właśnie dlatego, że kochała jego. Wcześniej nie miała pewności, lecz teraz już to wiedziała. Spojrzała raz jeszcze na pierścionek, a potem podniosła wzrok na chłopaka.

– Nie musiałeś mi kupować takiego drogiego pierścionka – zauważyła delikatnie. – Poślubiłabym cię i bez tego.

– Dlatego właśnie tak cię uwielbiam – powiedział i pocałował ją jeszcze raz.

Jej dziadkowie zajrzeli do sklepu, żeby sprawdzić, jak idą interesy, choć ufali wnuczce, bo była rozsądną młodą dziewczyną. Uśmiechnęli się na widok Zacka.

– Czy planujesz teraz kupno antyków, chłopcze? – zażartował Alex, wjeżdżając do środka na wózku. Eleanor szła tuż za nim i nagle jej uwagę zwrócił klejnot mieniący się na lewej dłoni wnuczki.

– Dobry Boże, co to jest?

– Diament – wyjaśnił rzeczowo Zack. – Właśnie oświadczyłem się Ruby.

Spojrzał na dziewczynę z uśmiechem, a ona się zawstydziła.

– Naprawdę? – zdziwił się Alex. – I co ci odpowiedziała?

Zack zmarszczył brwi, zakłopotany, i obrócił się do Ruby. Nagle stracił pewność siebie.

– Co odpowiedziałaś? – zapytał, a ona się uśmiechnęła i nachyliła, żeby go cmoknąć w policzek.

– Powiedziałam „tak"… Przynajmniej zamierzałam…

Rozpromieniony chłopak spojrzał na jej dziadka.

– Powiedziała „tak".

Alex się roześmiał, a uradowana Eleanor z niedowierzaniem kręciła głową.

– Moje gratulacje – powiedział Alex i uścisnął dłoń przyszłego męża Ruby, a Eleanor przytuliła wnuczkę.

– Teraz musimy zorganizować wam wesele – oświadczyła entuzjastycznie.

Byli młodzi, Zack bywał dziwakiem, ale wydawał się idealnym partnerem dla ich wnuczki. Ruby będzie dla niego dobrą żoną, a on dla niej dobrym mężem.

Rozdział 15

Kiedy Ruby już się oswoiła z tym pomysłem, perspektywa poślubienia Zacka szalenie ją uradowała. Nie potrafiła sobie wyobrazić odpowiedniejszego kandydata na męża niż najlepszy przyjaciel. Nie mieli przed sobą żadnych tajemnic, znali się jak łyse konie i rozumieli bez słów, a po zaręczynach Zack jakby nabrał rozpędu – ciągle ją rozpieszczał i uszczęśliwiał. Pierścionek z ogromnym brylantem był tylko skromnym początkiem. Zasypywał ją teraz upominkami, planowali wspólne podróże, rozmawiali o domu, jaki sobie kupią, i co będą razem robić w przyszłości. Informatyczny geniusz pozwolił Zackowi na zdobycie niesamowitej fortuny, czego zresztą do końca sobie nie uświadamiał, a jedyne, czym się zajmował, to trwonienie majątku na Ruby. Dziewczyna wcale tego nie oczekiwała, a fakt, że nawet tego nie chciała, sprawiał mu jeszcze większą frajdę. Była skromna i niewymagająca – właśnie za to ją kochał. I miał ochotę jeszcze bardziej jej dogadzać.

Spontanicznie założył, że żona po ślubie wprowadzi się do jego obskurnego studenckiego mieszkania i dopiero gdy jej babcia delikatnie zasugerowała, że może być za małe dla dwóch osób, Zack przyznał jej rację. Zresztą wszystkie swoje meble przytaszczył ze sklepów z używanymi rzeczami i teraz zawstydził się, że Ruby miałaby zamieszkać pośród nich. Uświadomili sobie, że potrzebują domu lub mieszkania, ale nie potrafili się zdecydować gdzie. Zack nie był pewien, czy chce dalej mieszkać w Palo Alto, gdzie dorastał, czy może lepiej wybrać San Francisco, gdzie wychowała się Ruby. Dziewczyna zauważyła, że mogą tymczasowo zatrzymać się u jej dziadków i spać w jej pokoju, aż wreszcie postanowią, gdzie się osiedlić. Pomysł przypadł do gustu Zackowi, bo bardzo lubił Alexa i Eleanor, którzy zawsze byli dla niego mili. Narzeczeni uznali więc, że nie ma pośpiechu, że jeszcze mają czas na szukanie własnego kąta. Mogli całą uwagę skupić na przygotowaniach do ślubu, bo według Zacka było to zdecydowanie bardziej naglące.

Wesele co prawda mogło mu nastręczyć paru zmartwień, bo jego rodzice nie rozmawiali ze sobą, a wręcz nie chcieli przebywać razem w jednym pomieszczeniu. Był pewien, że jego matka nie przyjedzie. Nigdy nie przyjeżdżała na ważne dla syna wydarzenia. Po rozwodzie został z ojcem, który niestety nie miał odpowiednio dużego domu na zorganizowanie przyjęcia. Poprosili o radę babcię i dziadka Ruby, którzy znali najznakomitsze rezydencje w mieście, bo niejedną umeblowali. Doszli do wniosku, że hotel byłby zbyt komercyjny. Dawny dom Alexa nie wchodził w grę. Został przerobiony na hotel, potem kilka razy zmieniał właściciela, przez co z wolna popadał w ruinę. Budynek był strasznie zaniedbany, poza tym nie zachowały się w nim żadne meble sprzed lat. Obecni właściciele rozważali rozbiórkę. Alex nie przekroczył progu rodzinnego domu od dnia, w którym go sprzedał. Nie chciał tam wracać. Uważał, że wspominanie minionej świetności byłoby zbyt bolesne. Eleanor nieśmiało zasugerowała szkołę Hamiltona, mieszczącą się w dawnej rezydencji Deveraux. Nigdy tam nie była, ale słyszała od wielu klientów, którym urządzała wnętrza, że budynek jest wynajmowany na wesela, a odpowiednio dobrane kwiaty i aranżacja wystroju sprawią, że będzie idealnym miejscem na przyjęcie. Przez chwilę się wahała, czy to dobry pomysł, ale przynajmniej miejsce wiele dla niej znaczyło – tam przecież odbyło się wesele jej i Alexa. Ruby przyklasnęła projektowi babci. Zack też był otwarty na jej propozycję. Razem z narzeczoną nie mieli zbyt wielu znajomych, więc planowali zaprosić około stu pięćdziesięciu gości, najwyżej dwustu. Doszli więc do wniosku, że wynajęcie szkoły będzie idealnym rozwiązaniem ze względu na więź łączącą budynek z rodziną Ruby.

– Może umówimy się, żeby zobaczyć, jak wygląda w środku? – zapytała Eleanor narzeczonych pewnego wieczoru, kiedy jedli razem kolację. Ruby uznała, że to świetny pomysł.

Chcieli się pobrać jesienią, rozważali październik, bo w tym miesiącu wzięli ślub jej dziadkowie. Organizacja przyjęcia zepchnęła na dalszy plan poszukiwanie pracy przez Ruby, która postanowiła poczekać i zacząć rozglądać się za zajęciem po Nowym Roku, jak już wrócą z podróży poślubnej i skończą się święta. Wtedy skupi się na przeglądaniu ofert. Teraz ważniejsze było znalezienie idealnego miejsca na wesele.

Eleanor z łatwością umówiła się na spotkanie w szkole, co ją zaskoczyło. Spodziewała się, że będzie musiała się tłumaczyć, kim jest i co zamierzają. Mieli koordynatorkę imprez, która zajmowała się wynajmowaniem budynku na przyjęcia i która poinformowała ją, że szkoła cieszy się dużą popularnością i często w jej gmachu organizuje się wesela. Mieli nawet broszurę ze wszystkimi niezbędnymi detalami. Obiecała ją przesłać pocztą. Eleanor zapoznała się z ulotką, w której znalazła wszystkie szczegóły dotyczące oferty, pakietów, sal udostępnianych pod wynajem, a także obowiązujących zasad. Zauważyła też, że sala balowa pozostała praktycznie niezmieniona. Była teraz przede wszystkim wykorzystywana do apeli szkolnych. Wesela odbywały się w przestrzeni wokół recepcji. Sypialnie na pierwszym piętrze zostały przekształcone w sale klasowe i nie wynajmowano ich na imprezy. Ale można było wykorzystać schody w głównym holu do zejścia panny młodej, jeśli takie było życzenie klienta. Lektura broszury wzbudziła w Eleanor osobliwe wzruszenie, bo gdy patrzyła na historyczne zdjęcia prezentujące wystawny bal z przeszłości, słodycz mieszała się w niej z goryczą. Od razu rozpoznała, że to był jej pierwszy bal: lokaje ustawieni w równym rzędzie w holu wejściowym z tacami w dłoni, oferujący wchodzącym gościom po lampce szampana na powitanie. Aż ból przeszył jej serce, gdy zalała ją fala nostalgii.

– Czy nie będzie ci zbyt ciężko, jeśli ślub odbędzie się w twoim dawnym domu? – zapytał ją później Alex, z czułością patrząc na żonę.

– Nie sądzę. Na pewno pojawi się wzruszenie, może zabarwione nutą goryczy. Sam jednak zobacz, ile to znaczy dla Ruby. Jest zafascynowana historią naszej rodziny. – Uśmiechnęła się do niego. – Zresztą podoba mi się, że będzie miała wesele w tym samym miejscu co my, nawet jeśli niemal wszystko się zmieniło i budynek należy do kogoś innego. – Niektóre wnętrza zachowały czar dawnych lat. – Czy to nie zabawne? Camille w ogóle się tym nie interesowała, a Ruby jest bardzo przywiązana do przeszłości. Może to cecha, która pojawia się w co drugim pokoleniu. – Zamyśliła się.

– Są zupełnie inne – przyznał cicho Alex. – Ruby bardziej przypomina ciebie. Camille chciała wytyczyć własną ścieżkę, co doprowadziło do tragedii.

– Myślę, że Ruby zawsze bała się, że skończy jak matka. Kiedyś mi się z tego zwierzyła. W niczym jednak nie są do siebie podobne. Ruby jest konserwatystką, jak my, i docenia dawne zwyczaje.

Ich córka nie żyła już od dwudziestu dwóch lat, jej śmierć pogrążyła ich w nieutulonym żalu. Ruby okazała się dla nich wielką pociechą, Jako dziecko była urocza i grzeczna. Nigdy nie mieli z nią żadnych problemów. Nie buntowała się i łączyła ich bliska więź.

W dniu, w którym Eleanor i Ruby wybrały się obejrzeć szkołę, Zack postanowił im towarzyszyć. Już od progu narzeczonych zachwyciło majestatyczne piękno budynku. Trzymali się za ręce i podziwiali wysokie sufity, zachwycające gzymsy, drewniane podłogi, żyrandole i szerokie schody. Eleanor również zaparło dech w piersiach, poczuła się, jakby cofnęła się do przeszłości. Nie była w środku od pięćdziesięciu jeden lat, od kiedy razem z rodzicami i Alexem się wyprowadzili w 1930 roku. Charles i Louise zamieszkali wtedy nad jeziorem Tahoe, a oni wynajęli małe mieszkanko w Chinatown. Od tamtej pory w ich życiu wiele się wydarzyło.

Koordynatorka imprez oprowadziła ich i wyjaśniła, jak mogą wykorzystać każde pomieszczenie. Eleanor słuchała jej z uśmiechem.

– Tutaj podjęliśmy gości kolacją – powiedziała rozmarzonym głosem. – A na zewnątrz stanął ogromny namiot. Zajął cały plac – dodała, a kobieta zareagowała uprzejmym skinieniem głowy.

– Już państwo wynajmowali budynek? Pracuję w szkole dopiero od czterech lat.

– To był mój dom rodzinny – wyjaśniła cicho Eleanor. – Tu się wychowałam i mieszkałam z rodzicami. Tu odbyło się moje wesele.

Kobieta była pod ogromnym wrażeniem.

– W takim razie pani wiedza o budynku musi przerastać moją. Możemy też wynająć salę balową. Niestety, ogród już nie należy do szkoły, został sprzedany przed laty. Stoi tam teraz dom, który wybudowali nowi właściciele, ale goście mogą spacerować wokół gmachu szkoły, jeśli pogoda dopisze.

Obejrzeli wszystkie dostępne na wynajem pomieszczenia, a Eleanor za każdym razem musiała odpierać falę wspomnień, która w niej wzbierała – rodzice, Alex, świąteczne bankiety, które wyprawiali, bale, jej debiut towarzyski i ślub. Pokoje wypełniały duchy przeszłości, wspomnienia szczęśliwych chwil, a Ruby i Zack po wyjściu byli głęboko wzruszeni.

– Och, babciu, dom jest przepiękny. Czy będziesz bardzo smutna, jeśli wynajmiemy go na nasz ślub? – Ruby się zmartwiła, tymczasem Zack był oszołomiony i urzeczony pięknem dawnej rezydencji Deveraux.

– Wręcz przeciwnie, sprawicie mi tym ogromną radość – przyznała szczerze Eleanor. – Twój dziadek i ja będziemy szczęśliwi, jeśli zdecydujecie się wziąć ślub w tym samym miejscu co my. Żałuję, że dom już do nas nie należy, wtedy moglibyśmy urządzić przyjęcie na miarę dawnych czasów. Zauważyłam, że przepisy każą skończyć o północy. Na weselu i moim pierwszym balu bawiliśmy się aż do śniadania serwowanego następnego dnia rano.

– Brzmi nieźle – zauważył Zack. – McMuffin z jajkiem dla każdego!

– Raczej bliny z kawiorem – poprawiła go dobrodusznie Eleanor.

– Łał!

– Wyprawimy wam wspaniały ślub – ucieszyła się pełna entuzjazmu Eleanor. W pewien sposób pozwoli jej to wrócić do domu. – Co wy na to? Zgadzacie się?

Oboje z entuzjazmem skinęli głowami, byli równie podekscytowani jak ona. Wieczorem Eleanor opowiedziała o wszystkim mężowi, nie pomijając zmian, jakie zaszły we wnętrzach budynku. Bardzo chciała obejrzeć piętro, ale nie było to możliwe. Modyfikacje, które wprowadzono wewnątrz, były podyktowane koniecznością dostosowania go do potrzeb placówki edukacyjnej, ale nie były rażące. Nie była zaszokowana ani zniesmaczona, tylko wzruszona z powodu fali wspomnień, która ją zalała – w większości szczęśliwych, z dzieciństwa i młodości.

Potwierdziła termin z koordynatorką już następnego dnia, a Alex wypisał czek na zaliczkę. Tim podrzucił go do szkoły, wracając do domu po pracy. Zack i Ruby na datę ślubu wybrali sobotę trzeciego października, dwa dni po rocznicy jej dziadków. Mieli cztery miesiące na przygotowanie wesela, w co ochoczo zaangażowała się Eleanor. Musiała znaleźć florystkę, firmę cateringową, zespół, który spodoba się młodym, a także cukiernika, który upiecze weselny tort. Było mnóstwo drobiazgów, o które trzeba było zadbać, ale sprawiało jej to radość. Eleanor dopięła wszytko na ostatni guzik przed wyjazdem nad jezioro Tahoe pod koniec lipca.

Zanim jednak wyruszyli na urlop, pewnego popołudnia Ruby po powrocie do domu zobaczyła, że babcia czeka na nią z gigantycznym pudłem. Prześliczna suknia ślubna od Jeanne Lanvin ze wszystkimi dodatkami wciąż była przechowywana w oryginalnym opakowaniu. Eleanor obiecała, że pokaże ją wnuczce, żeby dziewczyna zadecydowała, czy woli nową sukienkę, czy tę należącą do babki. Ruby wciąż się wahała, co zrobić: czy zamówić bardziej współczesną kreację, czy też zdać się na tradycję. Nie była pewna, czy suknia babci będzie na nią pasować, czy nie wygląda zbyt staroświecko. Kreacja miała już przecież pięćdziesiąt dwa lata, ale krój, który wybrały Louise z córką, był ponadczasowy. Eleanor ostrożnie zdjęła bibułę zabezpieczającą i powoli wyjęła suknię z pudła. Ruby uważnie się temu przyglądała i kiedy wreszcie ujrzała suknię w całej okazałości, aż jęknęła z zachwytu. Nigdy wcześniej w całym swoim życiu nie widziała nic równie pięknego. Babka rozprostowała jeszcze welon, który nic a nic się nie zestarzał od dnia jej ślubu. Wilson zapakowała suknię i dodatki w dniu wyjazdu młodej pary w podróż poślubną. Eleanor cieszyła się teraz, że jej matka postanowiła ją zachować i nie sprzedała jej w 1929 roku z resztą garderoby, futrami i sukniami wieczorowymi. Wszystko poszło wtedy za nędzne grosze.

Eleanor ostrożnie rozpięła maleńkie guziczki, a Ruby zdjęła spódnicę i top. Babka pomogła jej włożyć suknię, która pasowała na dziewczynę idealnie. Choć była ciężka od haftów i pereł, pięknie się układała i była tak uszyta, że wydawała się lekka jak piórko. Eleanor zapięła teraz guziki, a kiedy skończyła, Ruby odwróciła się, żeby się przejrzeć w lustrze. Kiedy zobaczyła swoje odbicie, głośno westchnęła. Patrzyła na nią najpiękniejsza panna młoda pod słońcem. Nawet długość sukni była odpowiednia, materiał nie odstawał na ramionach i idealnie przylegał do wąskiej talii dziewczyny. Eleanor założyła na głowę wnuczki welon, poprawiła go i oznajmiła, że przechowuje również tiarę, którą miała na ślubie. Zachowała klejnot, chociaż resztę biżuterii byli zmuszeni sprzedać. Nie potrafiła się z nim rozstać.

– Och, babciu, czy mogę ją założyć na ślub? – wyrzuciła z siebie oszołomiona Ruby, a Eleanor wyobraziła sobie uśmiechniętą Madame Lanvin, własną matkę i Wilson stojące w tle. Wiedziała, że była pokojówka jej rodziców wciąż żyła i mieszkała w Irlandii. Miała dziewięćdziesiąt osiem lat, jej mąż Houghton zmarł kilka lat wcześniej.

– Oczywiście, że tak, kochanie. Nic mnie bardziej nie uszczęśliwi.

Uściskała wnuczkę, żałując, że życie nie ułożyło się inaczej. Oddałaby wszystko, żeby Camille wciąż żyła i sama stanęła na ślubnym kobiercu w tej sukni. Tymczasem los zadecydował inaczej i skazał ją na tragiczny koniec. Nic jednak nie dzieje się bez przyczyny, a Ruby okazała się najwspanialszym darem, jaki z Alexem otrzymali. Teraz jej wnuczka miała zacząć nowe życie u boku Zacka, w sukni po babce.

Pomogła Ruby zdjąć sukienkę i welon, a potem razem zawinęły ją w bibułę i ostrożnie wsunęły z powrotem do pudła. Wyjmą ją dopiero po powrocie znad jeziora, żeby ją przewietrzyć. Do tego czasu będzie bezpiecznie schowana czekała na wielki dzień.

Kiedy wyszły z pokoju Eleanor, poczuły, jakby połączył je wspólny sekret. Eleanor nie mogła się doczekać, żeby zobaczyć wnuczkę w dniu ślubu, była też ciekawa min Zacka i Alexa na widok Ruby.

Ruby z trudem się powstrzymywała, żeby nie powiedzieć Zackowi o sukni, kiedy się spotkali godzinę później. Chciała dochować tajemnicy aż do dnia ślubu. Chłopak nie zdawał sobie sprawy z istnienia kreacji. Wcześniej o niej nie wspominała, ponieważ nie była pewna, czy ostatecznie ją włoży.

Byli zaręczeni już od miesiąca, a po przymiarce sukni Ruby poczuła się wreszcie jak panna młoda. Przygotowania do ślubu nie nastręczały większych problemów. Wszystko działo się w zawrotnym tempie i zmieniało się jak w kalejdoskopie. Dotąd Ruby i Zack byli tylko przyjaciółmi, a za trzy miesiące mieli być mężem i żoną. Nawet ze sobą nie spali. Trudno im było znaleźć okazję. Mieszkała z dziadkami, a on wciąż wynajmował obskurne mieszkanie o pół godziny jazdy z Palo Alto. Nie chciał, aby do ich pierwszego zbliżenia doszło wśród używanych brzydkich mebli, które zachowały się z jego studenckich lat. Nawet nie mieli czasu rozejrzeć się za własnym lokum, bo planowali tymczasowo osiąść w domu Alexa i Eleanor.

Zack tak naprawdę nie dbał o to, gdzie mieszka. Rozmawiali o romantycznym weekendowym wypadzie, ale w końcu zabrakło im czasu, żeby się wybrać za miasto. Jej dziadek zaproponował, żeby zatrzymali się w domku gościnnym nad Tahoe. Razem z babcią mieli bardzo nowoczesne podejście w tej kwestii, jak się okazało. W końcu ich wnuczka była zaręczona. Wcześniej nie rozmawiali z nią na ten temat, ponieważ nie przyprowadzała chłopaków do domu. Dotąd w nikim się nie zakochała, a seks uprawiała zaledwie dwa razy – z chłopakiem, którego nie kochała – kiedy przesadziła z alkoholem na studenckiej imprezie. Oboje z Zackiem byli jednak podekscytowani perspektywą pierwszej wspólnej nocy, ale też lekko onieśmieleni.

Obiecała, że pomoże mu wieczorem w porządkowaniu mieszkania. Uznał, że najwyższy czas pozbyć się gratów, a Ruby ochoczo zaoferowała wsparcie. Zobowiązał się zorganizować pizzę i worki na śmieci, jeśli wspomoże go w tym wysiłku. Jedyną rzeczą, która warto było zachować, był jego zdaniem komputer.

Pojechała do Palo Alto wieczorem po przymiarce sukienki i przez całą drogę czuła się jak we śnie. Czule go pocałowała na powitanie. Z jej twarzy nie schodził tajemniczy uśmiech, nie mogła przestać myśleć o kreacji Jeanne Lanvin.

– Jak miło – rozpromienił się i odwzajemnił pocałunek.

Od kiedy się zaręczyli, niewiele czasu spędzali tylko we dwoje, dlatego bardzo się cieszyli, że mają teraz parę chwil dla siebie, nawet w tym obskurnym mieszkaniu. Nie przeszkadzało mu ono w studenckich czasach, ale nie było już odpowiednie, gdy odniósł ogromny sukces i zamierzał się ożenić, mimo że nie zależało mu na rzeczach materialnych. Właśnie dlatego nie wyprowadził się po zdobyciu dyplomu.

Ruby się rozejrzała i aż wzdrygnęła. Była u Zacka wcześniej, kiedy jeszcze oboje studiowali, ale niestety teraz mieszkanie wyglądało na potwornie zapuszczone.

– Kiedy ostatni razu tu sprzątałeś? – Zainteresowała się, próbując zrobić sobie trochę miejsca, żeby usiąść na zasłanej książkami i gazetami kanapie.

– Nie pamiętam... Na święta Bożego Narodzenia? W zeszłe wakacje? Czemu pytasz?

– Według mnie większość rzeczy powinna od razu trafić na śmietnik, worki na śmieci nie wystarczą – odpowiedziała szczerze.

– Jest aż tak źle?

Skinęła głową.

– Najlepiej będzie spakować książki, a reszty po prostu się pozbyć – zasugerowała.

– Zgoda.

Wyciągnął kartonowe pudła, do których zaczęła wkładać książki. Zack pokroił pizzę i nalał czerwone wino do dwóch kieliszków, jedynych, jakie miał. Patrzył na nią, jak schylona zajmowała się sprzątaniem. Nagle obejrzała się, żeby sprawdzić, co on robi. Był jak zahipnotyzowany, jakby ujrzał ją pierwszy raz w życiu.

– Co? Wyglądam dziwnie czy coś?

– Nie, jesteś piękna, Ruby. Nie potrafię oderwać od ciebie oczu.

Zarumieniła się, słysząc komplement, a wtedy podszedł i ją pocałował. Wsunął dłonie pod jej koszulkę, a potem z zapartym tchem powoli ją z niej zdjął i rzucił za siebie. Pocałowała go, odpiął jej biustonosz i schylił się, żeby pieścić jej piersi.

– Wydawało mi się, że przyszliśmy cię spakować – wytknęła mu chrapliwym głosem, jednocześnie odpinając mu szorty, a potem osunęli się na podłogę.

Ruby była naga od pasa w górę, a Zack w samej bieliźnie. Zaniósł ją do łóżka, gdzie szybko pozbyli się reszty ubrań. Leżeli nadzy, odkrywając własne ciała po raz pierwszy w życiu i poznając smak pożądania, o którym wcześniej nie mieli pojęcia. Był pełnym zapału, a jednocześnie czułym kochankiem. Rozkwitała pod jego dotykiem i niespodziewanie poczuła się przy nim jak kobieta, nie była już dziewczyną.

Potem odpoczywali, ciężko dysząc. Na jego twarzy jaśniał błogi uśmiech, również ona promieniała radością. Była szczęśliwa i zakochana.

– Powinienem już wcześniej poprosić cię o pomoc w pakowaniu – powiedział urzeczony jej ciałem.

– Powinieneś puścić to miejsce z dymem – zażartowała.

– Chyba właśnie to zrobiliśmy – stwierdził i pocałował ją, a potem wstał po wino i podał jej kieliszek. – Kocham cię, Ruby Moon.

– Kocham cię, Zack.

– Pokocham bycie twoim mężem – przyznał uradowany.

Upili łyk wina, odstawili kieliszki i znów się kochali.

Latem Eleanor zamierzała porządnie odpocząć nad Tahoe, żeby nabrać sił przed powrotem do miasta i organizacją wesela, bo chciała zatroszczyć się o najdrobniejsze szczegóły. Godzinami przesiadywała w ogrodzie i namawiała Alexa, żeby jej towarzyszył. Zawsze mogli tam liczyć na chwile spokoju. Pływali łódką, Alex łowił ryby. Zack przyjechał z Ruby i zostali na tydzień. Zatrzymali się w domku gościnnym. Każdej nocy się kochali, a w ciągu dnia chodzili na długie spacery. Oboje byli radzi, że wkrótce się pobiorą, i snuli plany na przyszłość. Zack wynajął jacht na Karaibach, na którym mieli spędzić miesiąc miodowy, Ruby wydało się to niesamowicie luksusowe.

Jedyną kwestią sporną, która ich dzieliła, była treść zaproszenia, a dokładnie adnotacja dotycząca stroju gości. Zack upierał się przy stylu nieformalnym, ale Ruby zaprotestowała.

– Jeśli tak napiszemy, wszyscy twoi kumple programiści przyjdą w szortach i conversach – żaliła się dziewczyna.

– Co w tym złego? – dziwił się autentycznie zaskoczony Zack, na co Alex z Eleanor wymienili rozbawione spojrzenia. Wiedzieli, że ich wnuczka ma rację. Jej narzeczony zawsze wyglądał, jakby włożył ubrania znalezione rankiem na podłodze.

– Chciałabym, żeby wszyscy na naszym ślubie wyglądali wytwornie. – Ruby się nie poddawała. Zamierzała wystąpić w przepięknej sukni ślubnej babci, dlatego wolała, żeby pan młody przyszedł w garniturze. – Nie umrą, jeśli choć raz, dla odmiany, ubiorą się jak dorośli.

Zack jeszcze przez chwilę narzekał, ale ostatecznie ustąpił. Ruby zwierzyła się Eleanor, że nie chciałaby w swojej bajecznej sukni znaleźć się w tłumie chłopaków w strojach odpowiednich na plażę lub do gry w kosza. Babcia ją rozumiała, dlatego na zaproszeniu zamieścili następującą wskazówkę: „krawat i marynarka / sukienka koktajlowa", żeby zapewnić uroczystości elegancką oprawę.

W San Francisco Ruby wybrała się z Zackiem do sklepu po garnitur, bo nie miał ani jednego. Był jednym z najbogatszych ludzi w Ameryce, a nawet nie miał porządnych ubrań.

Kiedy pod koniec sierpnia wrócili nad jezioro, Eleanor była zaaferowana opracowywaniem szczegółowych planów przyjęcia weselnego. Kwiaty, jedzenie, tort... Sprawdziła obrusy, jakie mieli w szkole Hamiltona, i poprosiła o zamówienie nowych. Kilka razy spotkała się w szkolnym budynku z florystką. Starała się tak zaaranżować wnętrza, aby odtworzyć atmosferę, jaka panowała na jej ślubie, choć ze zdecydowanie mniejszą pompą, niż udało się to jej rodzicom pięćdziesiąt dwa lata wcześniej. Wtedy kwietne girlandy zdobiły każdą framugę, teraz Eleanor ograniczyła się do ustrojenia dwojga drzwi. Stoły ustawiono w sali balowej, ale i tak pozostało wystarczająco dużo miejsca na tańce i podest dla zespołu.

Eleanor nie zapomniała oczywiście o szykownej sukience dla siebie – z granatowej koronki i z bolerkiem w komplecie. Suknia ślubna gotowa do włożenia wisiała w pokoju gościnnym, Ruby wybrała odpowiednie pantofle. Razem z babcią były identycznego wzrostu, ale Eleanor nosiła mniejszy rozmiar buta. Miała stopy drobniejsze i węższe niż współczesne młode kobiety.

Rodzice Zacka po rozwodzie nie utrzymywali dobrych stosunków, dlatego Eleanor postanowiła zrezygnować z próbnej kolacji, co początkowo zirytowało chłopaka. Ruby przekonała go, że to nic wielkiego, ale było mu przykro, że matka ani ojciec nie potrafią dla niego wykrzesać z siebie odrobiny uprzejmości. Matka została zaproszona na ślub z nowym mężem, którym Zack gardził, natomiast ojciec zamierzał przyjść ze swoją dziewczyną, poznaną przez serwis randkowy, która była zaledwie o rok starsza od Ruby. Zack był tym zniesmaczony. W przeddzień ślubu narzeczeni planowali zjeść kameralną kolację razem z babcią i dziadkiem Ruby.

Zack już pracował nad nowymi rozwiązaniami sieciowymi, były o wiele bardziej skomplikowane niż projekt, który sprzedał za miliard dolarów. Dopiero zaczął wspinaczkę w branży hi-tech, ale szybko piął się na szczyt. Uwielbiał to, co robił, i nie mógł się doczekać, aż będzie mężem Ruby. Kiedy żegnali się wieczorem przed ślubem, pocałował ją i przez chwilę jeszcze rozmawiali na progu.

– Nie mogę się doczekać jutra – wyszeptał.

– Ja też. – Uśmiechnęła się.

Tworzyli idealną parę.

Nocą leżała w łóżku, długo nie mogąc zasnąć. Myślała o ukochanym i sukni, którą włoży na uroczystość następnego dnia. Była ciekawa reakcji Zacka.

Rozdział 16

Był złocisty październikowy poranek, dzień, w którym Ruby wychodziła za mąż. Kiedy dziewczyna się obudziła, babcia przyszła ją przytulić na dzień dobry. Potem czekał je gorączkowy poranek, bo trzeba było dopiąć wszystko na ostatni guzik.

Uroczystość ślubna zaczynała się o szóstej wieczorem w odbudowanej katedrze Łaski Bożej na Nob Hill, w której pobrali się Eleanor i Alex. Do kościoła prowadziły masywne drzwi z brązu. Po nabożeństwie goście mieli przejść na drugą stronę ulicy do szkoły Hamiltona, dawnej rezydencji Deveraux, gdzie wyprawiano przyjęcie weselne.

Alex znalazł sobie zajęcie i cały ranek schodził kobietom z drogi. Fryzjerka przyszła o drugiej po południu i zebrała włosy Ruby w prosty kok w podobnym stylu, jaki miała Eleanor na swoim ślubie, ale bez mocno skręconych fal opadających po bokach twarzy. Porządnie umocowała tiarę na głowie panny młodej, a o piątej Eleanor pomogła wnuczce włożyć suknię, o której Ruby marzyła od chwili, kiedy w lipcu zobaczyła ją po raz pierwszy. Następnie wpięły welon z woalką. Był zrobiony z najcieńszego białego tiulu i przypominał delikatną mgiełkę. Kiedy Eleanor skończyła, zrobiła krok w tył i ze łzami w oczach podziwiała wnuczkę w lustrze. Ruby wyglądała jednocześnie poważnie, niewinnie i zjawiskowo w sukni, która miała już ponad pół wieku i należała do jej babci.

– Kochanie, wyglądasz cudownie – szepnęła Eleanor, a Ruby spojrzała na swoje odbicie i po raz pierwszy od dawna pomyślała o matce.

– Straciła to wszystko, prawda babciu?

Eleanor wiedziała, o kogo chodzi, i skinęła głową, ciężko wzdychając. Camille. Osierociła córkę trzy tygodnie po jej narodzinach i złamała serca rodzicom. Od tamtego dnia upłynął szmat czasu, ale dla jej matki i ojca wspomnienie wciąż było boleśnie żywe.

– Jestem przekonana, że bardzo chciałaby być z tobą tu i teraz – powiedziała ze smutkiem Eleanor. Nie rozmawiała o Camille zbyt często. Mimo że minęły już dwadzieścia dwa lata od jej śmierci, ból był wciąż rozdzierający. – Wybrała złą ścieżkę i zgubiła się po drodze.

Razem z Alexem zajęli się Ruby, której w dzieciństwie nie zabrakło ani miłości, ani uwagi, co dziewczyna szczerze doceniała. Za moment miała założyć własną rodzinę z Zackiem. Nadal czasami żałowała, że nie poznała matki. To sprawiało, że sama chciała być najlepszą mamą na świecie, kiedy już będzie miała własne dzieci. Chciała im okazać identyczną troskę, jaką otoczyła ją babcia.

Camille w odróżnieniu od Ruby miała nieposkromioną dzikość w sercu. Eleanor nawet nie potrafiła sobie wyobrazić, w żadnych okolicznościach, córki w ślubnej sukni, którą miała na sobie wnuczka. Camille odrzuciła wartości, którym hołdowali jej rodzice, a także zwalczała drogie im zwyczaje. Ruby wręcz przeciwnie – uznała je za swoje. Pragnęła, aby jej ślub jak najbardziej przypominał wesele babci, dlatego z wielką uwagą studiowała zdjęcia z tamtych czasów. Zamówiła nawet identyczny bukiet z maleńkich ćmówek i konwalii.

Eleanor trzymała tren Ruby, kiedy schodziły po schodach. Przed laty jej samej pomagała Wilson. Alex nie mógł oderwać oczu od wnuczki. Miał wrażenie, że cofnął się o pięćdziesiąt dwa lata. Ruby wyglądała niemal identycznie jak Eleanor. Odróżniały ją od babki jedynie rude włosy. Teraz, gdy ponownie zobaczył suknię, zalała go fala wspomnień. Na wnuczce wyglądała równie oszałamiająco, jak na Eleanor przed laty.

We troje pojechali do kościoła wynajętym samochodem z szoferem. To był zabytkowy rolls-royce. Pod kościołem Alex poczekał, aż kierowca rozłoży jego wózek inwalidzki, potem bez problemów sam się na niego przesiadł, a Eleanor pomogła wyjść Ruby. Za chwilę Alex miał odprowadzić ją główną nawą do ołtarza. Weszli do katedry przez plebanię i czekali na pierwsze dźwięki muzyki, które były dla nich sygnałem do rozpoczęcia. Gdy się rozległy, Ruby wolnym krokiem ruszyła główną nawą, obok niej jechał na wózku Alex. Panna młoda skupiła wzrok na czekającym przy ołtarzu Zacku, a ich znajomi patrzyli zachwyceni, jak sunie w niezwykłej sukni. Wyglądała jak z innej epoki. Zack osłupiał z wrażenia, gdy przy nim stanęła. Alex cofnął się i zatrzymał przy Eleanor, która usiadła w pierwszym rzędzie.

– Mam wrażenie, jakbym patrzył na ciebie w dniu naszego ślubu – szepnął do żony i ujął ją za rękę. Tyle że oni brali ślub w tymczasowym kościele, a gości podejmowali w rozstawionym w ogrodzie namiocie.

Zack i Ruby zdecydowali się na tradycyjną przysięgę małżeńską i wymienili skromne złote obrączki. Eleanor z Alexem nie kryli łez szczęścia. Kiedy kapłan ogłosił, że para młoda od teraz jest mężem i żoną, Zack pocałował ukochaną tak mocno, że aż dech jej zaparło, a zaproszeni goście roześmiali się i nagrodzili ich oklaskami. Potem rozpromienieni nowożeńcy przeszli główną nawą do wyjścia.

Kiedy znajomi państwa młodych zjawili się w budynku szkoły, Alex patrzył na nich z rozbawieniem. Byli tam najbogatsi ludzie w Ameryce, ale bardziej przypominali chłopców wybierających się na wakacyjny obóz niż rekiny biznesu. Połowa włożyła nowiusieńkie garnitury, które wyraźnie ich uwierały, jakby nigdy wcześniej nie mieli na sobie ani marynarki, ani koszuli z kołnierzykiem. Druga połowa przyszła w dżinsach i znoszonych marynarkach, a kilku zdecydowało się na szorty – mimo adnotacji na zaproszeniu. Niektórzy do garniturów włożyli T-shirty i adidasy. Na sali więcej było butów sportowych niż eleganckich trzewików. Większość zaproszonych nie przekroczyła trzydziestki. Przypominali dzieci, choć większość zbiła bajeczne fortuny w branży hi-tech.

– Takie mózgi, a żaden nie ma pojęcia, jak wiązać krawat – zażartował Alex, uśmiechając się do żony. – Pięknie wyglądasz – dodał.

Miał wrażenie, jakby tego wieczoru były obecne dwie Eleanor: jego żona i jej duch z przeszłości – panna młoda w białej sukni. Dzień, w którym się pobrali, był najszczęśliwszym w całym jego życiu i zapamiętał go ze szczegółami. Zack również wyglądał na uradowanego, a kiedy razem z Ruby tańczyli pierwszy taniec, Eleanor i Alexowi wydawało się, jakby opuścili własne ciała i patrzyli na wszystko z góry. Sala balowa pięknie wyglądała, Eleanor zadbała o najdrobniejsze szczegóły, żeby – na prośbę Ruby – wystrój przypominał ten sprzed lat, z dnia ślubu dziadków. Stoły ozdobiono identycznymi kwietnymi kompozycjami, wzorując się na starych fotografiach.

Goście najpierw usiedli do posiłku w sali balowej, a potem zaczęli pląsać na parkiecie. Wtedy Alex spojrzał na żonę, bo miał ochotę znów z nią zatańczyć. Domyśliła się, co mu chodzi po głowie, pocałowała go i wyszeptała:

– Tamtej nocy tańczyliśmy tak długo, że starczyło mi na całe życie.

Pocałował ją, a ona poszła sprawdzić, czy gościom niczego nie brakuje. Usadzili rodziców Zacka w przeciwległych krańcach sali. Pan młody ucieszył się, że oboje przyjechali, pierwszy raz od rozwodu pojawili się razem na jednej imprezie. Żadne nie chciało przegapić ślubu jedynego syna, co bardzo ucieszyło Eleanor, której leżało na sercu dobro chłopaka. Z tego, co im opowiedział, kiedy dorastał, musiał sobie radzić sam, bo rodzice zaabsorbowani wojną, którą ze sobą prowadzili, nie okazywali mu żadnego wsparcia.

Tort był repliką tego sprzed pół wieku. Eleanor zauważyła, że panie ubrały się wytworniej niż panowie, większość włożyła eleganckie sukienki koktajlowe. Najpiękniejsza na sali była jednak Ruby. Zack przez całą noc nie spuszczał z niej wzroku i niemal nie schodzili z parkietu. Był bardzo kulturalny, więc nie zapomniał poprosić do tańca także Eleanor i własnej matki, która była dla niego niesamowicie miła, od kiedy podpisał swój ostatni kontrakt. Zaprosiła go razem z Ruby do Teksasu. Dziewczyna jego ojca ubrała się zgodnie z przewidywaniami, czyli niestosownie, ale nikt się tym nie przejmował, nawet Zackowi było to obojętne.

Za dodatkową opłatą szkolna administracja wyraziła zgodę na przedłużenie przyjęcia do pierwszej w nocy. Wesele, które zorganizowali rodzice Eleanor, trwało do białego rana, ale dzisiaj nikt już nie wydawał całonocnych przyjęć. Ślub Ruby był olśniewający: niezapomniana suknia ślubna, girlandy z kwiatów, nowe obrusy zakupione przez szkołę i koronkowe serwety, które dodała Eleanor. Tiara sprawiała, że dziewczyna wglądała jak księżniczka. Alex nie mógł uwierzyć, że cudacznie poubierani chłopcy zgromadzeni na sali byli niewyobrażalnie bogaci.

Nigdy by się tego nie domyślił po ich wyglądzie i wieku. Nadchodził świt nowej ery, epoki hi-tech, a kraj rozkwitał jak nigdy dotąd. Kryzys, który pogrążył pokolenie Alexa, był już tylko odległym wspomnieniem. Młodzi ludzie, rówieśnicy Ruby i Zacka, nie byli świadomi, jakie trudne to były czasy ani ilu ludzi pogrążyły. Nikt o tym nie pamiętał, z wyjątkiem tych, którzy doświadczyli tego sobiście.

Na zakończenie wieczoru Ruby rzuciła za siebie bukiet, który złapała jej przyjaciółka ze studiów. Była to wiązanka tak przygotowana, by panna młoda mogła zasuszyć ślubne kwiaty na pamiątkę. Noc poślubną nowożeńcy mieli spędzić w hotelu Fairmont, a rano lecieli prywatnym samolotem na Karaiby. Zack szybko oswoił się z wygodami, na jakie pozwalała mu jego nowa pozycja zawodowa, i chętnie dzielił się wszystkim z Ruby.

Właśnie mieli wychodzić z budynku, podziękowawszy wpierw Alexowi i Eleanor, kiedy Zack odwrócił się i z uśmiechem popatrzył na żonę.

– Jesteś najpiękniejszą panną młodą, jaką w życiu widziałem, a nasze wesele było niesamowite. Następnym przyjęciem będzie parapetówka.

– Jaka parapetówka? – Ruby spojrzała na niego zdziwiona.

– Wiem, ile ten dom znaczy dla ciebie i twojej babci – wyjaśnił szeptem, aby nikt ich nie usłyszał. – Szkoła potrzebuje większej siedziby, rezydencja już im nie wystarcza, więc od pewnego czasu rozglądali się za nową lokalizacją. Kupiłem go – wyznał cicho, a Ruby osłupiała.

– Co zrobiłeś?

– Odkupiłem dom od właścicieli szkoły. To jest mój prezent ślubny dla ciebie. Jest twój, Ruby. W papierach widnieje twoje nazwisko. Razem z babcią możecie przywrócić budynkowi dawną świetność, na pewno będziecie mieć przy tym niezłą frajdę.

Mówiąc to, wyglądał tak niewinnie i prostodusznie, jakby to była najzwyklejsza rzecz pod słońcem. Uważał, że dom był całkiem tani.

– O mój Boże, Zack, zwariowałeś, ale to coś wspaniałego! Muszę o tym powiedzieć babci.

Znalazła babcię w sali balowej. Siedziała obok Alexa i sączyli razem ostatni kieliszek szampana. Ruby usiadła obok nich i przekazała im wspaniałą wiadomość. Eleanor najpierw pomyślała, że to żart, a potem razem z Alexem uświadomili sobie, że Ruby mówi poważnie.

– Kupił dom? – Eleanor patrzyła na wnuczkę z niedowierzaniem. – Jest twój?

Przez pięćdziesiąt jeden lat budynek nie należał do rodziny, a teraz niespodziewanie wrócił w ich ręce. Alex milczał zbyt oszołomiony, a Eleanor pospieszyła, żeby podziękować Zackowi. Nie znajdowała słów, żeby mu wytłumaczyć, ile dla niej znaczy jego niezwykły gest, lecz widząc wyraz jej twarzy i roziskrzone oczy swojej żony, zrozumiał wszystko, dlatego cieszył się ze swojej decyzji. Dla niego to był drobiazg, ale dla Ruby i jej babci to było bardzo ważne.

Państwo młodzi wyszli chwilę później, a Eleanor wróciła do stolika, przy którym siedział Alex, rozmawiając z przyjacielem

Zacka. Młodzieniec pożegnał się z gospodarzami przyjęcia, a Alex popatrzył na żonę. Z jego twarzy bił głęboki spokój.

– Nigdy nie sądziłam, że ten dom będzie jeszcze kiedykolwiek nasz – przyznała Eleanor, wciąż roztrzęsiona po rewelacjach, które usłyszała od Ruby. Nie mogła w to uwierzyć. Dom, w którym się wychowała, znów był w rękach rodziny.

Alex nawet nie marzył o odzyskaniu swojej rodowej rezydencji – dawno już się pogodził z jej utratą – ale sprawiło mu przyjemność, że dom Deveraux znów do nich należy. Ucieszyło go, że budynek wrócił do rodziny dzięki Zackowi, a pomysł, żeby Ruby z Eleanor go odnowiły, zapewni obu kobietom zajęcie na długi czas. Uśmiechnął się do żony, gdy usiadła obok niego.

– Fantastyczne wesele – pochwalił ją rozpromieniony.

– Ich czy nasze? – zażartowała. – Nie przypominam sobie, żeby na naszym ktokolwiek pojawił się w szortach.

Roześmiali się, wyobrażając sobie, jak by to było, a potem rozejrzeli się po sali balowej. Alex dokładnie pamiętał wyjątkowe wrażenia i dreszcz, który go przeszedł, gdy tańczył z Eleanor. Pocałował ją, a wspomnienie ich ślubu wciąż było żywe w ich pamięci.

Podróż poślubna Zacka i Ruby na wynajętym jachcie była tak romantyczna, jak sobie wymarzyli. Zajmowała się nimi dwudziestoosobowa załoga. Grzali się w słońcu na pokładzie. Cumowali w portach, gdzie robili zakupy. Jadali w nadbrzeżnych restauracjach albo zostawali na łódce i pływali w morzu nocą, a w tle migotały światła nadmorskich miejscowości, potem zaś kochali się do białego rana.

Ruby miała wrażenie, że osnuła ją mgła szczęśliwości. Kiedy wrócili do San Francisco, poszła do rezydencji Deveraux z babcią, żeby opracować listę rzeczy potrzebnych przy renowacji. Szkoła zobowiązała się zwolnić budynek do końca stycznia, bo właścicielom placówki udało się znaleźć nowe lokum na kilka kolejnych lat. Zack najął architekta, który miał pomóc Ruby i Eleanor.

Cztery tygodnie po ślubie Ruby uświadomiła sobie, że jest w ciąży. Zack wpadł w ekstazę. Termin porodu przypadał na lipiec i mieli nadzieję, że do tego czasu wprowadzą się do nowego domu. Ruby przestała rozglądać się za pracą. Nie widziała w tym większego sensu, musiała się zająć remontem, a dziecko było już w drodze, Zack zresztą nie chciał, żeby pracowała. Uważał, że nie musi.

Trochę czasu zajęło Ruby przyzwyczajenie się do lawiny podarków dowodzących bezgranicznej szczodrości męża. Z trudem uzmysłowiła sobie, że stać go było na wszystko. Wciąż od czasu do czasu jadali kolację w Jack in the Box, ale nagle jej najlepszy przyjaciel ze studiów, z którym piła tanie wino i dzieliła się pizzą, mógł zaspokoić każdą ich zachciankę. W lutym kupił samolot, a ponieważ jacht, na którym spędzili miesiąc miodowy, bardzo im się spodobał, również go kupił i nazwał Ruby Moon na cześć ukochanej. Dla jego żony to był szczyt luksusu.

– Czy nie powinniśmy trochę pooszczędzać? – pytała go od czasu do czasu wyraźnie zaniepokojona.

Historia jej rodziny, która straciła cały majątek w czasie kryzysu w 1929 roku, odcisnęła się na niej niezatartym piętnem i nie chciała, żeby to samo przydarzyło się jemu, jeśli sprawy potoczyłyby się niepomyślnie.

– Jeśli stracę, to zawszę będę mógł zarobić więcej.

Niezłomnie wierzył, że posiadł nieskończoną moc zarabiania pieniędzy i najwyraźniej miał rację. Kiedy pół roku po ich ślubie skończył dwadzieścia pięć lat, wartość jego projektu wyceniono na cztery miliardy. Po pierwszym intratnym kontrakcie zwrócił się o pomoc do ojca, żeby podpowiedział mu, jak zainwestować pieniądze, ale po drugiej umowie był tak bogaty, że zatrudnił grupę doradców finansowych, żeby zarządzali jego majątkiem. Stać go było na wszystko. Był niczym dziecko w sklepie z cukierkami wartym cztery miliardy dolarów. Mimo ogromnej fortuny, której się dorobił, potrafił się cieszyć z prostych przyjemności: weekendów nad Tahoe w domku gościnnym, wypraw na ryby z Alexem, plażowania, wędrówek po górach. Żonie nigdy niczego nie odmawiał. Akceptował każdy wydatek związany z remontem ich nowego domu. Nawet nie musiała go o nic prosić, dał jej wolną rękę. Nie mógł się doczekać wakacji na jachcie, na które wybierali się po urodzeniu dziecka. Wysłali łódź na Morze Śródziemne i tam zamierzali spędzić lato.

Razem z Ruby zauważyli, że od kiedy się wzbogacił, mężczyźni i kobiety padali mu niemal do stóp. Panie próbowały go uwodzić, nie bacząc na obrączkę na jego palcu, a panowie chcieli z nim robić interesy. Nawet jego własna matka wreszcie się nim zainteresowała. Mimo to jedyną osobą z jego otoczenia, której w pełni ufał, była Ruby. Kochała go i była lojalną przyjaciółką, zanim został miliarderem, a teraz była mu równie oddana jak wcześniej. Wiedział, że kochałaby go, nawet gdyby nie miał nic. Ruby zawsze była szczera i autentyczna. A teraz była mu niezmiernie wdzięczna za rodzinny dom, który jej podarował, bo sprawił tym wielką radość przede wszystkim jej dziadkom.

Zack uważał, że kobiety, które go kokietowały, były żałosne i zdesperowane. Nie zwracał na nie uwagi. Schlebiało mu oczywiście ich zainteresowanie, ale żadna nie była tak mądra i ekscytująca jak Ruby. Nie mógł się już doczekać narodzin dziecka. W niecały rok zmężniał i spoważniał. Pilnował się, żeby woda sodowa nie uderzyła mu do głowy. Pieniądze nigdy nie były dla niego najważniejsze. Ruby miała nadzieję, że tak pozostanie. Kochała go, ponieważ był szczery i dobry, a przy okazji był geniuszem komputerowym.

Ruby z babcią przeglądały katalogi z domów aukcyjnych w poszukiwaniu mebli, które pozwoliłyby przywrócić oryginalny wystrój rezydencji. Wszystkie sprzęty należące do rodziców Eleanor zmieniły właścicieli, większość zresztą sprzedała razem z Alexem w ich sklepie z antykami. Zachowała jednak zdjęcia wszystkich rzeczy, które mieli w ofercie, co znacznie ułatwiało im teraz zadanie, gdy rozglądały się za odpowiednimi zamiennikami.

W maju Ruby z Zackiem wybrali się na ostatni wypad nad Tahoe, a w czerwcu, na miesiąc przed terminem porodu, wprowadzili się do rezydencji Deveraux. Wiele pokoi nie zostało jeszcze odnowionych, ale remont parteru był praktycznie na ukończeniu, a co najważniejsze, gotowe były sypialnia z dwoma garderobami i pokój dla dziecka, który wyglądał dokładnie tak, jak ten z dzieciństwa Eleanor – zapamiętała wystrój z najdrobniejszymi szczegółami.

Zack kupił już dla dziecka miniaturowego bugatti z prawdziwym silnikiem, bo założył, że urodzi się chłopiec, choć naturalnie twierdził, że płeć nie ma znaczenia. Zależało mu tylko na tym, by niemowlę urodziło się zdrowe. Zresztą planował mieć z Ruby przynajmniej tuzin dzieci. Od tempa, w jakim żyli, dziewczynie kręciło się w głowie, ale na szczęście po przeprowadzce do rezydencji na chwilę zwolnili. Zack wciąż pracował nad swoim najnowszym projektem. Marzył o komputerowej sieci, która połączy ludzi na całym świecie, i był zdeterminowany, aby znaleźć sposób na realizację swoich marzeń. W domu miał własny gabinet i pracownię komputerową.

Eleanor cały czas szukała mebli do ich domu. Razem z Alexem spędzili trochę czasu nad jeziorem, gdzie w ogrodzie znajdowali ukojenie od miejskiego gwaru. Alex czuł, że od ślubu wnuczki żyją na pełnych obrotach, i potrzebował odpocząć. Niedawno skończył osiemdziesiąt sześć lat i powoli jego siły się wyczerpywały. Nie umknęło to uwadze ani jego wnuczki, ani żony. Po ślubie Ruby życie jej dziadków gwałtownie przyspieszyło. Ludzie często kontaktowali się z nimi z prośbą o przedstawienie ich Zackowi. Eleanor martwiła się też o przyszłą mamę. Zbyt dobrze pamiętała komplikacje okołoporodowe Camille, choć oczywiście style życia ich córki i wnuczki diametralnie się różniły. Eleanor bardzo zależało na tym, by Ruby nie miała żadnych kłopotów, Alex był przekonany, że tak właśnie będzie. Ich wnuczka była uosobieniem zdrowia i szczęścia. Promieniała optymizmem. Zawsze wyglądała olśniewająco; często zjawiała się w sklepie albo rozmawiała po kilka razy dziennie z babcią o ich wspólnych projektach: dziecięcym pokoju i domu oraz o dziecku.

Zack chciał być przy porodzie i nawet zapisali się anonimowo do szkoły rodzenia. Aż do terminu porodu w lipcu Ruby przebywała w domu, składała maleńkie podkoszulki i dopieszczała ostatnie detale w pokoju dziecięcym. Eleanor przypomniała sobie o dawnych talentach i udekorowała ściany malunkami. Zdecydowała się na przedstawienie cyrku z korowodem klaunów i dzikich zwierząt ciągnącym się wokół całego pokoju. Nie zabrakło oczywiście akrobatki na linie w cekinowej tutu. Całą jedną ścianę zajęły kolorowe wozy cyrkowe. Zack i Ruby byli zachwyceni.

Zatrudnili opiekunkę, żeby pomagała im w pierwszych miesiącach życia dziecka, chociaż Ruby twierdziła, że jak najszybciej sama będzie się chciała zajmować niemowlęciem. Chciała być inną matką niż Camille. Eleanor nie miała żadnych wątpliwości, że jej się powiedzie. Alex był rozczarowany, że nie wykorzystała zdobytego doświadczenia, żeby znaleźć satysfakcjonującą pracę, ale z majątkiem, który zdobył Zack w tak krótkim czasie, nie miało to większego sensu. Ruby wolała zostać w domu i wychowywać dzieci. W tym byli z mężem zgodni.

Zack miał biuro w Palo Alto i dzwonił do niej po kilka razy dziennie, żeby się upewnić, że nic jej nie dolega. Aż wreszcie któregoś dnia, gdy wybierała z babcią materiał na zasłony do sali balowej, poczuła pierwsze skurcze. Eleanor zadzwoniła do Zacka, który natychmiast przyjechał. Kiedy dotarł do domu, Eleanor poszła przekazać Alexowi, że zaczął się poród. Ruby obiecała odezwać się, jak tylko wyjadą do szpitala. Popołudnie spędzili w domu, liczyli czas między skurczami i oglądali filmy w telewizji. Planowali udać się do nowej kliniki położniczej, a kiedy wreszcie wyjechali około szóstej wieczorem, Ruby wciąż się uśmiechała. Po dotarciu na miejsce odnieśli wrażenie, że akcja porodowa trwa już bardzo długo, ale położne uspokoiły ich, że pierwszy poród często się przeciąga.

Kiedy skurcze się nasiliły, Zack zrobił wszystko, czego się nauczył, żeby pomóc żonie. Byli młodzi i odpowiedzialni, i tak w sobie szaleńczo zakochani, że położne, które im towarzyszyły, nie kryły wzruszenia. Ruby postanowiła urodzić siłami natury i wreszcie o północy zaczęła przeć. Dziecko urodziło się bez komplikacji. Wystarczyły trzy solidne skurcze parte i Zack z Ruby zobaczyli swoją nowo narodzoną córeczkę. Urodziła się bardzo szybko. Lekarz przeciął pępowinę i położył dziewczynkę na piersi Ruby, która razem z Zackiem śmiała się przez łzy, patrząc na maleństwo. Jedna z położnych orzekła, że patrząc na nich, można było uwierzyć, iż urodzenie dziecka to pestka. O wpół do pierwszej w nocy zadzwonili do dziadków Ruby i poinformowali ich, że Kendall Eleanor Katz właśnie przyszła na świat.

– Bogu dzięki – rzekła Eleanor i odetchnęła z ulgą, po czym uśmiechnęła się do Alexa i podniosła kciuk w górę.

Zamartwiali się cały czas w oczekiwaniu na nowiny ze szpitala o narodzinach ich prawnuczki.

– Jest śliczna, babciu – oznajmiła uradowana Ruby.

Przekazała słuchawkę Zackowi, który powiedział, że narodziny małej uważa za cud. Był zachwycony, że został ojcem Kendall. Eleanor i Alex obiecali, że przyjdą rano je zobaczyć.

Potem Zack zadzwonił do swoich rodziców. Matka nie odbierała, więc zostawił jej wiadomość na automatycznej sekretarce. Z ojcem miał więcej szczęścia, ale rozmowa była krótka i rzeczowa. Otrzymał lakoniczne gratulacje. Dziadkowie Ruby zareagowali o wiele serdeczniej i cieplej – zasypali ich lawiną pytań, chcieli poznać wszystkie szczegóły i dowiedzieć się, jak wygląda ich prawnuczka.

Wszystko przebiegło gładko i bez komplikacji, zupełnie inaczej niż poród sprzed dwudziestu trzech lat, gdy na świat przyszła Ruby. Zack i jego żona byli żywym dowodem na to, że marzenia się spełniają, a najważniejsza jest miłość. Oboje byli pewni, że Kendall Eleanor Katz będzie wyjątkową osobą i złotym dzieckiem.

Rozdział 17

Ruby była najszczęśliwsza, gdy zajmowała się córką. Dziewczynka była słodkim niemowlęciem, nie sprawiała żadnych problemów, więc po miesiącu pożegnali się z opiekunką. Ruby miała niesamowicie silny instynkt macierzyński. Chuchała i dmuchała na Kendall, karmiła ją piersią, zmieniała jej pieluszki, ubierała ją. Prawie codziennie jeździła z nią w odwiedziny do dziadków, do sklepu. Zack również oszalał na punkcie córki.

– Jest chyba najbardziej kochanym dzieckiem pod słońcem – stwierdziła z zadowoleniem Eleanor.

Dla Ruby mąż i córka byli całym światem. Dwa miesiące później, przekonana, że podczas karmienia piersią nie zajdzie w ciążę, z zaskoczeniem odkryła, że spodziewa się kolejnego dziecka. Zack osłupiał, kiedy się o tym dowiedział, ale szybko dał się porwać radości, że znów zostanie ojcem. Termin porodu wyznaczono na czerwiec. Kendall będzie miała jedenaście miesięcy, kiedy urodzi się jej starszy brat lub siostra. Na takie przypadki mówi się irlandzkie bliźnięta.

Ruby z babcią już praktycznie ukończyły odnawianie domu, który prezentował się równie okazale jak przed laty, choć niektórych drobiazgów brakowało. Nie było na przykład rozległych ogrodów, które szkoła sprzedała. Został tylko niewielki skrawek zieleni, na którym w słoneczne dni mogli zjeść lunch przy stole. Wprowadzili się tuż przed urodzeniem Kendall i cały czas, mimo że już tam mieszkali, trwały prace remontowe. Przebywanie dłużej z małym dzieckiem w niewielkim mieszkaniu jej dziadków byłoby zbyt uciążliwe dla wszystkich, więc zdecydowali się osiąść w swoim domu, mimo że prace renowacyjne jeszcze nie dobiegły końca. Ruby uwielbiała rezydencję, a Eleanor odwiedzanie wnuczki i pomaganie jej w remoncie sprawiało ogromną przyjemność. Dom był wypełniony wspomnieniami. Był to najwspanialszy prezent, jaki Zack mógł im podarować.

W święta Bożego Narodzenia brzuch Ruby, która tak szybko zaszła w drugą ciążę, wyraźnie się zaokrąglił. Dziewczyna z radością czekała na kolejne dziecko i opiekowała się niemowlęciem. Nawet nie spodziewała się, że macierzyństwo zapewni jej tyle szczęścia, poza tym nie pracowała i nie miała innych obowiązków. Zack natomiast był całkowicie pochłonięty pracą, rozwijał swoje imperium. Niemal z dnia na dzień dojrzał, był mężem, ojcem i biznesowym potentatem, jednym z nowych młodych milionerów branży hi-tech.

Święta spędzili z dziadkami, a na sylwestra Zack zabrał żonę na jacht na Karaiby. Ruby nie miała okazji go widzieć od czasu podróży poślubnej, bo była zaabsorbowana dzieckiem. Zostawili Kendall z zaufaną opiekunką i polecieli do Saint Martin. Tam weszli na pokład swojego niesamowicie luksusowego jachtu motorowego o długości osiemdziesięciu siedmiu metrów, który Zack nazwał Ruby Moon, i pożeglowali do Saint-Barthélemy. Ich noworoczny rejs trwał dwa tygodnie, ale Ruby była tak nieszczęśliwa bez córki, że przez cały ten czas myślała jedynie o powrocie do domu. Było zdecydowanie mniej romantycznie niż piętnaście miesięcy wcześniej w trakcie miodowego miesiąca, kiedy tylko wynajmowali łódź. Ruby tak bardzo tęskniła za Kendall, że często korzystała z systemu łączności satelitarnej i dzwoniła do niani po kilka razy dziennie. Zack widział, że jego żona cierpi. Uświadomił sobie wtedy, że nie jest już jedyną miłością jej życia. Dziecko było równie ważne jak on, a może nawet ważniejsze. Było to dla niego nie lada zaskoczeniem. Ostatecznie skrócili wycieczkę o cztery dni i wrócili do domu. Jacht był piękny, ale Ruby nie była gotowa na rozstanie z córką, a nie chcieli brać niemowlęcia na pokład.

Zack zdawał sobie sprawę z tego, że Ruby wkrótce nie będzie mogła podróżować, mniej więcej od końca marca, gdyż termin porodu wypadał w czerwcu, toteż wysłał jacht z powrotem do Europy. Planował spędzić na nim wakacje z przyjaciółmi na Morzu Śródziemnym, ale podejrzewał, że Ruby nie zostawi niemowlęcia do jesieni i nie będzie mu towarzyszyć.

Po noworocznym rejsie w ich relacji nastąpiła subtelna zmiana. Odkrycie, że Ruby woli być z dzieckiem niż z nim, było dla Zacka ogromnym szokiem. Przez kilka tygodni zachowywał się wobec żony ozięble, ale ona nic nie zauważyła, ciesząc się z powrotu do domu i skupiając całą uwagę na córeczce.

W kwietniu Ruby zwierzyła się babci, że Zack codziennie pracuje do późna, często zostając w biurze nawet do północy. Nie przejmowała się tym jednak i twierdziła, że nad nowymi projektami pracował dwadzieścia cztery godziny na dobę. Był bez wątpienia geniuszem, lecz Eleanor nie przypominała sobie, żeby wcześniej miał taki zwyczaj. Przy kolacji napomknęła o tym Alexowi, który z powagą popatrzył na żonę.

– Ruby powinna bardziej uważać. Zack jest młody, to praktycznie dzieciak, a przy okazji jest bardzo bogatym człowiekiem. Jest łatwym łupem dla chciwych kobiet. Ruby oszalała na punkcie dziecka i właściwie od ślubu jest w ciąży. Powinna mu poświęcać więcej uwagi. Jeśli mąż siedzi do późna w biurze i wraca do domu po północy, to nigdy nie jest dobry znak. Powinna być czujna.

Eleanor nie była pewna, czy punkt widzenia męża nie jest zbyt staroświecki. A może miał rację? Łącząca ich relacja miała zupełnie inny charakter. Przez dziesięć lat byli sami i rozpaczliwie starali się o dziecko. Potem Alex wyjechał na wojnę i został ranny, od tamtej pory cały czas się o niego troszczyła. Byli nierozłączni. Razem założyli sklep, w którym pracowali. To wszystko bardzo ich do siebie zbliżyło. Zresztą Alex był starszy i dojrzalszy, kiedy brali ślub. Pod wieloma względami Zack pozostał chłopcem. Eleanor doszła do wniosku, że zamartwianie się jest przedwczesne, bo po urodzeniu drugiego dziecka Ruby na pewno znów skupi się na Zacku. Poza tym, jak słusznie zauważył Alex, od kiedy się pobrali, praktycznie cały czas była w ciąży.

Kilka tygodni później Ruby znów napomknęła Eleanor, że Zack tak bardzo zaangażował się w najnowszy projekt, że czasami zdarza mu się nie wracać do domu na noc, bo śpi w biurze. Tym razem Eleanor bardzo się zaniepokoiła. Nie wiedziała, jak to powiedzieć wnuczce, która była w ósmym miesiącu ciąży, czuła się niekomfortowo i całkowicie skupiała się na porodzie. Stresowanie jej w takim momencie nie wydawało się Eleanor dobrym pomysłem.

Następnym razem Ruby przyjechała do dziadków nowym kabrioletem, rolls-royce'em. W oczach Eleanor model samochodu był zbyt efekciarski, ale na Aleksie zrobił niemałe wrażenie.

– Co za auto! – zachwycił się, a Ruby się roześmiała.

Był jasnoczerwony. Kendall siedziała w foteliku na tylnym siedzeniu.

– Za kierownicą czuję się jak narkotykowy diler – przyznała dziewczyna. – Zack mi go podarował w zeszłym tygodniu.

– Z jakiejś szczególnej okazji? – zapytała ostrożnie Eleanor. – Prezent z okazji urodzin dziecka? – Taką miała nadzieję.

– Nie, zupełnie bez powodu.

Po urodzeniu Kendall Zack podarował żonie przepiękną, wysadzaną rubinami i diamentami bransoletkę. Tym razem nie było żadnego widocznego powodu do zakupu snobistycznego samochodu. Kiedy już się pożegnali z wnuczką, Eleanor spojrzała na męża i wyraziła na głos swój niepokój.

– Czy myślisz, że Zack ma romans?

– Nie. Dlaczego?

Był zaskoczony jej pytaniem. Zapomniał o wcześniejszej rozmowie na temat długich godzin pracy Zacka.

– Zwierzyła mi się, że czasami nie wraca do domu na noc i śpi w biurze. A teraz ten drogi samochód, który podarował jej bez okazji.

Alex zmarszczył brwi.

– Mam nadzieję, że jej nie zdradza – powiedział poważnym tonem. – Zack uwielbia ekstrawaganckie prezenty i na pewno nie jest skąpy, stać go na rozrzutność. Domy, samolot, jacht, nowy rolls są dla niego niczym zabawki. Jeśli jednak kogoś ma, a Ruby się o tym dowie, to ich zniszczy. Są zbyt młodzi, żeby ją zdradzał. Powinni być w sobie szaleńczo zakochani, a przede wszystkim sobie wierni. Teraz kładą fundamenty pod swoje małżeństwo. Powinna znaleźć opiekunkę, powierzyć jej dziecko, częściej z nim wychodzić, dobrze się bawić. Ale za chwilę urodzi kolejne. Może Zack ma tego dość.

Dla Alexa wierność była podstawą związku, lecz oboje wiedzieli, że czasem ludzie się sobą nudzą i lubią romansować na boku, zwłaszcza małżeństwa z długi stażem. Ale Ruby i Zack byli po ślubie zaledwie dwadzieścia miesięcy, romans by ich zniszczył. Przez osiemnaście miesięcy z tych dwudziestu Ruby była w ciąży, a Zack był dwudziestosześcioletnim dzieciakiem z górą pieniędzy. Otaczało go sporo seksownych kobiet, które aż się paliły, żeby go uwieść.

– Mam nadzieję, że niepotrzebnie się niepokoimy – przyznała Eleanor, na co Alex tylko skinął głową.

Nie zamierzał się wtrącać i pouczać Zacka, bo mogło się okazać, że się mylą. Ruby nie żaliła się na męża, tylko opowiadała, że długo pracuje i od czasu do czasu nocuje w biurze. Dziadkowie Ruby nie chcieli stresować wnuczki ani mieszać jej w głowie, jeśli ich obawy miałyby się okazać bezpodstawne. Wydało im się niewłaściwe denerwowanie jej tuż przed drugim porodem. Ruby myślała jedynie o dziecku, które miało wkrótce przyjść na świat, i o małej Kendall. Z dnia na dzień coraz mniej czas spędzała z mężem, bo szybko się męczyła. Zack widział, że albo składa ubranka w pokoju dziecięcym, albo odpoczywa w sypialni. Nie była w nastroju na wyjścia. Czuła się jak wieloryb.

Eleanor zaprosiła oboje na kolację i wydawało się, że wszystko jest w porządku. Zack był bardzo troskliwy wobec żony, więc razem z Alexem doszli do wniosku, że ich obawy są jedynie wytworem ich wyobraźni. W końcu był komputerowym geniuszem i może naprawdę dużo pracował.

Tym razem dziecko miało się urodzić po terminie. Ciąża trwała całe dwa tygodnie dłużej. Zatrudnili opiekunkę, żeby zajęła się Kendall podczas oczekiwania na narodziny jej brata lub siostry, więc Ruby przed kolejnym porodem miała więcej czasu. Nie wiedziała, co ze sobą począć, była jednocześnie niespokojna, podekscytowana i znudzona.

Któregoś dnia postanowiła, że zrobi Zackowi niespodziankę, wybierze się do niego do biura i zaprosi go na lunch. Wsiadła do swojego nowego czerwonego rollsa, złożyła dach i pojechała do Palo Alto. Włożyła białą namiotową sukienkę i sandały. Miała ogromny brzuch, była w zaawansowanej ciąży. Wyglądała ślicznie. Weszła do budynku i nie zawracając sobie głowy informowaniem recepcjonistki o swoim przybyciu, ruszyła prosto do gabinetu męża. Drzwi były zamknięte, ale nie zapukała, tylko je otworzyła i przekroczyła próg, czując się jak gigantyczna pianka albo biała beza. I wtedy zobaczyła młodą blondynkę w wąskiej spódnicy siedzącą na skraju biurka Zacka. Śmiali się, a jego ręka spoczywała na udzie dziewczyny. Dziewczyna była bardzo ładna i oboje zareagowali dużym zaskoczeniem na widok niespodziewanego gościa. Zack wstał, dziewczyna zamarła, a Ruby patrzyła na oboje zbyt oszołomiona, żeby się poruszyć. Oczekiwała wyjaśnień, ale nie potrafiła wydusić z siebie słowa. To było niepodobne do jej męża. Nigdy wcześniej nie uganiał się za kobietami.

– Przepraszam… Pomyślałam… Przyszłam, żeby wyciągnąć cię na lunch.

W jej oczach wezbrały łzy, chciała się wycofać. Dziewczyna wolno zsunęła się z biurka. Wcale się nie spieszyła, traktowała Ruby jak intruza, jakby to ona była winna, że zjawiła się bez zapowiedzi. Zupełnie nie była skrępowana tym, że ręka Zacka leżała na jej udzie, choć przecież nie powinna. Blondynka nie była ani trochę zawstydzona, co najwyżej poirytowana.

– Bethany, to moja żona Ruby – przedstawił ją zakłopotany Zack. Wtedy dziewczyna skinęła głową w stronę ciężarnej i wyszła.

Była pewna siebie. Ruby bez wahania ruszyła za nią, a Zack pobiegł za żoną.

– Kochanie, to wcale nie jest tak, jak myślisz... To tylko stażystka... Nic nas nie łączy. Chodźmy na lunch.

Zbyła jego słowa milczeniem. Szedł za nią, więc się do niego odwróciła. Była zdruzgotana, z jej oczu biło cierpienie.

– Jesteś skurwysynem, Zack. Ufałam ci. Niedługo urodzę nasze dziecko, a ty pieprzysz się ze stażystkami.

– Nie, wcale nie. Nie wiem, dlaczego tak zrobiłem, dlaczego położyłem rękę na jej nodze... do niczego więcej nie doszło... Wskoczyła na moje biurko, zanim zdążyłem zaprotestować.

– Nie wierzę ci. Nie wracasz do domu na noc. Czy teraz tak ma wyglądać nasze małżeństwo? – zapytała z wyrzutem i wyszła z budynku. Szedł za nią aż na parking.

W tamtej chwili nienawidziła go całym sercem, nienawidziła też tego, że go kocha, bo przez to była podatna na zranienie, a właśnie sprawił jej ogromny ból. Wiedziała, że nigdy więcej mu nie zaufa.

– Ruby, przysięgam, nic się nie stało. Tylko rozmawialiśmy. Daj spokój, skarbie, jesteś w ciąży od dnia naszego ślubu. Czy nie wolno mi już rozmawiać z innymi kobietami?

Był zrozpaczony, bo widział, że złamał jej serce i że żona w tej chwili pała do niego nienawiścią.

– Możesz robić, co chcesz – odpowiedziała ze złością, a potem uważnie na niego popatrzyła. – Gdzie jesteś, kiedy nie wracasz na noc do domu? Z nią? Zdradziłeś mnie, Zack. Nie musisz jeszcze na dodatek mnie okłamywać.

Wsiadła do samochodu i trzasnęła drzwiami, a on został sam na parkingu. Wyszedł na durnia i tak też się czuł. Wrzuciła bieg i ruszyła. Wróciła do miasta, pędząc na złamanie karku. Kiedy zajechała przed sklep dziadków, była cała roztrzęsiona. Alexa nie było, ale Eleanor siedziała w biurze i zajmowała się dokumentacją nowo sprzedanych sprzętów. Podniosła wzrok znad papierów i zobaczyła zalaną łzami twarz wnuczki.

– Co się stało?

Natychmiast wstała i podeszła, żeby ją przytulić.

– Podejrzewam, że Zack mnie zdradza. Właśnie byłam u niego w biurze, chciałam mu zrobić niespodziankę i zabrać go na lunch, ale na jego biurku siedziała ponętna blondynka, a on trzymał rękę na jej udzie.

Eleanor aż się skrzywiła. Tego właśnie się obawiała. Lecz co innego domysły i podejrzenia, a co innego namacalny dowód. Widziała, że Ruby jest załamana. Cała drżała.

– Co ci powiedział? – zapytała ją babka i nalała jej szklankę wody z dzbanka stojącego na biurku.

– Że to wcale nie tak, jak wygląda. Te wszystkie bzdury, których można się było spodziewać. Wiem, co widziałam. Kiedy weszłam, dziewczyna nawet się nie zerwała z biurka. Zachowywała się, jakbym to ja wtargnęła na jej terytorium.

– Może tylko zachował się niemądrze i z nią flirtował. Nie przyłapałaś ich w łóżku – zauważyła rozsądnie jej babcia, z nadzieją, że taka właśnie jest prawda.

Eleanor dobrze wiedziała, że mężczyźni często robią głupoty, zwłaszcza gdy są znudzeni, gdy żona jest w ciąży. Poza tym Zack był młody i bardzo bogaty, okazji do romansu miał pod dostatkiem.

– Teraz nocuje w biurze kilka razy na tydzień. Podejrzewam, że ma romans. Dziewczyna jest piękna.

– Tobie też nie brakuje urody – przypomniała jej Eleanor, a Ruby zaczęła płakać.

– Wyglądam jak słoń.

Starsza pani się uśmiechnęła.

– Nie, to nie jest prawda. Wyglądasz, jakbyś zaraz miała urodzić.

– Jak mam mu zaufać po tym, co się stało?

– Prawdopodobnie przez jakiś czas nie będziesz mu ufać, jednak mam nadzieję, że będzie potrafił się odpowiednio zachować.

Eleanor zaprosiła ją na lunch, ale Ruby wymówiła się, była zbyt poruszona. Marzyła tylko o powrocie do domu i odpoczynku. Od kiedy przestąpiła próg biura Zacka, jej serce biło jak szalone. Po kilku minutach wyszła ze sklepu, a mąż zadzwonił do niej, kiedy już dotarła do rezydencji. Opiekunka przekazała, że wcześniej dzwonił już trzy razy.

– Czy wszystko w porządku? – zapytała. – Blado pani wygląda.

– Nic mi nie jest. Dziękuję – odpowiedziała i odebrała telefon. – Czego chcesz? – warknęła do Zacka.

– Ruby, przepraszam cię. Domyślam się, jak to wyglądało, ale prawda jest inna. Wiem, że możesz mnie podejrzewać o najgorsze. Ona jest dość impertynencka. Z każdym flirtuje.

– To nie moja sprawa, jaka ona jest. Twoja ręka leżała na jej udzie. Gdybym weszła pięć minut później, twój fiut znajdowałby się już pod jej spódnicą. – Przemawiały przez nią wściekłość, strach i pretensja.

– Przysięgam, że do niczego między nami nie doszło.

– Twoja ręka na jej nodze to już wystarczająco dużo. Wyglądałeś, jakbyś miał zaraz wskoczyć jej do łóżka. Nie wierzę w ani jedno twoje słowo.

– Proszę, uspokój się. Nerwy zaszkodzą i tobie, i dziecku. Wrócę dziś wcześniej. Mam jeszcze spotkanie o wpół do drugiej, ale potem przyjadę. Kocham cię. Ta dziewczyna nic dla mnie nie znaczy.

– Czy z nią spałeś?

– Oczywiście, że nie. – Był zaszokowany.

– Gdzie w takim razie sypiasz, kiedy nie wracasz do domu na noc?

– W biurze. Mamy pokoje na zapleczu dla podobnych do mnie wariatów, gdy jesteśmy zbyt wyczerpani, by wracać do domu. W wielu firmach technologicznych to powszechny zwyczaj. Mnóstwo ludzi śpi w pracy, jeśli muszą zostać do późna.

– A co z nią?

– To tylko stażystka.

– Jesteś palantem – stwierdziła i się rozłączyła.

Położyła się do łóżka, słyszała, jak mocno wali jej serce. Czuła, że dziecko jest niespokojne, wierci się, prawdopodobnie pod wpływem skoku adrenaliny w jej krwi. Ruby nie ruszała się, patrzyła w sufit i myślała, jak bardzo nienawidzi Zacka. Ciągle odgrywała całą scenę w głowie, aż w końcu zasnęła. Już więcej nie zadzwonił. Była zbyt wzburzona, żeby wysłuchiwać jego tłumaczeń. Kiedy obudziła się dwie godziny później, była wyczerpana i źle się czuła. Całe łóżko było mokre. Odeszły jej wody i zrozumiała, że obudził ją skurcz. Zaczął się poród, choć akurat w tym momencie wcale tego nie chciała. Nie miała ochoty widzieć Zacka ani rodzić właśnie teraz. Była zbyt wściekła i niespokojna.

Wstała, poszła do łazienki, rozebrała się, owinęła ręcznikiem i znów się położyła na suchej połowie łóżka. Wiedziała, że powinna zadzwonić do lekarza, ale nie miała na to ochoty. Marzyła, żeby skurcze ustały, ale niestety się nasilały. Czuła, że zbliża się poród. A kiedy skurcze były już tak silne, że nie dało się ich zignorować, poszła poszukać opiekunki. Okazało się, że nie było jej w domu. Prawdopodobnie zabrała Kendall na spacer do parku. Zatrudniali tylko kilka osób do pomocy w domu, a tego dnia jedna pokojówka wzięła wolne. Druga miała urlop. Ruby była sama. Zmierzyła czas między skurczami. Dwie minuty. Musiała jakoś dostać się do szpitala. Postanowiła, że pojedzie sama. Nie chciała niepokoić babci, a Zack był za daleko, żeby dotrzeć na czas. Droga z biura do domu zajmowała mu czterdzieści pięć minut do godziny, zresztą wcale nie chciała go widzieć. Pomyślała, że pewnie jest teraz z seksowną blondynką.

Wstała, żeby się ubrać, ale w czasie skurczów nie była w stanie chodzić. Pojawiały się coraz częściej. Wiedziała, że nie da rady włożyć ubrania, wyjść z domu ani dojechać do szpitala. Nagle wpadła w popłoch. Powinna zadzwonić do Zacka, ale przypomniała sobie Bethany na jego biurku. Podniosła słuchawkę, żeby wybrać numer do szpitala, kiedy usłyszała, że ktoś wbiega na górę po schodach. Chwilę później w pokoju zjawił się Zack. Oboje zdziwili się na swój widok.

– Co tutaj robisz? – zapytała między skurczami.

– Mieszkam tutaj. Przyjechałem, żeby z tobą porozmawiać.

– Rodzę. – Grymas wykrzywił jej twarz. Ból był nie do zniesienia, było gorzej, niż to zapamiętała. Jak to możliwe, że zapomniała?

– Dlaczego do mnie nie zadzwoniłaś? Dlaczego nie pojechałaś do szpitala? – spanikował.

– Bo jesteś gnojem i cię nienawidzę – odburknęła i nic więcej nie była w stanie dodać.

Wyrwał jej z ręki telefon i zadzwonił na pogotowie.

– Co robisz? – Była przerażona.

– Rodzisz. Za długo zwlekałaś.

Wiedziała, że miał rację. Tym razem wszystko szło nie tak. Usłyszała, jak informuje operatora, że jego żona rodzi, podał adres, a potem pobiegł do łazienki i wrócił ze stosem ręczników. Zbliżył się i popatrzył jej prosto w oczy.

– Niezależnie od tego, co się dziś stało, co zobaczyłaś i co sobie myślisz, to nasze dziecko i cię kocham. Czy możemy na chwilę zapomnieć o tym całym zamieszaniu i skupić się na porodzie? Kocham cię, Ruby. Już więcej nie zachowam się jak skończony dupek.

Nic mu nie odpowiedziała, rozdzierał ją ból. Czuła, jak dziecko przepycha się na świat, i nie mogła go w żaden sposób zatrzymać. Ostatnim razem urodziła szybko i bez komplikacji, teraz jednak nie było dobrze, podobnie jak nie było dobrze z ich małżeństwem, i bardzo bolało, podobnie jak to, co zobaczyła rano. Z minuty na minutę sytuacja stawała się poważniejsza.

– Chyba zaraz urodzę – wyrzuciła z siebie i się rozpłakała.

Rozległ się dźwięk dzwonka do drzwi i Zack pobiegł otworzyć. Zostawił ją pogrążoną w rozpaczy i łzach. Chwilę później do pokoju weszli strażacy, ratownik medyczny i policjant. Ratownik podszedł do niej i spokojnym głosem mówił, co ma robić. Zdjął ręcznik, którym była owinięta, Zack pochylił się nad nią i gdy patrzyła na jego twarz, już nie wiedziała, czy go nienawidzi, czy kocha. Pokój zafalował, miała wrażenie, że tonie. Usłyszała krzyk, a potem płacz dziecka. Dochodziły do niej z głębokiej ciemności, w którą zepchnął ją ból. Ratownik trzymał noworodka, powiedział, że to chłopiec, a Zack płakał i powtarzał, że ją kocha. Przez chwilę mu uwierzyła, ale potem sobie wszystko przypomniała i uległa rozpaczy.

– Mamy syna – cieszył się Zack, kiedy zakładano jej maskę tlenową.

W czasie ciąży nie chcieli znać płci dziecka, woleli mieć niespodziankę, tyle że teraz wielką niespodzianką okazała się blondynka w jego biurze. Pępowina został przecięta, a Ruby położono na noszach. Policjant trzymał dziecko zawinięte w becik.

– Zawieziemy panią do szpitala – wyjaśnił strażak, a ona skinęła głową.

Ból ustał, ale nie mogła powstrzymać łez. Położono noworodka obok niej i oboje przykryto kocem.

– Jest piękny – zauważył Zack, kiedy ją wynosili. – I kocham cię. Wszystko będzie dobrze.

Skinęła głową, choć wcale mu nie wierzyła. Zauważyła opiekunkę i Kendall i usłyszała, jak Zack wyjaśnia, co się stało. Nie powiedział tylko, dlaczego do tego doszło. Znienawidziła go. Wszystko zniszczyła dziewczyna na jego biurku i noce, podczas których nie wracał do domu. Była głupia, że mu wierzyła. Zastanawiała się, od jak dawna to się ciągnie. Nie miała żadnego dowodu, że ze sobą sypiali, ale w głębi duszy czuła, że tak było.

Byli już w karetce. Spojrzała na synka, który leżał obok niej. Wyglądał ślicznie i niewinnie. Nagle znów pojawił się ból,

Zack wziął dziecko na ręce, a ona urodziła łożysko. Karetka pędziła na sygnale do szpitala. Dziesięć minut później byli na miejscu, została wniesiona na noszach do środka, Zack szedł za nią z noworodkiem. Przejęły ją położne i przyszedł lekarz, żeby ją zbadać. Podziękowała i pożegnała się z ratownikami. Drżała, czuła się fatalnie. Umyli ją, dziecko zostało zabrane na badanie. Po chwili pediatra poinformował ją, że z synkiem wszystko w porządku. Stan Ruby budził niepokój. Wyczytała to z wyrazu twarzy Zacka. Już nigdy nie będzie dobrze. Ciągle myślała o jego romansie, zastanawiała się, jak długo ją zdradzał. Od samego początku? Od niedawna? Od drugiej ciąży? Czy już w czasie pierwszej?

– Zgaduję, że tym razem spóźniła się pani na pociąg – zażartował lekarz. – Była pani bardziej niż gotowa i dziecko urodziło się błyskawicznie. Następnym razem musi pani obiecać, że przyjedzie po pierwszej oznace zbliżającego się porodu. Każdy następny będzie miał jeszcze szybszy przebieg. Jedna z moich pacjentek przy trzecim dziecku nie dojechała do szpitala. Wszystko jednak wygląda dobrze. Dziecko waży trzy kilogramy siedemset. Jest idealne. Mąż jest teraz z synem w sali noworodków. Jutro będę mógł panią wypisać, choć może też pani zostać na kilka dni. Decyzja należy do pani.

Ruby skinęła głową, uważnie słuchając, ale wszystko wydarzyło się tak nagle, że wciąż była w szoku: wstrząsający poranek, błyskawiczny poród, który był bardzo bolesny, dziecko. Także świadomość, że jej małżeństwo i uczucia do męża zmieniły się prawdopodobnie na zawsze.

Zack wrócił, popychając łóżeczko z dzieckiem. Ruby wcześniej dostała zastrzyk na złagodzenie bólu wywołanego kurczącą się macicą. Drzemała, obudziła się, spojrzała na męża, który podał jej synka. Wcześniej ustalili, że jeśli urodzi się chłopiec, nazwą go Nicholas.

– Czy chce pani wziąć go na ręce? – zapytała położna, ale Ruby czuła się bardzo osłabiona i pokręciła głową. Chciała tylko, żeby zostawiono ją w spokoju.

– Nagłe domowe porody bywają ciężkie – powiedziała położna do Zacka, który się z nią zgodził.

Ruby zamknęła oczy i zasnęła. Marzyła, żeby ten dzień się wreszcie skończył. I żeby przestała kochać Zacka najszybciej, jak to możliwe.

Rozdział 18

Tym razem wszystko odbyło się inaczej. Nawet następnego dnia nie czuła się lepiej. Połóg był zupełnie inny. Dostała potwornych skurczów i kolejny zastrzyk na uśmierzenie bólu. Zack wrócił rano. Nie został na noc w szpitalu, jak zrobił, gdy na świat przyszła Kendall. Zastanawiała się, gdzie był. Może w Palo Alto z blondynką. Nawet nie wiedziała, co mu powiedzieć. Za każdym razem, gdy patrzyła na ich syna, zalewała ją fala smutku. Urodził się w tak koszmarnym dniu. Niezależnie od wszystkiego wiedziała, że nigdy już nie zaufa Zackowi. To właśnie się zmieniło i uważała, że tak już pozostanie na zawsze. Co teraz zrobi? Miała dwoje dzieci z mężczyzną, który ją zdradził – była tego pewna – i najprawdopodobniej wciąż zdradza. Zack zachowywał się jak jego ojciec, który zdradzał żonę i romansował z innymi kobietami przez cały czas trwania ich małżeństwa. Choć mąż Ruby stracił cały szacunek do niego, kiedy się o tym dowiedział, teraz postępował tak samo.

Kiedy o tym myślała, wręczył jej szare pudełko. Wiedziała, że nie chce tego, co jest w środku. Nie chciała już więcej dostawać od niego żadnych prezentów. Kiedy uniosła wieczko, zobaczyła największy i najwspanialszy rubin, jaki w życiu widziała, perfekcyjnie oszlifowany pięćdziesięciokaratowy owalny kamień o barwie gołębiej krwi. Próbował ją kupić. Jego wina była na miarę jego prezentów. Właśnie sobie to uświadomiła. Chciała odrzucić upominek, ale się powstrzymała.

Kiedy odwiedzili ją dziadkowie, nawet nie potrafiła udawać szczęśliwej. Rozpłakała się i wtuliła w babcię. Eleanor wyczytała z jej oczu, że wciąż jest roztrzęsiona. Wiedziała, dlaczego jej wnuczka tak szybko urodziła, dlaczego do nikogo nie zadzwoniła. Zack też zdawał sobie z tego sprawę. Eleanor popatrzyła na niego i zrozumiał, że Ruby powiedziała jej wszystko. Alex głównie milczał. Zachwycali się dzieckiem, zamienili kilka słów z Ruby i szybko się pożegnali. Małżonkowie zostali sami.

– Nie możesz pozwolić, żeby to poróżniło nas na zawsze, Ruby. Nie zgadzam się na to.

– Już wiem, dlaczego kupiłeś mi samochód – zauważyła smutno i zrozumiał, że już nigdy do niego nie wsiądzie. W jej oczach rolls-royce był skażony, podobnie jak on sam.

– Nie bądź śmieszna. Chciałem ci sprawić frajdę – zaprzeczył, ale oboje wiedzieli, że kłamie.

Rozgryzła go. Zastanawiała się tylko, od jak dawna ją zdradzał. Może od samego początku. Mieli teraz dwójkę dzieci, które potrzebowały rodziców. Nie zamierzała zachować się tak, jak jej matka, nie porzuci swoich dzieci, lecz nie odbierze im też ojca. Musiała z nim zostać dla ich dobra. Kendall i Nick potrzebowali go, ale ona została tak bardzo zraniona, że nie sądziła, żeby kiedykolwiek była w stanie mu wybaczyć. Całe ich małżeństwo wydało jej się jedną wielką farsą. Nie była pewna, jak długo trwają jego romanse, ale podejrzewała, że blondynka w biurze nie była pierwszą ani jedyną.

Ruby została wypisana ze szpitala dwa dni po porodzie. W domu panował ponury nastrój. Nie wyczuwało się nawet cienia radości, która z nich emanowała, kiedy na świat przyszła Kendall. Dziecko było zdrowe, ale ich małżeństwo się skończyło.

Zack uparł się, żeby jej udowodnić, że się myli. Troszczył się o nią, przepraszał, był obecny, zachwycał się noworodkiem i był przeszczęśliwy, że ma syna. Z wielką cierpliwością odnosił się do żony, zważał na każdy drobiazg. Wracał do domu co wieczór. Eleanor widziała, że bardzo się stara, ale Ruby nie doceniała jego wysiłków. Kompletnie się na niego zamknęła.

W sierpniu pojechali nad Tahoe, gdzie zaczęła powoli mięknąć, okazywała mu coraz więcej ciepła. Chodzili razem na długie spacery i choć nic nie mówiła, był pewny, że powoli mu wybacza. Niezależnie od jego winy Eleanor widziała, że Ruby każe mu słono za to płacić. Współczuła im.

Kiedy wracali do miasta pod koniec sierpnia, wydawało się, że wszystko wraca do normy. Ruby była bardziej powściągliwa i ostrożna, ale zbliżyła się do niego, a on przywarł do niej niczym tonący, który chwyta się brzytwy. Nie chciał jej stracić, był gotów na wszystko, żeby ją odzyskać, żeby uratować ich małżeństwo, jeśli to tylko będzie możliwe. We wrześniu znów zaczęli ze sobą sypiać. Minęły trzy miesiące od urodzenia Nicholasa.

Święto Dziękczynienia spędzili z Alexem i Eleanor, bo Zack od lat nie bywał u swoich rodziców. Przed ślubem z Ruby zazwyczaj spotykał się w tym czasie z przyjaciółmi. Jego matka jeździła do rodziny swojego nowego męża, a ojciec co roku wybierał się na wycieczkę z aktualną dziewczyną. Zack z Ruby spędzali więc święta z jej rodziną. Zostawili dzieci pod opieką niani w domu.

Alex poszedł do kuchni, żeby pokroić indyka, ale długo nie wracał i Eleanor postanowiła sprawdzić, czy nie potrzebuje pomocy. Chwilę później wróciła blada jak prześcieradło. Zack pobiegł do kuchni, żeby zobaczyć, co się stało, a Ruby pospieszyła za mężem. Jej dziadek osunął się z wózka, śmierć musiała nastąpić szybko. Kiedy Zack sprawdził mu puls, nic nie wyczuł. Alex wyglądał, jakby zasnął. Serce przestało bić. Miał osiemdziesiąt siedem lat, a Eleanor – siedemdziesiąt trzy. Kochali się nieprzerwanie przez pięćdziesiąt pięć lat. Całą trójką zapłakali, patrząc na niego. Zadzwonili na pogotowie, ale ratownicy medyczni po przyjeździe na miejsce niewiele mogli pomóc. Już nie żył. Mimo gwałtownych zmian, które na niego spadły, i obrażeń wojennych, miał dobre życie.

Pogrzeb odbył się w poniedziałek po Święcie Dziękczynienia, kościół był wypełniony po brzegi. Przyszli znajomi Alexa z młodości, współpracownicy, klienci sklepu, a także ci, z którymi służył w wojsku, a których Eleanor nie znała. Była w szoku i Ruby nie odstępowała jej nawet na krok. Zaproponowała, żeby nocowała u nich, ale jej babka wolała zostać w swoim domu. Zamknęła sklep na tydzień, potem go otworzyła, ale nie miała serca prowadzić firmy po śmierci męża.

Na wiosnę podjęła decyzję o definitywnym zakończeniu działalności. Handel antykami stracił dla niej sens. Nie potrzebowali już pieniędzy, dobrze im się wiodło. Sklep odniósł sukces i cieszyli się nim przez czterdzieści lat. Uznała, że to wystarczająco długo. Latem postanowiła wynająć budynek i przeprowadziła się nad jezioro Tahoe. Chciała mieszkać na wsi i zajmować się ogrodem. Brytyjski hrabia, do którego teraz należała posiadłość, najął nowego nadzorcę krótko po śmierci Alexa. Arystokrata, który kupił teren od Charlesa, zmarł rok wcześniej, a ziemię odziedziczył jego syn, który jeszcze nigdy tam nie był. Odkładał w czasie decyzję co do przyszłości majątku, najpierw chciał go zobaczyć na własne oczy, ale na razie nie planował wizyty. Miał problemy zdrowotne.

Ruby martwiła się o babcię, która samotnie mieszkała nad jeziorem, lecz Eleanor wydawała się szczęśliwa. Większość czasu spędzała w swoim ogródku. Postawiła szklarnię, w której hodowała orchidee. Lubiła to. Nie interesowało jej już życie w mieście. Początkowo zajmowała się jeszcze aranżacją wnętrz, miała kontakt z kilkoma klientami, ale z czasem wycofała się również z tego. Ten rozdział jej życia został zamknięty.

Ruby odwiedzała ją zawsze, kiedy było to możliwe. Zabierała ze sobą dzieci. Z Zackiem im się ułożyło. Minął rok od spotkania dziewczyny w jego biurze, Ruby w końcu wybaczyła mężowi i łącząca ich relacja wreszcie się poprawiła.

Rok po przeprowadzce Eleanor nad Tahoe Zack zaproponował, żeby w lipcu wybrała się z nimi w rejs jachtem. Mieli piękną łódź, ale rzadko z niej korzystali. Nigdy nie zabierali ze sobą dzieci, bo było to zbyt niebezpieczne, i choć Ruby nie lubiła się rozstawać z córką i synem, zgodziła się z mężem, że wycieczka dobrze zrobiłaby jej babci, która po śmierci Alexa przed półtora rokiem wycofała się z aktywnego życia. Wnuczka przekonała ją więc do wyjazdu. Oboje z Zackiem byli zachwyceni, kiedy przyjęła ich zaproszenie. Mieli wsiąść na pokład w Monako, a potem popłynąć do Włoch. Rozważali, czy nie zatrzymać się po drodze na Sardynii – mieli wszak spędzić dwa tygodnie na morzu. Eleanor zaplanowała potem krótką podróż w pojedynkę, a jej wnuczka z mężem byli umówieni ze znajomymi w Saint-Tropez. W sumie miało ich nie być trzy tygodnie. Kendall z Nickiem zostawali w domu. Chłopiec miał dwa lata, a dziewczynka trzy. Zabieranie maluchów na łódź nie było dobrym pomysłem. Zbyt łatwo było o wypadek, wypadnięcie za burtę czy jakieś urazy. Nigdy wcześniej Ruby nie rozstawała się na tak długo ze swoimi dziećmi.

Poleciała z San Francisco do Europy z babcią, a Zack miał do nich dołączyć dzień później, po spotkaniu w Londynie. Dzięki temu Ruby i Eleanor mogły skorzystać z czasu wolnego tylko we dwie i już zaplanowały zakupy w Monako, a potem zamierzały odpocząć na luksusowym jachcie w oczekiwaniu na Zacka. Eleanor nie mogła się doczekać wyprawy, Ruby również była bardzo podekscytowana. Wyjechały w wybornych nastrojach, lot był długi i doleciały na miejsce późnym popołudniem. Załoga już na nie czekała, a kajuty były gotowe. Babcia z wnuczką zjadły kolację na pokładzie. Był ciepły letni wieczór. Wcześnie się położyły, bo były zmęczone po podróży. Następnego dnia zgodnie z planem wybrały się na zakupy. Zack przylatywał o piątej po południu i jeden z członków załogi miał go odebrać z lotniska.

Kiedy obie kobiety wróciły na jacht po całodziennych zakupach, do kajuty Ruby przyszedł kapitan z informacją, że pan Katz dzwonił podczas jej nieobecności i zostawił wiadomość. Spóźnił się na samolot i będzie na miejscu dopiero następnego dnia w południe. Zatrzymał się w Claridge's. Ruby zadzwoniła do niego do hotelu, żeby sprawić, czy wszystko w porządku, ale nie odbierał. Spróbowała ponownie wieczorem, lecz znów go nie było, mimo to nie zaniepokoiła się. Przez ostatnie dwa lata zachowywał się nienagannie. Wyglądało na to, że flirty i skoki w bok należą do przeszłości. Przestała się tym zamartwiać. Przechodzili przez trudniejszy okres, była w ciąży prawie przez dwa lata z rzędu. Zagubili się, ale wrócili do siebie. Z tego powodu nie miała ochoty na trzecie dziecko.

Nie chciała zaburzyć małżeńskiej harmonii, Zack potrzebował całej jej uwagi. Uświadomiła sobie, że był tak wygłodniały i spragniony miłości, bo zabrakło mu jej w okresie dorastania i w pewnym sensie potrzebował Ruby jako matki. Czasami miała wręcz wrażenie, że współzawodniczy z Kendall i Nickiem o jej troskę.

Eleanor i Ruby spędziły leniwy ranek, wybrały się na długi spacer nadbrzeżem. Wróciły w porze lunchu, kiedy miał przyjechać Zack. Niestety, czekała na nie kolejna wiadomość przekazana przez kapitana. Zostało zwołane nadzwyczajne zebranie, które opóźni jego przyjazd o kolejny dzień. Ruby próbowała do niego dzwonić, ale nie było go w hotelu, więc zostawiła mu wiadomość. Dla zabicia czasu poprosiła kapitana, żeby wypłynął po południu w morze. Wybrali się do Cap d'Antibes, tam zeszły na ląd nieopodal Hotel du Cap, zwiedziły okolicę i wróciły do Monako. Nadzwyczajne zebranie się przeciągało i Zack przesunął przyjazd o kolejne dwa dni. Zadzwonił osobiście przed kolacją z przeprosinami i zasugerował, żeby wybrały się na jeden dzień do uroczego portowego miasteczka, Portofino. Jeszcze raz przeprosił, powiedział, że tęskni i czuje się paskudnie z powodu swojego spóźnienia.

Przyleciał pięć dni później, szczerze skruszony i zmieszany. Przez cały ten czas Ruby z babcią zwiedzały okolicę. Dobrze się bawiły w swoim towarzystwie, ale czekanie na Zacka było frustrujące. Na szczęście wreszcie dotarł na miejsce i błagając o wybaczenie, z pasją pocałował żonę na powitanie. Wyglądał na szczerze uradowanego, że widzi ją i jej babcię. W ramach przeprosin kupił w domu mody Hermès piękną apaszkę dla Eleanor, a dla żony wybrał torebkę ze skóry aligatora, która musiała kosztować majątek. Kiedy Ruby ją zobaczyła, zmroziło ją, bo domyśliła się, co się naprawdę stało i dlaczego mąż się spóźnił. Ta świadomość tak ją poraziła, że trudno było to ukryć, lecz Eleanor powstrzymała się od komentarza. Nie chciała pogarszać sytuacji własnymi podejrzeniami i uprzejmie podziękowała Zackowi za upominek.

Wieczorem wypłynęli w morze, kierując się na Sardynię. Cieszyli się rejsem. Następny tydzień spędzili we trójkę na jachcie. Zack z troską i czułością odnosił się do żony, która jednak wydawała się nieobecna duchem. Eleanor pożegnała się z nimi nad jeziorem Como, które chciała zobaczyć przed laty w czasie swojego miesiąca miodowego, lecz niestety wtedy byli z Alexem zmuszeni do wcześniejszego powrotu do domu. Następnie umówiła się w Madrycie ze swoimi byłymi klientami, z którymi się zaprzyjaźniła. Bardzo się cieszyła na samodzielną przygodę. Jacht ruszył do Saint-Tropez. Ruby zeszła do kajuty i nie wychodziła z niej aż do lunchu, podczas którego wiało od niej chłodem. Włożyła torebkę ze skóry aligatora z powrotem do pudełka i oddała Zackowi przy posiłku. Prezent był dowodem tego, co Zack robił w Londynie, i wyjaśniał, dlaczego spóźnił się aż pięć dni na jacht.

– O co chodzi? – zapytał zaskoczony, kiedy wręczyła mu pomarańczowe opakowanie.

– Nie próbuj mnie przekupić, Zack. To mi uwłacza. Poza tym za każdym razem cię zdradza.

Upominek przypomniał dawne dzieje, wydobył na powierzchnię pogrzebane wspomnienia chwil, których wolałaby nie pamiętać.

– Nie rozumiem, co masz na myśli. – Przybrał urażony i niewinny wyraz twarzy, ale nie dała się tak łatwo nabrać.

– Doskonale wiesz, o co chodzi, podobnie jak ja. Co robiłeś w Londynie w ciągu tych pięciu dni, kiedy czekałyśmy na ciebie z babcią?

– Przecież już ci powiedziałem. Utknąłem na spotkaniu. Gdybym mógł, przyjechałbym wcześniej. Przykro mi, że torebka ci się nie spodobała.

– Wręcz przeciwnie, jest śliczna, ale wiem, co oznaczają podobne prezenty.

Sprzedał rolls-royce'a, bo nie chciała nim jeździć. Zrozumiał. W milczeniu skończyli posiłek serwowany przez załogę statku, nie odezwała się już do niego ani słowem. Późnym popołudniem dotarli do Saint-Tropez. W porcie nie było miejsca, ich jacht był za duży, więc zrzucili kotwicę na morzu i Ruby popłynęła do miasta motorówką, wybrała się na spacer, podczas którego biła się z myślami, czy czasem nie przesadziła i nie potraktowała go niesprawiedliwie. Lecz nie wierzyła w jego tłumaczenia na temat pięciodniowego spóźnienia. Niezależnie od tego, co go zatrzymało w Londynie, nie powinien był tam zostać, wiedząc, że czekają na niego razem z Eleanor na pokładzie. Miał najwyraźniej skłonność do wikłania się w romanse – jakby nie potrafił się powstrzymać, jakby ulegał natręctwu, choć przecież ryzykował przyłapanie na gorącym uczynku. Tkwiła w nim niezaspokojona potrzeba miłości, pustka, której nie był w stanie wypełnić, bo jako dziecko został porzucony przez matkę, i nie liczyło się to, jak bardzo kocha go Ruby. Łaknął więcej, a pozycja, którą osiągnął, bardzo mu to ułatwiała.

Kiedy wróciła na jacht, przebrała się do kolacji. Starała się stłumić swoje obawy. Byli umówieni z przyjaciółmi Zacka, których nie znała. Kiedy zaproponował spotkanie, a potem wszystko zorganizował, zapowiadał miły wieczór. Ale akurat teraz nie była w nastroju na zabawę. Jej mąż wybrał cieszącą się popularnością restaurację i wiedziała, że przyjdzie osiem, może dziesięć osób, które wypoczywały w Saint-Tropez w tym samym czasie co oni. Wszyscy się znali i Zack uparł się, że nie wypada nie pójść.

Do portu popłynęli motorówką i dotarli na miejsce jako ostatni. Od razu zauważyła, że to grupa snobów. Wszyscy byli ubrani bardzo szykownie, a kobiety nosiły drogocenną biżuterię. Ruby ubrała się swobodnie i w ich towarzystwie poczuła się niekomfortowo. Zack nie ostrzegł jej, że jego znajomi należą do elity. Kiedy ją przedstawił, zauważyła, że połowa to Brytyjczycy, a połowa Francuzi, i wszyscy mieli domy w okolicy. Przy stole prowadzono ożywioną rozmowę, Ruby usiadła między dwoma Anglikami, którzy okazali się bardzo interesujący i zabawni. Odprężyła się, wieczór dopiero się rozkręcał. Prawie wszyscy byli ze swoimi drugimi połówkami, z wyjątkiem dwóch osób, które wpadły z wizytą na Lazurowe Wybrzeże: geja i bardzo atrakcyjnej singielki, Brytyjki o imieniu

Marlene. Usiadła koło Zacka. Gdy przy stole zapadła chwilowa cisza, Ruby usłyszała, jak kobieta szepce do jej męża:

– Kotku, w Londynie było bosko, prawda?

Zack skinął głową, uśmiechnął się i coś jej odpowiedział, nieświadomy, że Ruby ich obserwuje. Kobieta jednak od razu się zreflektowała i szybko urwała rozmowę, po czym odwróciła się do mężczyzny siedzącego po jej drugiej stronie. Wymiana porozumiewawczych spojrzeń między Zackiem a Marlene nie umknęła uwadze Ruby. Była wyczulona na takie zachowania. Natychmiast zrozumiała, że jej podejrzenia były słuszne, a całe spotkanie prawdopodobnie zostało tak zaaranżowane, żeby kochankowie mogli się zobaczyć. Kobieta dopiero przyleciała z Londynu. Ruby była bystrzejsza, niż zakładał jej mąż. W końcu wyjaśniła się zagadka kosztownej torebki od Hermèsa.

Do końca wieczoru Ruby niewiele się odzywała, a kiedy Zack zaprosił całą grupę na jacht następnego dnia, nie skomentowała tego ani słowem. Lecz po powrocie na Ruby Moon posłała mu lodowate spojrzenie.

– Oświeć mnie proszę, żebym zaznajomiła się z podstawowymi regułami. Ukradkiem się wymkniecie z Marlene, podczas gdy ja będę zabawiała resztę gości? Czy mam udawać, że nic nie widzę i nie rozumiem, kiedy będzie na tobie wisieć na oczach wszystkich?

Przez cały wieczór bacznie ich obserwowała, nachylali się ku sobie, kilkakrotnie musnęli się dłońmi, siedzieli bardzo blisko siebie.

– O czym ty mówisz?

Sporo wypił do kolacji i był bardziej zawiany, niż by sobie życzył.

– Doskonale wiesz, o czym mówię. – I dodała, perfekcyjnie naśladując głos Marlene: – „Kotku, w Londynie było bosko, prawda?". Czy naprawdę sądzisz, że zostanę i pozwolę ci zrobić z siebie idiotkę podczas jutrzejszej szarady? Spotkanie w Saint-Tropez miało być frajdą. A okazało się starannie zaplanowaną schadzką, ja natomiast wyszłam na kretynkę. Brak ci subtelności, Zack. Nie należysz też do najbystrzejszych.

– Wystarczy! – sarknął ze złością. – Chcesz, żebym do wszystkich zadzwonił i odwołał jutrzejsze spotkanie? Zrobię tak, jeśli tego właśnie sobie życzysz.

Ruby podejrzewała, że tak łatwo nie zrezygnuje ze spotkania z kochanką. Wciąż był małym chłopcem w sklepie ze słodyczami, który chciał mieć wszystko i mógł sobie na to pozwolić. Wierzył też, że mu się upiecze. Poza tym był bardzo niedojrzały. Za młody na żonę, dwoje dzieci i ogromny sukces zawodowy, który odniósł. Ruby uzmysłowiła sobie, że była naiwna, wierząc, że tak wielkie pieniądze nie będą mieć znaczenia i że go nie zmienią. Stało się wręcz przeciwnie.

– Decyzja należy do ciebie – odpowiedziała na pytanie o odwołanie gości, a potem zeszli na dół do kajuty.

Okazało się, że nie zmienił planów, cała grupa zjawiła się punktualnie w południe. Wszyscy byli podekscytowani, że spędzą czas na luksusowym jachcie. Jeden z majtków go wydał, kiedy przywitał się z Marlene słowami: „Miło znów panią widzieć". Ruby nie skomentowała, a potem wszystko potoczyło się według z góry ustalonego scenariusza. Przed lunchem goście pływali, kobiety opalały się topless, a potem w wybornych humorach zasiedli do stołu. Marlene znów znalazła się obok Zacka, a Ruby na drugim końcu stołu. Gospodarz zaproponował kochance przejażdżkę motorówką, innych jednak nie zaprosił. Nie było ich pół godziny, wrócili zarumienieni i w lekkim nieładzie. Roześmiałaby się, gdyby Zack włożył spodnie na lewą stronę lub tył na przód. Ale nie musiał. Było oczywiste, co razem robili, jego szyję przecinała wąska smuga szminki, którą Ruby od razu zauważyła, choć udawała, że jej nie widzi.

Jakoś przeżyła ten dzień, choć serce jej krwawiło. O szóstej wieczorem jacht wrócił na swoje miejsce przy wyjściu z portu, wszyscy goście się pożegnali i wsiedli do motorówki. Marlene całe popołudnie paradowała topless, a Zack wręcz pożerał ją wzrokiem. Gospodarze pomachali gościom płynącym w stronę portu – on entuzjastycznie, a ona ze smutkiem i poczuciem porażki. Wygrał bitwę, ale na dłuższą metę był przegranym.

Po pożegnaniu gości Ruby zeszła do kajuty i zaczęła się pakować. Zack dołączył do niej chwilę później. Burza wisiała w powietrzu.

– Co robisz?

– Pakuję się – wyjaśniła lakonicznie, jak najszybciej wypełniając walizkę, do której wrzucała tylko buty i stroje plażowe.

– Dlaczego? – Przybrał minę niewiniątka, ale był niezbyt przekonujący.

– Chyba sobie żartujesz. Widziałam, jak pracujący na jachcie Billy ucieszył się z ponownych odwiedzin Marlene. Widok jej cycków i wasza półgodzinna wycieczka na motorówce, z której wróciliście zgrzani i spoceni, a na skórze miałeś ślady jej szminki, to mało? – Wskazała szyję męża, smuga wciąż tam była, kiedy spojrzał w lustro, żeby sprawdzić. Zawstydził się. – Nie potrafię ci wyjaśnić, dlaczego się pakuję, ale może tobie się to uda. Za jak wielką idiotkę mnie uważasz?

– Jesteś najmądrzejszą kobietą, jaką znam – wydukał, spoglądając na nią jak zbesztany dzieciak. – To egzaltowana i samotna kobieta. Jest wdową i jest nieszkodliwa.

– Przykro mi słyszeć, że jest wdową. Powiedz mi, czy po to właśnie kupiłeś jacht? Żeby romansować na prawo i lewo podczas rzekomych podróży służbowych, kłamiąc mi w żywe oczy? Dość kosztowne hobby, w końcu utrzymanie łodzi nie jest tanie. – Jacht kosztował krocie, ale uwielbiał go, o wiele bardziej niż ona. – Jeśli tak to wygląda, moja noga już więcej tu nie postanie. Nie zamierzam znosić ironicznych uśmieszków załogi za moimi plecami, skoro sprowadzasz tu kochanki podczas mojej nieobecności, a wręcz zapraszasz je, gdy jestem na pokładzie. Przesadziłeś. Nie sądzisz? A może do reszty straciłeś poczucie przyzwoitości? Jesteś teraz taki ważny i taki bogaty, że wydaje ci się, że możesz kupić wszystko i wszystkich? Czy tak to ma wyglądać? Nie dbasz o żonę i dzieci, które czekają na ciebie w domu, marzy ci się jedynie, żeby czerpać z życia pełnymi garściami i dobrze się bawić, wieczny Piotruś Pan. Problem polega na tym, że masz dwadzieścia osiem lat, jesteś w szczytowej formie i możesz mieć każdą kobietę, jakiej zapragniesz. Wcześniej o to nie dbałeś, ale się zmieniłeś. Nie powinieneś się ze mną wiązać, Zack. Popełniliśmy ogromny błąd. Byłeś moim najlepszym przyjacielem. Ale widocznie blado wypadam na tle wianuszka ślicznotek, wśród których się teraz obracasz. Pragną tylko ciebie. Ty zaś chcesz mieć wszystkie, bo ja już ci nie wystarczam. Coraz bardziej przypominasz własnego ojca albo wkrótce się nim staniesz, jeśli się w porę nie opamiętasz. On też potrzebuje stada kobiet, aby zaspokoić własne ego. Ty podobnie chcesz nimi zapełnić ziejącą w tobie pustkę, choć wiesz doskonale, że nigdy ci się to nie uda. Nie zamierzam być częścią twojego haremu, Zack. Nie chcę się tobą dzielić ani pogodzić się z rolą zdradzanej żony. Jeśli tak właśnie chcesz żyć, nigdy nie powinieneś się żenić. Przynajmniej nie ze mną.

Najgorsze było to, że jeśli zostałaby z nim, znów złamałby jej serce. A potem znów i znów. Teraz zrozumiała, że jeśli nie odejdzie, nie może się oszukiwać, że kiedykolwiek będzie inaczej. On się nie zmieni, oboje byli tego świadomi. Właśnie takim stał się człowiekiem. Byli dziećmi, kiedy brali ślub. Teraz Zack Katz wciąż był dzieckiem, czy raczej rozpuszczonym bachorem, ale przy okazji był też milionerem, który chciał zjeść ciastko i mieć ciastko, bezkarnie zdradzając żonę. Nie potrafił żyć bez kochanek, które zmieniał jak rękawiczki, wierzył, że romansowanie ujdzie mu na sucho, bo na to zasługiwał. Uświadomiła sobie, że zawsze będzie jakaś Marlene. Nie potrafił się powstrzymać, zresztą wcale nie próbował.

– Zostawiasz mnie? – zapytał przerażony.

– Przejmujesz się? – zripostowała ostro.

– Oczywiście, że tak, kocham cię – wyznał przez łzy i zrozumiała, że jest szczery.

Matka go porzuciła, kiedy miał jedenaście lat, i nie mógł znieść myśli, że teraz Ruby też od niego odejdzie. Potrzebował jej, tak jak i innych, żeby wypełnić ziejącą w nim pustkę.

– Może mnie kochasz, ale nie potrafisz żyć bez innych. Ja natomiast nie potrafię tego zaakceptować. Problem polega na tym, że mamy małe dzieci, jedno ma dopiero dwa, a drugie trzy lata, a ja wierzę, choć to staroświeckie i żałosne, że potrzebują ojca. Prawdziwego ojca. Jeśli odejdę, mają przechlapane. Jeśli zostanę, ja mam przechlapane. Dlatego jeszcze nie wiem, jaką podejmę decyzję.

– W takim razie może zostaniesz i razem spróbujemy coś wymyślić. Zaszyjemy się w spokojnym miejscu na tydzień – błagał ją.

Nie był złym człowiekiem, ale nie umiał dochować wierności i raczej nigdy nie miało się to zmienić. Właśnie się o tym przekonała.

– A potem co? Wrócisz do Londynu na kilkudniowe „nadzwyczajne zebranie", żeby się spotykać z Marlene do czasu, aż na horyzoncie pojawi się nowa, której nie będziesz w stanie się oprzeć? Uwierzyłam, że z tym skończyłeś, lecz najwyraźniej się pomyliłam, a dziś zrozumiałam, że to nigdy się nie zmieni. Zawsze będziesz potrzebował kobiet, którymi na próżno próbujesz wypełnić pustkę. Pragniesz mnie i każdej innej. One są zresztą chętne, a wręcz desperacko pragną utonąć w twoich ramionach, bo jesteś, kim jesteś, i ze względu na majątek, który zdobyłeś. Kochałam cię za to, kim jesteś naprawdę, albo raczej kim kiedyś byłeś. Nie interesuje mnie odgrywanie drugich, dziesiątych czy którychś tam z kolei skrzypiec w twoim przepełnionym grafiku. Więc nie, nie zostanę, bo muszę spokojnie przemyśleć, co teraz zrobić. Możesz podarować torebkę ze skóry aligatora Marlene. Szczęka jej opadnie z wrażenia. Założę się, że wróci do ciebie, jak tylko opuszczę pokład.

Zamknęła walizkę i poszła rozmówić się z kapitanem. Poprosiła, żeby zorganizował jej samochód z szoferem i lot z Nicei jeszcze tego wieczoru, najlepiej do Paryża lub innego miasta, skąd będzie mogła się dostać do San Francisco.

– Już pani wyjeżdża?

– Muszę wracać do dzieci – odpowiedziała cicho, a on obiecał od razu zająć się rezerwacją. Czekała na pokładzie, gdzie ją znalazł kilka minut później.

– Obawiam się, że rozwiązanie nie jest idealne – zaczął przepraszająco. – O jedenastej wieczorem jest samolot do Paryża. Ląduje godzinę później. Natomiast o ósmej rano zarezerwowałem pani lot z Paryża do San Francisco, co jednak wiąże się z ośmiogodzinnym czekaniem na lotnisku. Poza tym musi pani wyjechać już teraz, żeby zdążyć do Nicei na czas.

– W porządku, możemy ruszać.

– Kierowca będzie czekał za pięć minut w dokach, a łódź będzie gotowa za chwilę – zapewnił ją.

Rozmowa z kapitanem była dla niej krępująca teraz, gdy już wiedziała, że Zack sprowadzał inne kobiety na jacht.

Zeszła na dół, żeby się pożegnać z mężem. Zauważyła, że zmył ślad szminki z szyi.

– Jadę – poinformowała go chłodno, żeby zamaskować przytłaczający ból i rozczarowanie, które ją przepełniały.

– Nie zostaniesz? – Popatrzył na nią płaczliwie. Pokręciła głową. – Nie zostawiaj mnie, Ruby. Przysięgam, już więcej nie będę taki głupi. Dałem się ponieść chwili. Przyznaję. Masz rację, kobiety się na mnie rzucają.

– A ty ich nie odpychasz. – Uśmiechnęła się smutno.

Wzięła torebkę i wyszła z kajuty. Jej walizka już została zabrana. Zeszła po schodach do czekającej na nią łodzi, wsiadła, a kiedy odbili od burty, obejrzała się, żeby popatrzeć na jacht. Zack stał przy barierce i nie spuszczał wzroku z oddalającej się żony; w zapadającym zmierzchu nie była pewna, ale wydawało jej się, że płacze. Odwróciła się, pruli przez wodę przy pełnej prędkości, kapitan przygotował najszybszą motorówkę. Ruby była skłonna się założyć, że zanim dotrze do Nicei, Marlene wróci na pokład w roli pocieszycielki. Sama już nie wiedziała, czy odejdzie od Zacka i się rozwiodą. Jednego była za to pewna – że ich małżeństwo się skończyło. Jeśli z nim zostanie, będą mężem i żoną tylko na papierze. Miała zaledwie dwadzieścia sześć lat i było jej bardzo ciężko.

Rozdział 19

Kiedy tydzień później Zack wrócił z jachtu do San Francisco, pierwsze kroki skierował do małżeńskiej sypialni, ale Ruby tam nie było. Z porządku, jaki panował w pokoju, wywnioskował, że wyjechała. Sprawdził szafę, ale jej ubrania leżały na półkach. Zajrzał do pokojów dzieci, ale ich również nie było. Czując się jak idiota, zapytał pokojówkę, czy pani Katz wyjechała. Nie zadzwoniła do niego ani razu, nie zostawiła też żadnej wiadomości po opuszczeniu łodzi, a sam nie miał odwagi pierwszy się odezwać.

– Pani pojechała z dziećmi nad Tahoe, proszę pana.

Nie próbował się z nią skontaktować. Ruby oczywiście się nie myliła. Tego samego wieczoru, kiedy opuściła jacht, zamieszkała na nim Marlene. Nie mógł się powstrzymać.

Pokusa była zbyt wielka i łudził się, że ujdzie mu to płazem. Przecież dotąd zawsze mu się udawało. Nie cierpiał być sam. Nie potrafił znieść samotności. Umierał wtedy. Zrozumiał teraz, że ślub z Ruby był błędem, z nikim nie powinien się wiązać. Kochał ją, ale nie chciał zrezygnować z zabawy, która była dla niego jednoznaczna z otaczaniem się wianuszkiem kobiet, nie lubił bowiem się ograniczać do jednej. Im był starszy, tym większą przyjemność sprawiało mu posiadanie kochanek i przyjmowanie od nich dowodów uwielbienia. Ruby w jednym nie miała racji – wbrew jej słowom wypełniały pustkę, nawet jeśli tylko chwilowo. Kochał jednak dzieci, podobnie jak ona.

Od razu po powrocie do domu Ruby pojechała z dziećmi nad Tahoe. Siedzieli nad jeziorem, kiedy jej babcia wróciła z podróży po Europie. Wtedy opowiedziała jej o wszystkim, co się wydarzyło w Saint-Tropez.

– Co zamierzasz teraz zrobić? – zapytała Eleanor.

– Nie wiem – przyznała szczerze Ruby. – Dzieci są jeszcze małe. Nie pozbawię ich ojca.

– Co z tobą? Nie możesz zostać w związku, w którym brakuje miłości, ani z mężczyzną, który cię zdradza. Zasługujesz na lepszy los.

– Może za kilka lat... – zgodziła się Ruby, urwała i zamyśliła się.

Do końca lata została nad Tahoe, gdzie zresztą spędzała każde wakacje. Zack nie przyjechał ani do niej nie zadzwonił. Bał się, że jakiekolwiek posunięcie z jego strony doprowadzi Ruby do ostateczności, a nie chciał jej stracić. Pragnął, żeby była jego żoną. Nie mógł stracić dzieci. Ona też nie miała zamiaru pozbawić ich ojca. W razie rozwodu przyznano by jej opiekę nad dziećmi, a on musiałby się wyprowadzić.

Przez cały sierpień Ruby pomagała babci w ogrodzie albo bawiła się z dziećmi. Świeże powietrze i troska o rośliny pozwoliły jej wrócić do równowagi. Eleanor pokazała jej, jak uprawiać ziemię i pielęgnować kwiaty. Wyjaśniła, że ogród żyje, oddycha, uczy człowieka cierpliwości i daje mu siłę.

– Moja matka zajęła się ogrodnictwem po tym, jak wszystko stracili. Poszłam w jej ślady. Pomogło mi to, kiedy twój dziadek pojechał na wojnę. Wierzę, że tobie też pomoże podjąć właściwą decyzję.

Ruby odkryła, że Eleanor miała rację. Wróciła do miasta pod koniec sierpnia gotowa stawić czoło przyszłości. Postanowiła wstrzymać się z rozwodem jeszcze kilka lat. Zack był dobrym ojcem, jednak ich małżeństwo skończyło się dla niej w Saint-Tropez. Została z nim wyłącznie ze względu na dzieci, nie robiła tego dla niego ani tym bardziej dla siebie.

Kiedy wróciła do domu, Zack nie zapytał, co zamierza, a ona mu nic nie powiedziała. Wciąż żyli pod jednym dachem, ale z roku na rok coraz bardziej się od siebie oddalali. Tylko dzieci trzymały ich razem. Prawie ze sobą nie rozmawiali.

Stali się sobie obcy. Była pewna, że wciąż ma kochanki, ale nie chciała znać szczegółów. Już do niego nie należała.

Kendall miała siedem lat, kiedy pewnego dnia zobaczyła, że jej mama płacze. Ruby skończyła trzydzieści lat i wyrzucała sobie, że została z Zackiem. Nie widziała dla siebie innej przyszłości niż samotność u boku mężczyzny, który jej nie kocha i którego ona nie kochała od czterech lat. Ich małżeństwo umarło.

Odwiedzała babkę tak często, jak było to możliwe, i razem zajmowały się ogrodem. Ruby miała dobrą rękę do orchidei i uwielbiała się nimi opiekować. To były zachwycające kwiaty, hodowały nad Tahoe rzadkie gatunki. Właśnie wróciła znad jeziora i świadomość pustki, w jaką przeobraziło się jej życie, uderzyła ją z tak wielką siłą, że nie była w stanie powstrzymać łez. Wtedy właśnie zobaczyła ją córka.

– Dlaczego się smucisz, mamusiu? – zapytała Kendall, ale Ruby nie potrafiła jej odpowiedzieć.

Dziewczynka była za mała, a przyczyna łez zbyt skomplikowana. Czuła się samotna. Już nie byli z Zackiem przyjaciółmi. Ale dzieci rosły, a ona wiedziała, że podjęła dobrą decyzję, zostając z nim. Kendall ubóstwiała ojca i mówiła, że pewnego dnia będzie taka jak on. Podobnie do niego była komputerową maniaczką. Zack chciał, żeby również syn pewnego dnia z nim pracował. Dzieci widziały w nim człowieka, który odniósł niesamowity sukces i był żywą legendą w swojej branży, podziwianym ekspertem. Był niekwestionowanym geniuszem, lecz nieodwracalnie złamał serce Ruby, a życie u jego boku powoli ją zabijało. Głęboko w środku była martwa, wiedziała o tym, ale starała się tym nie przejmować. Jej babka również to widziała i sprawiało jej to ogromny ból. Ale decyzję o odejściu od męża Ruby musiała podjąć sama.

Kiedy Kendall skończyła czternaście lat, obróciła się przeciwko matce i nieustannie ją krytykowała. Ojciec był jej bohaterem i dziewczynka – twarda, wymagająca i bystra – coraz bardziej go przypominała. W pewnym sensie była bardziej bezkompromisowa niż Zack, który przecież odniósł wielki sukces. Bił z niej chłód, który martwił jej matkę.

Nick był za to czuły, wrażliwy, miły i serdeczny – bardziej przypominał Ruby. Deklarował, że pewnego dnia będzie pracował dla ojca. Miał trzynaście lat i planował karierę w finansach lub branży hi-tech.

Cztery lata później Kendall dostała się na Uniwersytet Kalifornijski w Los Angeles. Była zachwycona. Rok po niej Nick zaczął studia w London School of Economics, ale choć twierdził, że jest tam szczęśliwy, matka mu nie wierzyła. Wszystko się zmieniło, gdy na drugim roku poznał Sophie Taylor. Dziewczyna była rzeźbiarką, a jej ojciec stolarzem, nauczyli Nicka wyrabiać piękne meble. Rzucił studia i przeprowadził się z Sophie do Cotswolds, gdzie razem otworzyli warsztat. Ruby uwielbiała ich odwiedzać i była dumna z syna. Zack wręcz przeciwnie, nieustannie go krytykował, więc chłopak przestał z nim rozmawiać. Doszedł do wniosku, że jego ojciec jest toksyczny. Ruby nie przyznała tego wprost, ale w duszy zgadzała się z synem. Zack był przede wszystkim samolubny i zarozumiały, chciał, żeby wszystko się kręciło wokół niego. Kendall bardzo go przypominała. Trzymała też jego stronę i twierdziła, że jej brat jest nieudacznikiem, bo woli strugać z drewna jakieś graty, a przecież mógł po studiach dołączyć do ojca.

Kolejny bolesny cios spadł na Ruby latem przed wyjazdem Nicka na uczelnię do Londynu. Jej babcia, która cieszyła się dobrym zdrowiem, umarła we śnie. Miała dziewięćdziesiąt jeden lat. Śmierć Eleanor była dla nich ogromną stratą, a jedynym pocieszeniem w żałobie była świadomość, że miała dobre życie i była szczęśliwa. Tęskniła za mężem, który zmarł wcześniej, ale przeżyli razem wspaniałe lata. Pochowali ją nad Tahoe obok Alexa. Ruby nie mogła uwierzyć, że już jej nie ma. Dziadkowie byli dla niej bardzo ważni, uratowali ją.

Przed śmiercią Eleanor wyznała wnuczce, że Kendall przypomina Camille. Płonął w niej ogień i gniew, których nic nie było w stanie ugasić. Zeszła na złą ścieżkę i dalej przecierała własne szlaki. Pragnęła być jak ojciec i ślepo za nim podążała, podobnie jak Camille, która pobiegła za Flashem ku samozatraceniu. Eleanor jednak umarła ze spokojem w sercu.

Kiedy dzieci zaczęły studia, Ruby wciąż była żoną Zacka, mimo że prawie się nie widywali ani ze sobą nie rozmawiali. Zack dalej romansował, lecz zachowywał coraz mniejszą dyskrecję. Kendall winiła matkę. Uważała, że odrzuciła ojca, który z samotności rzucał się w ramiona innych kobiet. Nie dostrzegała bólu, jaki mąż zadawał żonie, ani uwłaczającego poniżenia, jakim były dla niej nieustanne zdrady. Nick przypadkiem nakrył go kilkakrotnie w niedwuznacznych sytuacjach z kochankami i znienawidził. Traktował go podobnie jak w młodości Zack własnego ojca. Natomiast Kendall była gotowa na wszystko, żeby tylko zyskać aprobatę Zacka, dlatego winę za kryzys w małżeństwie rodziców zrzuciła na matkę. Już zapomniała, ile razy w dzieciństwie widziała Ruby zalaną łzami.

Nick nie rozumiał, dlaczego matka nie znalazła w sobie dość odwagi, żeby odejść od ojca. Kiedy jej dzieci dostały się na studia, Ruby nie znajdowała już usprawiedliwienia dla swojej decyzji. Miała czterdzieści jeden lat, kiedy syn wyjechał do Londynu, i od siedemnastu lat wiodła smutny żywot zdradzanej żony. Z czasem znieczuliła się na ból, była jak sparaliżowana. Jej babka zauważyła to już przed laty i przypominała wnuczce, że zasługuje na lepsze życie i nie musi się poświęcać, żeby jej dzieci miały ojca. Teraz, kiedy wyjechały, nie było żadnego powodu, żeby została. Eleanor nie dożyła dnia, w którym wnuczka się od niego uwolniła.

Ruby coraz więcej czasu spędzała nad Tahoe, dbała o ogród babci, częściowo ze względu na pamięć o niej, a częściowo dla siebie, bo dzięki temu odzyskiwała spokój ducha. Nie miała żadnego powodu, żeby wracać do miasta, do domu, w którym wychowała się Eleanor i jej dzieci. Rezydencja wydawała się jej teraz pusta, pozbawiona miłości. Lepiej się czuła w skromnym domku gościnnym nad jeziorem. Większy dom nad Tahoe stał pusty.

Zack często podróżował, miał mieszkania w Nowym Jorku i Londynie, zachował też jacht. Ruby zaszyła się nad Tahoe, więc kiedy wracał do San Francisco, nie musieli przebywać pod jednym dachem. Łączyło ich niepisane porozumienie: kiedy wracała do miasta, on wyjeżdżał.

Oboje byli obecni na rozdaniu dyplomów Kendall, ale po uroczystości każde poszło w swoją stronę. Zack poleciał do Londynu, a Ruby skutecznie go unikała przez ostatnie pół roku, choć wciąż oficjalnie mieszkali pod jednym adresem. W rzadkich przypadkach, gdy zdarzało im się zatrzymać pod wspólnym dachem, bez trudu schodzili sobie z drogi, gdyż rezydencja była wystarczająco przestronna. Od lat mieli osobne sypialnie.

Kendall zaczęła pracować dla ojca zaraz po ukończeniu studiów. Po powrocie z Los Angeles w rodzinne strony poznała młodego architekta Rossa McLaughlina. Był wysoki, ciemnowłosy i przystojny, zaskakująco przypominał jej pradziadka Alexa, choć dziewczyna tego nie zauważała. Sama była blondynką o niebieskich oczach, tak jak jej babcia Camille.

Ross budował małe, piękne domki w San Francisco. Cenił dobre rzemiosło i przytulne, eleganckie wnętrza, dzięki którym człowiek może się zatopić w cieple i komforcie domowego ogniska. Kendall oprowadziła go po rezydencji Deveraux, w której się wychowała, i był pod ogromnym wrażeniem piękna budynku. Zwierzył się jej, że marzy o tym, żeby kupować stare domy, odnawiać je, a potem sprzedawać z zyskiem. Na razie brakowało mu funduszy, żeby zacząć, ale miał nadzieję, że pewnego dnia odłoży wystarczającą kwotę na rozkręcenie interesu. Uznała, że jego plany są jedynie bladym cieniem jego prawdziwych zdolności. Nie miał wielkich ambicji finansowych, w głębi serca pozostał artystą.

– Brzmisz całkiem jak mój brat, gdy mówisz o precyzji wykonania, rzemiośle – zauważyła z pewną dozą wyższości. Była twardą dziewczyną o ciętym języku, ale Ross był zafascynowany jej intelektem i ambicjami.

– Czym się zajmuje twój brat?

Był jej ciekawy, chciał ją lepiej poznać. Pracowała dla ojca i wciąż mieszkała w rodzinnym domu, a jej rodzice często byli poza domem, więc zazwyczaj miała całą ogromną rezydencję wyłącznie dla siebie.

– Robi meble ze swoją dziewczyną w Anglii. Rzucił studia w London School of Economics.

Widać było, że nie pochwala decyzji brata. Ich ojciec był ikoną hi-tech i Ross już zrozumiał, że ubóstwiała nie tylko jego, ale też wszystko, co sobą reprezentował, mimo że Zack Katz cieszył się reputacją bezwzględnego i egocentrycznego narcyza o wybujałym ego. Ross nie uważał go za dobrego człowieka.

– Twój brat wydaje się ciekawym facetem – zauważył delikatnie.

– Zadowala się byle czym. Stać go na więcej. Nie dogadują się z ojcem.

Niewielu znajdowało wspólny język z Zackiem Katzem, jak wynikało z tego, co doszło do uszu Rossa, ale zachował swój komentarz dla siebie. Kendall otoczyła się twardym pancerzem, a on bardzo chciał go skruszyć.

– Czym zajmuje się twoja matka? – Był ciekawy jej rodziny.

– Hoduje orchidee i zajmuje się ogrodnictwem.

– A więc twoja rodzina składa się z dwójki nieudaczników i dwóch gwiazd. Ty oczywiście należysz do tej drugiej kategorii, jeśli dobrze zrozumiałem – zażartował, a ona się roześmiała.

Bardzo go lubiła, choć niezbyt pasował do jej ideału mężczyzny. Marzyła, aby związać się z kimś, kto przypominałby jej ojca, tymczasem Ross był jego przeciwieństwem, bardzo też się różnił od innych znanych jej mężczyzn. Był utalentowanym specjalistą oraz wielkodusznym, mądrym i wrażliwym człowiekiem. Miał mocny kręgosłup moralny i nie brakowało mu pewności siebie. Nie lubił się popisywać, nie zamierzał za wszelką cenę błyszczeć. Marzył o normalnym życiu, nie interesowało go bycie legendą. Był jedynakiem, pochodził z domu, w którym nie brakowało miłości. Czuł się blisko związany ze swoimi rodzicami. Wychował się w San Francisco, ukończył Yale i wrócił do korzeni, żeby pewnego dnia budować domy marzeń.

– Zgadza się – przyznała, tym jednym słowem skreślając brata i matkę jako parę nieudaczników. Nie szanowała ani Nicka, ani Ruby, liczył się tylko ojciec i jego osiągnięcia. Był dla niej niekwestionowanym wzorem. – Moi pradziadkowie prowadzili elegancki sklep z antykami po tym, jak stracili majątek w czasie krachu na giełdzie w tysiąc dziewięćset dwudziestym dziewiątym roku.

– Mimo wszystko udało im się zachować rodową rezydencję – zauważył, poszukując wskazówek, które pozwoliłyby mu odkryć, kim ona naprawdę jest, skąd pochodzi i co jest dla niej ważne. Łatwo było wziąć ją za rozpieszczoną dziedziczkę fortuny ojca. Intrygował go jednak twardy pancerz, którym się otoczyła. Chciał się dowiedzieć, co się kryje pod skorupą: lód czy ogień. Miał nadzieję na to drugie.

– Nie, sprzedali dom – wyjaśniła – i wszystko, co posiadali. Moi pradziadkowie w sklepie, który prowadzili, wystawiali między innymi meble z rezydencji. Prababcia po wojnie zajmowała się wystrojem wnętrz, pradziadek został ranny i stracił obie nogi. W czasie kryzysu, gdy wszystko stracili, ona pracowała jako nauczycielka, a on jako urzędnik banku, choć wcześniej był prezesem rodzinnej firmy.

– Niesamowita historia. Dzielni ludzie – powiedział z niekłamanym podziwem.

– Chyba tak – zgodziła się zamyślona. – Ojciec odkupił rodową rezydencję, kiedy żenił się z moją matką, podarował ją ukochanej z okazji ślubu.

– Łał! Co za gest!

Ross był zaintrygowany historią rodziny Kendall. Wiedział, że jej ojca stać nie tylko na rezydencje, lecz także na jachty i samoloty.

– Tak! Jest bardzo szczodry – przytaknęła z dumą Kendall.

– A jak ty się w tym odnajdujesz? – zapytał, patrząc jej prosto w oczy w poszukiwaniu odpowiedzi. Z pozoru była oschła, ale wyczuwał, że ma miękkie serce, przynajmniej taką miał nadzieję, choć nie był tego pewien.

– Marzę, żeby być jak mój ojciec, który jest prawdziwym geniuszem. Też chcę zadziwić świat – przyznała szczerze.

Uśmiechnął się.

– A potem żyć długo i szczęśliwie w małym domku u boku ukochanego mężczyzny, z dwójką, no może trójką lub czwórką, uroczych dzieci? – O tym właśnie on sam marzył.

Kendall skrzywiła się, gdy skończył mówić.

– Zdecydowanie nie. – Roześmiała się. – Żadnych dzieci i nie sądzę, żeby „żyli długo i szczęśliwie" miało jakąkolwiek rzeczywistą wartość.

– Nie? Dlaczego?

Z minuty na minutę coraz bardziej go intrygowała.

– Moi rodzice się nie dogadują, chyba nigdy się nie dogadywali. Mam wrażenie, że są razem tylko ze względu na mnie i brata, choć może i z innego powodu. Matce najprawdopodobniej schlebia bycie żoną żywej legendy, jaką jest mój ojciec, mimo że nigdy się do tego nie przyznaje. Nie sądzę, żeby tradycyjny model rodziny był aż tak istoty. Matka mojej matki zmarła tuż po jej urodzeniu. Była czarną owcą w rodzinie, zakałą, diabelskim nasieniem. Matkę wychowali dziadkowie i byli dla niej cudowni.

– Ci od sklepu z antykami?

– Tak. – Był mądry, zabawny i zajmujący, a przy okazji bardzo przystojny, dobrze im się rozmawiało, ale nie mogła zrozumieć, dlaczego nie miał za grosz ambicji. – A co z tobą?

– Syn artysty i przedsiębiorcy budowlanego. Z takiego połączenia musiał wyjść architekt. – Oboje się roześmiali.

– Ojciec prowadził firmę, a matka była artystką?

– Nie do końca i właśnie dlatego nie wierzę w tradycyjne role. Matka była przedsiębiorcą. Odziedziczyła interes po swoim ojcu. W jej firmie wszystko chodzi jak w zegarku. Czasami polecam ją moim klientom. – Uśmiechnął się do Kendall. – Artystą jest ojciec. Stuart McLaughlin. – Był znanym współczesnym twórcą i jego nazwisko obiło jej się o uszy. – Rozsierdzili obie rodziny, kiedy się pobrali. Rodzina matki uważała, że ojciec jest nic niewart, znów rodzice ojca, intelektualiści ze Wschodniego Wybrzeża, postrzegali przyszłych teściów syna jako prostych robotników budowlanych, którym słoma z butów wychodzi. Żyją jednak długo i szczęśliwie, i mają mnie. Powiodło im się za pierwszym podejściem, dlatego jestem jedynakiem. Mam dwadzieścia siedem lat i szukam kobiety marzeń. Jaka szkoda, że twoja matka nie jest panienką. Wydaje się moim ideałem. Orchidee i ogrodnictwo. – Zaśmiał się. Bo z całą pewnością nie była nim Kendall z jej wygórowanymi ambicjami i determinacją, żeby prześcignąć ojca. Od razu to dostrzegł. Zachowywała się jak rekin, ale zastanawiał się, czy pod tym grubą skórą nie kryje się choć szczypta łagodności. Jeśli nie, nie był zainteresowany.

Byli sobą zafascynowani, umawiali się od pół roku i dobrze się razem bawili, a wtedy zjawił się mężczyzna ze słodkich snów Kendall. Cullen Roberts pracował dla jej ojca i w każdym calu był odzwierciedleniem jej marzeń, z takim właśnie mężczyzną pragnęła być. Kiedy Ross w końcu wyznał jej miłość, miesiąc później rzuciła go dla Pana Ambitnego, który ukończył Princeton i Harvard Business School. Zaimponował jej ojcu, który go zatrudnił w Nowym Jorku, a potem ściągnął do San Francisco. Twardy jak skała, a przy okazji komputerowy geniusz jak Zack – Kendall zakochała się w nim po uszy. Cullen podobnie jak ona nie był zainteresowany małżeństwem i nie zamierzał mieć dzieci. Dobrali się jak w korcu maku, na pierwszym miejscu stawiali karierę zawodową. Spotykali się razem trzy lata, kiedy się dowiedziała, że umawianie się z córką szefa było częścią jego planu w drodze na szczyt. Chwalił się współpracownikom, że ustawił się na przyszłość, a ona nic dla niego nie znaczy. Uznał, że to niewielkie poświęcenie, żeby wybić się w firmie Zacka. Dowiedziała się o tym z jego wiadomości, które ktoś przesłał jej anonimowo, żeby się z nimi zapoznała. Miała prawie dwadzieścia sześć lat i wtedy po raz pierwszy pękło jej serce.

Pół roku po rozstaniu z Cullenem wciąż dochodziła do siebie i z goryczą wspominała ostatnie lata, kiedy przypadkowo wpadła na Rossa na imprezie w Marin.

– Jak się miewa Pan Wspaniały? – zagadnął.

Kiedy zrywała z Rossem, powiedziała mu bez owijania w bawełnę, dlaczego go rzuca, wyjaśniła, że spotkała mężczyznę swoich marzeń. Zostawiła Rossa na lodzie i trochę czasu mu zajęło, zanim doszedł do siebie. Umawiał się potem z innymi kobietami, ale żadna go nie oczarowała. Rozejrzał się po zebranych w poszukiwaniu Cullena, bo założył, że przyszli razem, ale nigdzie go nie widział. To było ich pierwsze spotkanie po prawie czterech latach. Wciąż była piękna, ale potraktowała go okrutnie i był teraz wobec niej nieufny. Nie pociągały go podłe kobiety, nie był nimi zainteresowany ani wcześniej, ani teraz.

– Okazał się niezbyt wspaniały – wyznała szczerze.

– Ach... Kiedy się o tym przekonałaś?

– Jakieś pół roku temu.

– I nie zadzwoniłaś do mnie? – Humor mu się poprawił. – A jak się miewa twój nietuzinkowy brat, który robi meble w Anglii? Chętnie bym go poznał.

– Wciąż mieszka w Wielkiej Brytanii i nieźle zarabia, meble okazały się kurą znoszącą złote jajka – powiedziała wyraźnie zakłopotana. – W Anglii jest spory popyt na jego wyroby. Rzemiosło w starym stylu. Zarzeka się, że nigdy nie wróci do Stanów. Uważa, że tutaj ludzie myślą tylko o pieniądzach, że brak im duszy.

– Brutalnie to ujął, ale uważam, że ma rację – przyznał Ross, kiedy się nad tym zastanowił. – Dlatego nasze drogi się rozeszły. Doszłaś do wniosku, że moje marzenia o projektowaniu szykownych i kunsztownych domów są żałosne i poniżej moich zdolności.

Skrzywiła się, kiedy to powiedział. Jak przez mgłę przypominała sobie, że zarzuciła mu brak ambicji, ale była wtedy młodsza i nietaktowna.

– Wciąż pracujesz dla ojca i pragniesz być taka jak on?

– Tak.

Wiedziała, jak podle Zack traktuje podwładnych, jak ich wykorzystuje, jaki potrafi być okrutny, ale w tej chwili postanowiła to przemilczeć. Z wiekiem jej ojciec robił się coraz bardziej bezwzględny, zniknęła prostoduszność, którą przed laty pokochała Ruby. Miliardy na koncie zdeprawowały go.

Przyzwyczaił się, że zawsze stawia na swoim, i nie tolerował żadnych odstępstw.

– Czy wciąż lubisz dla niego pracować?

– Czasami. – Szybko jednak uściśliła: – Prawdę mówiąc, to nie. Trudno jest połączyć ogromny sukces, który osiągnął, z dobrocią.

Ujęła to najłagodniej, jak potrafiła. Ross skinął głową, wiedział, że nie kłamie. Przerażali go ludzie podobni do jej ojca. Miał takich klientów i nienawidził prowadzić z nimi interesów. Zawsze podcinali mu skrzydła i żegnał się z nimi przygnębiony.

– Rozkręcam biznes z odnawianiem domów. Zgromadziłem potrzebne fundusze. Kiedy się spotykaliśmy, nie było mnie na to stać. Niektóre marzenia zabierają więcej czasu niż inne. – Uśmiechnął się do niej.

Był serdeczny i wyluzowany, przez co wiele kobiet, także Kendall, nie mogło mu się oprzeć. W każdym szczególe różnił się od Cullena Robertsa i jej ojca, był ich kompletnym przeciwieństwem. Niezobowiązująco podjęła temat.

– Zainteresował mnie twój pomysł sprzedawania odnowionych domów z zyskiem, w sensie inwestycji biznesowej. Chciałabym poznać szczegóły.

Skinął głową, ale nie kwapił się do umówienia się z nią na spotkanie. Potraktowała go wcześniej bezwzględnie. Nie przeszkadzało mu to nadal uważać jej za piękną i fascynującą kobietę. Podejrzewał jednak, że Pan Idealny ostudził nieco jej zapał. Ross powiedział, że miło było ją spotkać, ale nie zapytał, czy wciąż ma ten sam numer telefonu.

Gryzło go to przez kilka dni po ich spotkaniu. Lubił ją, choć nie miał ochoty znów się sparzyć, gdyby kolejny Pan Idealny wyłonił się ze świata wielkich interesów. Ostatnim razem bardzo się nią rozczarował. W końcu, po długich rozmyślaniach doszedł do wniosku, że nic więcej nie ma do stracenia poza rozumem i sercem, i do niej zadzwonił. Nagranie na poczcie głosowej się nie zmieniło, więc założył, że Kendall wciąż ma ten sam numer. Zostawił krótką wiadomość i o niej zapomniał. W ciągu kolejnych tygodni czekało go bardzo dużo pracy przy wykańczaniu dwóch domów dla klientów.

Tymczasem Zack wybrał się na jacht. Przed wyjazdem żalił się córce, że czuje się zmęczony i potwornie samotny. Po śmierci Eleanor, czyli już siedem lat temu, Ruby na dobre zaszyła się nad Tahoe i prawie się stamtąd nie ruszała. Kendall współczuła ojcu i postanowiła zrobić mu niespodziankę. Zbliżał się długi weekend, a nie miała żadnych planów. Kiedy się żegnali, wyglądał żałośnie. Była to dla niej całkiem spora wyprawa, ale podjęła decyzję, że warto: poleciała do Nicei, skąd taksówką pojechała do Antibes, bo ojciec wspomniał, że tam zamierza stacjonować. Przynajmniej dotrzyma mu towarzystwa. Wiedziała, że matka od dawna nie postawiła stopy na pokładzie jachtu. Omijała go szerokim łukiem. Podobnie zresztą jak Nick, brat Kendall. Była jedynym członkiem rodziny, który od czasu do czasu zabierał się z Zackiem w rejs, o ile ojciec ją zaprosił, co wcale nie zdarzało się zbyt często, ale zawsze świetnie się z nim bawiła. To była wspaniała łajba.

Kiedy dojechała do portu na Starym Mieście w Antibes, od razu zauważyła jacht. Był największą jednostką w dokach. Zapłaciła taksówkarzowi, który przywiózł ją z lotniska, zabrała walizkę i weszła na pokład. Na statku panował spokój, nie widziała żywej duszy, z wyjątkiem majtka przy brzegu, który pilnował, żeby nikt obcy nie wchodził. Uprzejmie przywitał się z Kendall – wiele razy widział, jak bawiła na jachcie z ojcem. Weszła po trapie na pokład i od razu zeszła na dół, kierując się do kajuty ojca. Nie spotkała nikogo z załogi i pomyślała, że pewnie jedzą kolację w kambuzie. Nie zapukała, tylko od razu uchyliła drzwi i zajrzała do środka. Ku swojemu zaskoczeniu znalazła się na wprost nagiej kobiety. Oparta o ścianę, jęcząc, oddawała się jej ojcu. Osłupiały Zack spojrzał na córkę akurat w chwili, gdy jego partnerka głośno krzyknęła, szczytując. Nie zauważyła, że ktoś im przeszkodził, bo miała zamknięte oczy. Kendall trzasnęła drzwiami i pobiegła do swojej kajuty. Pięć minut później ojciec zapukał do jej drzwi, córka mu otworzyła z przerażeniem wymalowanym na twarzy.

– Przepraszam, tato… Nie miałam pojęcia.

Myślał, że są sami i nikt mu nie przeszkodzi, dlatego nie zamknął drzwi na klucz. Załoga dobrze wiedziała, że sprowadza kobiety na pokład. Przywykli do obecności jego kochanek, które często gościły na jachcie. Łajba była idealnym miejscem na romantyczne schadzki. Wszystkie jego partnerki były zawsze pod wielkim wrażeniem luksusowej łodzi.

– Co ty tu, do cholery, robisz?! – wrzasnął.

– Byłeś taki samotny i smutny, kiedy wyjeżdżałeś, żaliłeś się, że mama już nie wybiera się z tobą w rejsy. Postanowiłam, że cię pocieszę, zmieniłam plany na weekend, zarezerwowałam samolot. Skąd mogłam wiedzieć, że nie będziesz sam?

Była zła, czuła się zraniona, zmieszana i zawstydzona. Niewłaściwie oceniła sytuację, dała się zwieść ojcu. Nie pierwszy zresztą raz.

– Chyba nie oczekujesz, że będę z tobą konsultował listę moich gości? – wciąż mówił podniesionym głosem, a ona walczyła ze łzami, które zbierały się w jej oczach. Kobieta nie wyglądała na „gościa", bardziej na prostytutkę lub kogoś w tym stylu.

– Czy ona tu nocuje? – zapytała roztrzęsionym głosem.

– Oczywiście. Przyjechała z Paryża na weekend. Znamy się od lat – odburknął opryskliwie, przez co wydał jej się jeszcze bardziej absurdalny.

– Czy dziś wypływacie? – chciała wiedzieć Kendall, wciąż wstrząśnięta nieoczekiwanym widokiem ojca uprawiającego seks z nieznaną jej kobietą.

– Nie.

– W takim razie rano wrócę do San Francisco.

– Przykro mi, że na próżno się fatygowałaś – powiedział, ale chciał się jej jak najszybciej pozbyć. Jej obecność popsułaby mu weekendowe plany.

– Przepraszam za najście – wyszeptała potulnie.

– Nie mam tego w zwyczaju, no wiesz – wydukał z zakłopotaniem.

Dla jego córki stało się jednak oczywiste, że nie był to pierwszy raz, choć w tym momencie nie chciała wiedzieć, jak jest naprawdę. Nagle, gdy spojrzała na ojca w szlafroku, kiedy odwrócił się i odchodził do swojej kajuty, po raz pierwszy w życiu zrobiło jej się żal matki. Zastanawiała się, czy Ruby wiedziała o zdradach męża. Jeśli tak, toby wiele wyjaśniało na temat łączącej ich relacji, ucieczek matki nad jezioro i unikania męża. Kendall mniej więcej wiedziała lub domyślała się, że ojciec miewa kochanki, ale dotąd zawsze obwiniała matkę za romanse ojca. Widok Zacka z kobietą, która wyglądała jak prostytutka, rzucił nowe światło na całą sytuację. Zaczęła podejrzewać, że to była raczej przyczyna, a nie skutek rozpadu ich małżeństwa.

Była głodna, więc chwilę później poszła do kambuza, żeby przyrządzić sobie przekąskę. Załoga albo spała, albo miała wolne. Zrobiła sobie kanapkę i wyszła na zewnątrz, żeby zjeść w spokoju na świeżym powietrzu, lecz ledwie usiadła, na pokład wbiegła dziewczyna, którą nakryła z ojcem. Musiała mieć nie więcej niż dwadzieścia lat, była znacznie młodsza od Kendall. Miała na sobie jeden ze szlafroków Zacka i aż rozpromieniła się na widok towarzystwa. Kendall zauważyła, że za kobietą idzie jej ojciec. To zdecydowanie nie była jej noc. Łódź nie była mała, a mimo to ciągle na siebie wpadali. Zack przewrócił oczami i usiadł przy stole, a jego kochanka przysunęła się do Kendall.

– Hej, jestem Brigitte. Pysznie wygląda. Umieram z głodu, podzielisz się? Po seksie zawsze chce mi się jeść. – Uśmiechnęła się, a Kendall bez słowa oddała jej połowę kanapki. Dziewczyna mówiła z brytyjskich akcentem, ale raczej z nizin społecznych. – Ostatnim razem, kiedy tu bawiłam, podali nam o północy omlet z kawiorem. Nikogo nie ma w kambuzie?

Kendall spojrzała na ojca. Uwaga dziewczyny nie umknęła jej uwadze: a więc już wcześniej tu była.

– Jestem tu już trzeci raz, ostatnio popłynęliśmy do Portofino.

Zack miał ochotę ją udusić. Kendall nie wiedziała, czy śmiać się, czy płakać. Też lubiła ten malowniczy port. Brigitte z apetytem schrupała połowę kanapki.

– Zawsze świetnie się tu czuję. Skąd przyleciałaś?

– Z Kalifornii – odpowiedziała Kendall, starając się ograniczyć rozmowę do minimum, żeby jej ojciec nie dostał zawału.

– Zack obiecał, że kiedyś mnie tam zabierze. Do Los Angeles. Marzę, żeby pojechać do Disneylandu.

– Na pewno ci się spodoba – przyznała Kendall.

Wtedy wtrącił się jej ojciec. Brigitte dość narobiła szkód jak na jedną noc. Kendall zdziwiło, że Zack obiecał kochance podroż do Kalifornii, ale nie do San Francisco, tylko do Los Angeles.

– Wracajmy do łóżka – odezwał się surowym tonem do Brigitte, która zachichotała, bo odebrała jego słowa jako zaproszenie na seks – pewnie zresztą tak właśnie było.

Dziewczyna wstała i ruszyła w stronę schodów, pomachała jeszcze Kendall na pożegnanie, Zack poszedł za nią, nie oglądając się nawet na córkę ani nie życząc jej dobrej nocy.

– Miło było cię poznać! – krzyknęła przez ramię Brigitte, Kendall jej odmachała.

Przez chwilę siedziała w ciszy, myśląc o całej sytuacji.

Zack zjawił się kilka minut później i spojrzał wyraźnie skrępowany na córkę.

– Możesz zostać, jeśli chcesz – rzucił sztywno, ale Kendall pokręciła głową.

Zostanie z nimi, w atmosferze przesyconej seksualnymi podtekstami, byłoby prawdziwą męką. Jeden wieczór okazał się wystarczająco okropny. Nie chciała, żeby dotarło później do uszu matki, że była w zmowie z ojcem i jego panienkami.

– Raczej nie zostanę, ale mimo wszystko dzięki.

Zack zniknął pod pokładem. Zostawiła wiadomość dla kapitana z prośbą o zamówienie jej taksówki na szóstą rano. Nastawiła budzik na piątą. Teraz chciała jak najszybciej się stąd wydostać, wrócić do Nicei, skąd będzie mogła polecieć do Paryża lub Nowego Jorku, gdzie przesiądzie się na samolot do San Francisco. Wyprawa okazała się porażką na całej linii, no może z wyjątkiem tego, że inaczej patrzyła teraz na ojca. Zastanawiała się, od jak dawna się to ciągnie i czy jego zachowanie nie jest częściowo lub w całości odpowiedzialne za rozpad małżeństwa jej rodziców.

Taksówka przyjechała punktualnie, kapitan odprowadził ją na ląd. Zaskoczyło go, że przyjechała, ale mniej się zdziwił jej szybkim pożegnaniem, biorąc pod uwagę okoliczności.

O siódmej była na lotnisku w Nicei i udało jej się kupić bilet do San Francisco z przesiadką na paryskim lotnisku imienia

Charles'a de Gaulle'a. Po uwzględnieniu różnicy czasu wróci do domu o pierwszej trzydzieści po południu, czyli dziesiątej trzydzieści wieczorem czasu środkowoeuropejskiego. Jej eskapada okazała się kosztowna i kompletnie bezsensowna. Po odprawie zadzwoniła do brata mieszkającego w Cotswolds. Nie rozmawiała z nim od miesięcy i obawiała się, że nie odbierze, gdy zobaczy, że wyświetla się jej numer. Nie byli dla siebie zbyt mili, zwłaszcza gdy temat schodził na rodziców. Nick odebrał, ale był czujny. Dał jej do zrozumienia, że wcale nie jest pewny, czy dobrze zrobił.

– Hej! Jestem w Antibes. Pomyślałam, że zadzwonię.

– Jesteś na jachcie? – zapytał.

– Byłam, ale krótko. Chyba jestem ci winna przeprosiny – przyznała – w kwestii naszej matki.

– Nie rozumiem. O co ci chodzi?

– Chciałam zrobić tacie niespodziankę i wpadłam bez uprzedzenia. Planował spędzić długi weekend na jachcie i narzekał, że czuje się samotny, więc pomyślałam, że uprzyjemnię mu czas i przylecę, żeby dotrzymać mu towarzystwa.

Nicholas się roześmiał, bo domyślił się, do jakiego finału prowadzi opowieść siostry.

– Nakryłaś go *in flagranti* z jakąś lafiryndą, jak zgaduję.

– Skąd wiesz?

– Bo przytrafiła mi się identyczna historia. Pierwszy raz, gdy miałem szesnaście lat. Potem jeszcze kilka razy zaskakiwałem go w różnych miejscach. W większości przypadków był z dziewczynami w moim wieku. Według mnie to ciągnie się już od dawna.

– Co według ciebie było pierwsze: jajko czy kura? Czy zdradza mamę na prawo i lewo, bo go odrzuciła? Czy odrzuciła go, bo zdradzał ją na prawo i lewo?

– Jestem niemal pewien, że romansuje od lat. Pamiętam, jak jeszcze w Londynie spotkałem kobietę, która z rozrzewnieniem wspominała romans z naszym ojcem. Z moich obliczeń wynikało, że spotykali się, kiedy miałem trzy lata. Podejrzewam, że mama miała dość. Dziwisz się jej?

– Dlaczego w takim razie z nim została? Dla pieniędzy? – Kendall była bardziej pragmatyczna i bezpośrednia niż brat.

– Dlaczego zawsze podejrzewasz ją o najgorsze? Wydaje mi się, że początkowo została ze względu na nas, a potem utknęła w sztywnym schemacie. Uważam, że teraz jest zbyt przygnębiona, by znaleźć w sobie dość siły i odejść.

– No cóż, nie może już dłużej wykorzystywać nas jako wymówki – zauważyła bezdusznie Kendall.

– Być może po pewnym czasie człowiekowi robi się wszystko jedno. Nie mam pojęcia, dlaczego się pobrali. Praktycznie się nie widują, nie rozmawiają ze sobą. Wolałbym, żeby go zostawiła – przyznał ze smutkiem. – Zasługuje na lepsze życie. Nie zależy jej na pieniądzach.

– Może gdyby odeszła, byłaby szczęśliwsza. Zmieniając temat, jak się masz? – zapytała.

– W porządku.

Spodziewał się zwyczajowej połajanki, że tylko marnuje czas na struganie mebli. A on uwielbiał stolarkę i był prawdziwym artystą. Jeden z członków rodziny królewskiej niedawno zamówił u niego mebel, ale nie zamierzał się tym chwalić siostrze. Nigdy go nie rozumiała. Przypominała ojca. Nie miało dla nich znaczenia, że to, co robi, daje mu prawdziwą radość. Uważali, że liczą się jedynie miliardy dolarów i bycie żywą legendą.

– A co u Sophie?

– Też w porządku.

Wtedy wywołano jej lot i musiała się pożegnać.

– Zadzwoń do mnie czasem – poprosiła na zakończenie bardziej przyjaznym głosem niż zazwyczaj.

– Jasne, nie ma sprawy – przytaknął, myśląc, że prędzej piekło zamarznie.

Zbyt często była dla niego okrutna. Myślała o tym przez całą drogę powrotną do Kalifornii, a także o ich matce. Kendall zrozumiała, że była wobec nich niesprawiedliwa. Zawsze stawała w obronie ojca.

Zdrzemnęła się w samolocie, zjadła lunch i obejrzała film, a kiedy wróciła do mieszkania, żeby się przebrać, postanowiła nie zaglądać do biura. Był piątek. Wsiadła do samochodu i pojechała nad Tahoe. Na miejscu była o ósmej. Już zmierzchało, ale matka dopiero co wyszła z ogrodu. Jej ręce były ubrudzone ziemią, ale wyglądała na odprężoną. Na widok córki tak się przestraszyła, że aż podskoczyła. Kendall nie wiedziała, od czego zacząć, więc od razu przeszła do sedna.

– Byłam u ojca na jachcie i chciałam się z tobą zobaczyć.

– Dlaczego? – Ruby natychmiast nabrała podejrzeń i miała się na baczności. Córka bywała dla niej niemiła, nigdy nie okazywała jej serca.

Kendall wzięła głęboki oddech i postawiła na szczerość. Stały przed wejściem do domu i robiło się chłodno.

– Nie był sam i uświadomiłam sobie, że nie byłam wobec ciebie sprawiedliwa. Rozmawiałam z Nickiem, który mi powiedział, że tata już od dawna się tak prowadzi, może nawet od zawsze.

Ruby milczała. Nigdy nie wyrażała się źle o Zacku przy dzieciach.

– Masz ochotę na kolację? – zaprosiła córkę.

– Chętnie napiłabym się herbaty. Dziękuję. Tak więc zrozumiałam, że się myliłam, obwiniając cię o zachowanie taty. Widzę, że ponosi część odpowiedzialności.

Ostatecznie wciąż byli małżeństwem, a nigdy nie widziała matki z innym mężczyzną. była pewna, że nie zdradziła ojca. Ruby była kobietą honoru.

– Razem z twoim tatą od dawna się rozmijamy. Z rozmaitych powodów. Teraz to nie ma już większego znaczenia. Każde z nas idzie własną drogą.

Weszły do kuchni, Kendall usiadła, a jej matka zaparzyła herbatę.

– Czy zostaliście razem ze względu na nas? – zapytała Kendall, bo chciała zrozumieć motywacje matki.

– Tak sobie to tłumaczyłam, ale teraz nie jestem pewna. Może pod koniec przeważyło lenistwo, stchórzyłam. Nie chciałam się rozwodzić. Marzyłam o związku, jaki stworzyli moi dziadkowie, którzy kochali się aż do śmierci. W tym celu trzeba jednak trafić na odpowiednią osobę. Niestety, twój ojciec okazał się nieodpowiednim partnerem dla mnie. Jest geniuszem. Nie można więc oczekiwać, że będzie się zachowywał jak zwykli zjadacze chleba, ani że będzie pragnął tego samego co wszyscy. – Uśmiechnęła się, postawiła kubek herbaty przed córką i usiadła naprzeciwko. – Nie musisz mi nic wyjaśniać ani mnie przepraszać, ani opowiadać mi o jego kochankach. Wiem na ich temat wszystko. Z kim był teraz? Młodziutką Brytyjką z Paryża? – Kendall skinęła głową. Ruby zawsze była na bieżąco, dowiadywała się od innych. Już nie miała siły ich liczyć, przestała lata temu. – Spotyka się z nią już od dłuższego czasu.

– Przykro mi, mamo. Byłam dla ciebie niesprawiedliwa.

– Domyślam się, że po to właśnie ma się córki, żeby o wszystko obwiniały matki.

Nick zawsze miał dla niej więcej serca, zawsze też starał się ją chronić. Ta świadomość spotęgowała jeszcze wyrzuty sumienia Kendall, że zachowywała się momentami tak paskudnie i oskarżała matkę o całe zło.

– Chcesz zostać na noc?

Dziewczyna odpowiedziała skinieniem. Chciała zbudować lepszą relację z matką, ale nie wiedziała, od czego zacząć.

Ruby zrobiła jej omlet i obie się położyły.

Rano po przebudzeniu Kendall znalazła matkę w ogrodzie. Przypomniała jej się prababcia. Ruby przycinała krzaki i emanował z niej spokój.

– Podoba ci się tutaj, prawda, mamo?

Ruby się uśmiechnęła, skinęła głową i przyznała:

– Może na dobre się tu przeprowadzę.

– Nie będziesz tęsknić za miastem?

– Kto wie. Nie potrzebuję wielkiej rezydencji. Więcej znaczyła dla babci niż dla mnie. Dorastała tam, ja natomiast w dzieciństwie mieszkałam nad sklepem z antykami i często też przyjeżdżaliśmy tutaj. Kiedy twój ojciec odkupił dom, to był miły gest. Dla babci było to ogromnie ważne. Sporo z dziadkiem przeszli. Chwilami musiało być im ciężko. Kiedy ja się urodziłam, najgorsze mieli już za sobą. – Ruby wychowała się w dostatku, choć smak prawdziwego bogactwa poznała dopiero po ślubie z Zackiem, ale nawet wtedy nie żyli na taką skalę, jak jej przodkowie przed 1929 rokiem. Trudno było sobie wręcz wyobrazić tamten przepych, bo nawet majątek Zacka wykraczał poza ludzkie wyobrażenie. Jego imperium nie miało jednak dla niej większego znaczenia. Kendall ceniła je o wiele bardziej, bo chciała przerosnąć ojca. – Czasem prostota jest lepsza. Może zostanę ogrodniczką, jak już dojrzeję. – Uśmiechnęła się do córki.

– Według mnie już nią jesteś.

Ruby podeszła i ją przytuliła.

– Pamiętaj zawsze jesteś tu mile widziana.

Kendall skinęła głową i się pożegnała. Potem wsiadła do samochodu i odjechała. Była to od długiego czasu pierwsza spokojna rozmowa, jaką odbyła z matką. Uzmysłowiła Kendall, że była wobec niej okrutna. Dziewczyna zrozumiała, że najprawdopodobniej wcześniej była w błędzie i że myliła się w ocenie sytuacji.

Po powrocie do miasta Kendall zauważyła, że ma wiadomość od Rossa. Odsłuchując nagranie, zrozumiała, że dla niego też była okropna. Rzuciła go i zostawiła na lodzie dla faceta, którego wtedy uważała za lepszą partię. Niestety, jej wybranek okazał się draniem, który tylko ją wykorzystywał. Miała niejedno do naprawienia w swoich relacjach. Zadzwoniła do Rossa od razu po odsłuchaniu wiadomości.

– Hej, dzięki, że zadzwoniłeś.

– Nie wiem, czy to dobry pomysł, ale może masz ochotę spróbować jeszcze raz i zjeść ze mną kolację? Bez zobowiązań. Bez irracjonalnych złudzeń. Porozmawiamy o renowacji domów.

Nie był nawet pewien, czy w ogóle chciałby z nią robić interesy. Ale było w niej coś, co go pociągało. Wcześniej wierzył, że jest tą jedyną. Teraz myślał, że jest po prostu atrakcyjną kobietą, ale prawdopodobnie nieodpowiednią dla niego. Już raz mu to udowodniła.

– Jasne, świetny pomysł – zgodziła się szybko.

Uśmiechnął się, słysząc jej odpowiedź.

– Super. Czwartek?

Zaproponował restaurację, w której kiedyś już razem jedli kolację. Kiedy się rozłączyła, czuła narastającą ekscytację. Zapomniała, jak bardzo go lubi. Ich przypadkowe spotkanie obudziło wspomnienia. I kto wie, może nawiążą owocną współpracę? Niespodziewanie zapaliła się do tego pomysłu. Nie miała nic do stracenia.

Rozdział 20

Kiedy Zack wrócił po weekendzie do pracy, oboje byli zażenowani. Kendall miała nadzieję, że nie wspomni o jej nieudanej wizycie na jachcie. Niestety, znalazł chwilę, żeby przyjść do jej gabinetu, i zamknął za sobą drzwi.

– Przykro mi za to, co się stało na łodzi. Sytuacja zmieniła się dosłownie w ostatniej chwili. Myślałem, że będę sam, ale Brigitte niespodziewanie zjawiła się w Antibes. To było dla mnie zaskoczenie.

Kendall wiedziała, że ojciec kłamie. Nawet jeśli Brigitte przyjechała niezapowiedziana, nie musiał iść z nią do łóżka, w końcu miał żonę. Nie przyszło mu to do głowy. Cała historia była szyta grubymi nićmi. Teraz wiedziała, dlaczego jej brat tak go nienawidzi – ich ojciec był notorycznym kłamcą.

– Nie musisz się przede mną tłumaczyć, tato. To twoje sprawy. Jesteśmy dorośli. Wydaje mi się, że jedyną osobą, której należą się słowa wyjaśnienia, jest mama, bo przecież jesteście małżeństwem. Musi jej być ciężko nawet myśleć o powrocie na jacht, kiedy ma świadomość, że byłeś tam z kimś innym. Podejrzewam, że dlatego od tak dawna nie wybrała się w żaden rejs.

– Czemu tak mówisz? Czy coś ci mówiła? – Wpadł w panikę. – Twoja matka ma mnóstwo błędnych wyobrażeń na temat mojego życia. Gdyby mnie tak stanowczo nie odrzuciła, nic z tego by się nie wydarzyło.

Kendall zauważyła, z jaką łatwością zrzucał winę na żonę. Dotąd ona sama mu w tym wtórowała.

– Niezupełnie. Jestem pewna, że to tylko część historii, która zresztą mnie nie dotyczy. To sprawa między wami.

– Po prostu nie chcę, żebyś myślała, że mam taki zwyczaj.

– Jaki zwyczaj? Uprawiania seksu z kochankami na jachcie? Jestem już dorosła, tato. Zakładam, że tak właśnie jest. Przecież to nie był pierwszy raz.

Spojrzała mu prosto w oczy, z których biła desperacja. Była nim zniesmaczona.

– Oczywiście, że był. – Coraz bardziej się pogrążał i Kendall nie miała ochoty na dalszy ciąg. – Przykro mi, że fatygowałaś się aż ze Stanów na próżno.

– Tak, mnie też jest przykro. Powiedziałeś, że będziesz sam na łodzi, i ci uwierzyłam. Następnym razem cię uprzedzę – poinformowała go ozięble, marząc, aby już sobie poszedł.

Niespodziewanie rozmowa z ojcem ją przygnębiła. Zastanawiała się, od jak dawna ją okłamywał. Poczuła, jakby sprzedała duszę diabłu, a teraz chciała ją odzyskać. Jej ojciec był kłamcą. Zawsze stawiała go sobie za wzór, a okazało się, że jest złym człowiekiem. Takie odkrycie wytrąca z równowagi niezależnie od tego, ile się ma lat. Był geniuszem, błyskotliwym i kreatywnym człowiekiem, ale przy okazji amoralnym i nieuczciwym. Teraz rozumiała, dlaczego jej brat odciął się od ojca, i to już dawno temu. Odnalazł własną ścieżkę, która dawała mu satysfakcję i której się trzymał.

– No cóż, po prostu chciałem, żebyś wiedziała, że to był jednorazowy wyskok. Już więcej się nie powtórzy.

– Powiedz to mamie – skomentowała cicho, ale była gotowa się założyć, że nie raz się tak zarzekał. Może właśnie dlatego oczy jej matki gasły za każdym razem, gdy słyszała imię męża. Zabił jej duszę. Pewnie też go nakryła *in flagranti*. Kendall zatopiła się w ponurych myślach.

W czwartkowy wieczór umówili się z Rossem na kolację w restauracji. Wybrał klimatyczną, starą włoską knajpkę w North Beach. Nie była ani modna, ani szykowna, ale serwowali tam pyszne jedzenie. Zarezerwował dla nich spokojny, dyskretny, odgrodzony stolik z tyłu, a kiedy usiadła naprzeciwko niego, oboje mieli *déjà vu*.

– I oto jesteśmy, trzy i pół roku później. Czy to nie dziwne? Spotkałaś Pana Właściwego, a potem się go pozbyłaś, i znów zajadasz się spaghetti z Panem Niewłaściwym, wspominając dawne dzieje. – Zaśmiał się gorzko.

– Nigdy nie twierdziłam, że jesteś kimś niewłaściwym – powiedziała cicho. – Uznałam tylko, że nie jesteś odpowiednim facetem dla mnie. Wtedy chciałam innego życia.

– Wiem o tym. Marzyłaś, żeby pracować dla ojca i być taka jak on. Nie mogę cię za to winić. Kto by nie chciał odnieść takiego sukcesu?

– Są też i tacy. Na przykład mój brat. Ty. Moja mama. Należy do niej największa rezydencja w mieście, a woli mieszkać w domku niewiele większym od naszego stolika. Pewnego dnia powiedziała mi, że czasem prostota jest lepsza. Dużo czasu zajęło mi uświadomienie sobie, że miała rację – dokładnie trzy i pół roku, z bonusem w postaci solidnego kopniaka od Pana Właściwego. Dowiedziałam się, że byłam dla niego jedynie inwestycją biznesową, a nie istotą ludzką – wyznała Kendall.

– Przykro mi, to okropnie musiało boleć.

– To prawda, i to po trzech latach związku, lepiej jednak, że stało się to wtedy, niż miałoby mnie spotkać po ślubie. – Pomyślała o rodzicach. – Mój ojciec żyje tak, że łapie mnóstwo ryb w swoje sieci. Niektóre są niestety zepsute. To kwestia szczęścia lub jego braku.

– Jesteś mądra. Na pewno umiesz rozróżnić dobrą rybę od złej.

– Nie zawsze. – Przypomniała sobie, jak została oszukana przez własnego ojca, poleciała za nim aż do Francji, żeby go wspierać i trzymać za rękę, a okazało się, że pojechał się bzykać.

– Czy chciałabyś do mnie dołączyć i stać się częścią ekipy renowacyjnej? – zapytał, żeby zmienić temat na mniej osobisty. Nie chciał znów przekroczyć granicy.

– Brzmi ciekawie. Powiedz, co konkretnego masz na myśli.

– Rozważam teraz dwa domy – przyznał. – Oba w dobrej lokalizacji i w fatalnym stanie, choć wsparte na solidnych fundamentach. Jeden jest duży, drugi mały. Jeden wymaga więcej prac architektonicznych, co jest dla mnie dodatkowym bonusem. Zamierzałem sam wybrać i odnowić jeden, ale może fajnie byłoby mieć partnera. Lub partnerkę. Możemy się umówić – jeśli chcesz, to ci je pokażę.

– Z przyjemnością. – Nie wiedziała dlaczego, ale jego pomysł na życie wydał jej się pociągający. Czuła, że dobrze będzie im się razem pracowało. Był rzetelnym, godnym zaufania i odpowiedzialnym facetem, a przy okazji utalentowanym architektem. – Jak myślisz, ile ci to zajmie?

– Myślę, że około roku, może krócej. Dużo zależy od pozwoleń, jak szybko uda się je uzyskać. Pasowałoby ci spotkanie w sobotę? Nie powinniśmy zwlekać, jeśli jesteśmy zainteresowani zakupem. Oba wymagają solidnego remontu i są w dobrej cenie. Ktoś na pewno to zauważy i wkrótce złoży ofertę kupna. Chciałbym być pierwszy, żeby zapewnić sobie jak najkorzystniejszą marżę zysku.

Był konkretny i utalentowany, profesjonalnie podchodził do interesów i miał świetny gust. Jeśli chciała się nauczyć, jak odnawiać budynki i sprzedawać je z zyskiem, nie znajdzie lepszego partnera. Pod koniec kolacji umówili się na sobotę pod pierwszym adresem. Obiecał zorganizować prezentację obu budynków z agentem nieruchomości koło południa.

Następnego dnia Kendall miała mnóstwo zajęć w firmie ojca. W sobotę znów spotkała się z Rossem. Spodobały jej się oba budynki i była podekscytowana ich projektem i perspektywą wspólnej pracy.

– Który bardziej do ciebie przemawia? – zapytał Ross. Decyzja nie należała do najłatwiejszych ani dla niej, ani dla niego. Po spotkaniu z agentem zamówili po lampce wina, żeby spokojnie przedyskutować szczegóły. – Naszkicowałem kilka projektów dla obu budynków i zaznaczyłem, co byłbym w stanie zrobić bez wydawania fortuny. Pokażę ci, jeśli chcesz. Przeprowadziłem się od naszego ostatniego spotkania. Mieszkam praktyczne za rogiem.

Jego zaproszenie ją zaskoczyło, ale było całkowicie uzasadnione, bo przecież powinna zobaczyć projekty. Przespacerowali się kawałek, mieszkał w ładnym, solidnym domu, który prezentował się o wiele korzystniej niż jego poprzednie lokum. W ciągu trzech lat zdecydowanie poszybował w górę, jeśli chodzi o status i zamożność.

Ruszyła za nim po schodach, wyłączył alarm i puścił ją przodem. Zaprowadził ją do przestronnej pracowni na pierwszym piętrze, gdzie stał stół kreślarski, na którym rozłożył szkice obu budynków. Kiedy się im przyjrzała, zaczęła się skłaniać ku pierwszemu projektowi.

– Wierzę, że to, co proponujesz, wiele zmieni – przyznała i się do niego uśmiechnęła. Starała się skupić uwagę na szczegółach architektonicznych, ale był taki przystojny, a lampka wina uderzyła jej do głowy. Coraz trudniej było jej się skoncentrować na rysunkach, które jej pokazywał. Nagle zauważyła, że Ross się jej przypatruje – Przepraszam, trochę się wstawiłam – wyznała z zażenowaniem.

– Ja chyba też – powiedział, przyciągnął ją do siebie i pocałował, mimo że poprzysiągł sobie wcześniej, że się w niej nie zakocha drugi raz.

W tym momencie Kendall zapomniała o domach, projektach i remontach. Liczył się tylko on. Potem wszystko się potoczyło szybko i skończyli w łóżku. Mimo że oboje byli lekko nietrzeźwi, był to najlepszy seks w jej życiu. To zdecydowanie skomplikowało sprawy. Przypomniała sobie, jak bardzo lubi Rossa. Wrócił do jej życia dosłownie na pięć minut, a już była w nim zadurzona po uszy.

Kiedy skończyli się kochać, przez chwilę leżała w łóżku, próbując uspokoić oddech, a po chwili odwróciła się i na niego popatrzyła. Wyglądał na zmartwionego.

– Jest naprawdę źle – stwierdził. – Mieliśmy rozmawiać o interesach, a nie byłem w stanie utrzymać rąk przy sobie. Jest w tobie coś, co doprowadza mnie do szaleństwa. – Powiedziawszy to, wtulił głowę w jej szyję, objął dłonią jej pierś i ją pocałował, i nim zdążyli dwa razy pomyśleć, znów się kochali.

Kiedy skończyli, musieli chwilę odetchnąć. Ross leżał w łóżku i z uśmiechem na twarzy wpatrywał się w sufit.

– Co teraz zrobimy, Kendall?

– Nie mam pojęcia – odpowiedziała uradowana.

– Może dodamy do umowy zapis, że musimy uprawiać seks dwa lub trzy razy dziennie? – zasugerował.

– Lepiej wpisz cztery, bo nie dojdziemy do porozumienia.

– W porządku, skoro nalegasz. A później? Zwiększymy częstotliwość, kiedy zaczniemy razem drugi dom? Czy może włączymy do kontraktu warunek i analogicznie do podwyżki czynszu nazwiemy go podwyżką seksu?

– Świetny pomysł. Przysięgam ci, Ross – przyznała, odwracając się w jego stronę – że idąc na dzisiejsze spotkanie, naprawdę chciałam rozmawiać o interesach.

– Taaa, ja też. A zobacz, jak się skończyło.

Przypomniała sobie, jakim świetnym był kochankiem i jak bardzo go lubiła. Straciła głowę dla tego wygadanego idioty pracującego dla jej ojca, który okazał się kłamcą i łajdakiem, a po tym wszystkim niespodziewanie wpadła na Rossa.

– W związku z zaistniałą sytuacją martwi mnie tylko jedno, że jeśli znów się do ciebie przywiążę, a ty ponownie złamiesz mi serce, będę zmuszony zerwać umowę w trybie natychmiastowym. – Mówił na wpół poważnie, bo po ich zerwaniu zabrało mu kilka miesięcy, zanim doszedł do siebie.

Popatrzyła na niego i uroczyście oświadczyła:

– Obiecuję, że nie złamię ci serca. Czy będziesz skłonny dać mi jeszcze jedną szansę?

– Hmmm… Może – odparł przeciągle. – Najpierw jednak wszystko dokładnie sprawdźmy, żeby się upewnić.

Znów się kochali, kompletnie zapominając o projektach i szkicach. Została u niego na noc. Nadzy zjedli kolację w kuchni, a potem wrócili do łóżka. Rano uprawiali seks po przebudzeniu, a gdy już ochłonęli, postanowili, że kupią pierwszy dom. Potem zadzwonili do agenta i zobowiązali się po południu dostarczyć pisemną ofertę.

– Czy wierzysz, że uda nam się wyjść z łóżka na tyle, żeby ją napisać? – wyszeptała, przywierając do niego całym ciałem.

Błyskawicznie wypełnili wszystkie potrzebne formularze i wrócili do łóżka. Potem ubrali się i zawieźli dokumenty do biura nieruchomości. Poszli na lunch do Zuni Café przy Market Street, żeby to uczcić. Zamówili ostrygi, makaron i sałatkę, a kiedy zjedli, wybrali się na długi spacer. Nie przyznał się, że szaleje na jej punkcie, bo nie chciał jej wystraszyć, ale tak właśnie było. Ona czuła do niego to samo. Uświadomiła sobie, że wcześniej nie była na Rossa gotowa, ale teraz to się zmieniło. Nie mogła sobie przypomnieć, dlaczego uznała, że nie jest dla niej odpowiedni, z wyjątkiem tego, że nie chciał być taki, jak jej ojciec. Cullen Roberts wręcz przeciwnie.

Ich oferta została przyjęta następnego dnia, więc nie zwlekając, zabrali się do pracy. Ross wystąpił o urzędowe pozwolenia. Wpłacili zaliczkę, zgodnie z umową. Wszystko układało się pomyślnie i mieli z tego dużą frajdę. Ross zatrudnił firmę matki jako podwykonawcę. Kendall poznała ją i od razu polubiła. Była bystrą, przedsiębiorczą kobietą, znała się na rzeczy, zgłosiła kilka drobnych sugestii, które zaakceptowali. Jak na razie byli we wszystkim zgodni.

– Martwię się – przyznał późnym wieczorem, gdy spełnieni leżeli w łóżku.

– Czym?

– Zaobserwowałem spadek formy. Dziś to dopiero drugi raz. Zaczęliśmy robić interesy trzy dni temu, a nasze życie seksualne już na tym ucierpiało. Chyba będziesz musiała zostać na noc.

Została i kochali się jeszcze raz, żeby nadrobić zaległości. Współpracowali intensywnie na płaszczyźnie zawodowej i osobistej. Oboje byli podekscytowani projektem renowacyjnym i sobą nawzajem. Od czasu do czasu Kendall ogarniał nagły przypływ paniki, bo jej życie nabrało zawrotnego tempa, ale w końcu dała się ponieść fali. Ross sprawiał, że wszystko było prostsze, czuła się przy nim bezpieczna.

Po trzech miesiącach wspólnej pracy byli praktycznie nierozłączni, a remont przebiegał bez większych problemów. Już widzieli postępy, dom wyglądał coraz lepiej, a Ross pilnował, żeby nie przekroczyli budżetu. Był w tym dobry.

Nikomu o nim nie mówiła, ale po czterech miesiącach pracy nad projektem, była pewna, że go kocha. Po pół roku, kiedy byli w połowie prac remontowych, przeprowadziła się do niego.

– Chciałabym cię przedstawić mojej mamie – powiedziała pewnego dnia przy śniadaniu. Po wydarzeniach na jachcie nie spieszyło jej się z przedstawianiem go ojcu.

Na weekend pojechali nad Tahoe. Ruby bardzo go polubiła. Przypominał jej dziadka Alexa. W trakcie wizyty nad jeziorem Kendall zaproponowała matce zajęcie się ogrodem przy domu, który odnawiali, a Ruby entuzjastycznie na to przystała. Tydzień później umówili się w mieście. Ruby miała fantastyczne pomysły i chętnie się nimi dzieliła. Przedłożyła szacunkowy kosztorys, który zatwierdzili. Wcześniej zaprojektowała ogród dla rodziny, którą poznała nad Tahoe, i wpadła wtedy na pewien pomysł. Zwierzyła się córce, że chciałaby otworzyć firmę, zostać architektem krajobrazu i projektować ogrody. Kendall była dumna z matki, która była w zdecydowanie lepszym nastroju niż przez ostatnie lata. Ruby podjęła też inną decyzję, ale na razie zachowała ją dla siebie.

Ukończyli remont w terminie i wystawili dom na sprzedaż. Zanim znalazł się kupiec, już wybrali kolejny budynek do renowacji, który zapowiadał się na nieco większe wyzwanie, co ich ekscytowało.

– Czy zostajesz w grze na kolejny projekt? – zapytał Ross.

– Zdecydowanie.

Trzy dni później sprzedali odnowiony dom za satysfakcjonującą kwotę, a sami złożyli ofertę kupna nowego budynku. Mieli dobrą passę, a łącząca ich więź z dnia na dzień się zacieśniała. Rozmawiali o tym całkiem poważnie. Tym razem było zupełnie inaczej. Oboje byli starsi o cztery i pół roku, Kendall dojrzała i przewartościowała własne życie.

Podjęła także decyzję dotyczącą ojca. To był poważny krok z jej strony. Już nie chciała być taka jak on ani tkwić w jego cieniu. Zamierzała rzucić pracę w firmie Zacka i na pełen etat zaangażować się w remonty z Rossem. Ich przedsięwzięcie okazało się wielce lukratywne i mnóstwo się nauczyła w czasie pierwszego projektu. Zmieniła się. Była spokojniejsza i łagodniejsza, straciła dawny upór i zawziętość. Była też szczęśliwsza niż kiedykolwiek.

Powiedziała ojcu, że odchodzi. Tak jak przewidziała, wpadł w furię. Skrytykował ich projekty jako durne i zarzucił Rossowi niekompetencję. Uznał, że tylko chce ją wykorzystać.

– Już jeden skończyliśmy – powiedziała cicho.

– Co ty wiesz o renowacji budynków? Na litość boską, to nie jest praca. Z dyplomem, który masz w kieszeni, zamierzasz zarabiać na życie naprawą rur?

– Jestem szczęśliwa, tato. W tej branży są niemałe pieniądze. Pierwszy dom sprzedaliśmy ze sporym zyskiem. Z kolejnym pójdzie nam jeszcze lepiej.

– Marnujesz czas i swój intelekt – wytknął jej złośliwie.

Jego reakcja ją rozczarowała, ale nie zaskoczyła. Nie zaproponowała, że ich sobie przedstawi, nie chciała narażać Rossa na cierpkie uwagi ojca. Zack miał miliony kobiet, ale żadnej nie kochał i żadna jego nie kochała. Stracił jedyną dobrą kobietę, jaką spotkał w życiu, i w głębi duszy był tego świadomy.

Kendall złożyła dwutygodniowe wypowiedzenie, bo tyle czasu potrzebował na znalezienie kogoś na jej miejsce. Tego samego dnia wpadł w korytarzu rezydencji na Ruby, która właśnie przyjechała znad Tahoe. Miała umówione spotkanie z klientem. Zack się jej nie spodziewał. Była w wyśmienitym humorze, kiedy go zobaczyła, i przywitała go uśmiechem, co należało do rzadkości.

– Cieszę się, że cię widzę, Zack, miałam do ciebie dzwonić.

Natychmiast przyjął pozycję obronną.

– W jakiej sprawie? – Bał się, że Kendall opowiedziała matce o wpadce w Antibes.

– Rozkręcam firmę ogrodniczą. Dziś dopinam formalności. Jestem umówiona z prawnikiem– oświadczyła.

– Nad Tahoe?

– Będę szukała zleceń wszędzie, gdzie się trafią. Tahoe, San Francisco, Marin. – Wyglądała na szczęśliwą. – Składam też pozew o rozwód – dodała bez owijania w bawełnę. Powinna była zrobić to lata wcześniej.

– Nie zamierzasz tego ze mną przedyskutować?

– Właśnie to robię. Informuję cię.

– Dom jest twój, to był prezent. Jacht i samolot należą do mnie. Moi prawnicy prześlą ci propozycję ugody. Ale czy naprawdę tego chcesz, Ruby? Wydawało mi się, że nasz układ działa.

Na początku tak było. Byli małżeństwem od dwudziestu ośmiu lat, ale od dwudziestu sześciu tylko na papierze.

– Dla kogo? – zapytała, rzucając mu sceptyczne spojrzenie. – Nie wiem, jak ty, ale ja od ponad dwudziestu lat jestem częścią martwego układu. Zdradzałeś mnie, kiedy urodził się

Nick, tego samego dnia, a może nawet wcześniej. Dwa lata później romansowałeś z tą Angielką w Saint-Tropez. Domyślam się, że od tamtej pory miałeś tuziny, a może nawet setki dziewczyn. Czy takiego życia chciałeś? Stada wulgarnych kobiet, które są gotowe wskoczyć ci do łóżka w zamian za to, co im dajesz? Zasługujesz na porządną partnerkę, Zack, która o ciebie zadba.

Posmutniał, bo wiedział, że ma rację.

– Ty się o mnie troszczyłaś.

– To prawda, troszczyłam się. Szczerze cię kochałam, ale zabiłeś tę miłość swoimi kłamstwami i skokami w bok. Przez te wszystkie lata czułam się jak śmieć.

– Co się zmieniło?

– Nie wiem. Moje ogrody, architektura zieleni, rozkręcam własny biznes, wiara innych we mnie. Już nie czuję się jak druga, trzecia czy dziesiąta z kolei, pogardzana żona, którą wymieniłeś na plastikowe panienki. To się odbija na psychice. W końcu uznałam, że muszę coś z tym zrobić. Podjęłam decyzję o rozwodzie. I czuję się lepiej.

– Czy nie chciałabyś spróbować poskładać naszego rozbitego małżeństwa? Kocham cię. Może udałoby się nam wrócić do początków. – Przez chwilę miał nadzieję, że to możliwe.

– Nie sądzę. Dla mnie nasz związek od lat jest martwy. Nasze dzieci już się usamodzielniły. Nie ma sensu ciągnąć tego dalej. Zasługujesz na wolność, podobnie jak ja.

– Zwalniasz mnie? – Zmarkotniał.

– Nie, zwalniam siebie ze stanowiska twojej żony. Wyręczam cię w tym przykrym obowiązku.

– Wiedz, że nie zostawię cię na lodzie.

– Niewiele mi trzeba. Na spokojne życie, gdy przestanę się zajmować ogrodnictwem. Teraz nie narzekam na brak zajęć.

Skończyło się. Na dobre. Dla nich obojga. Poczuła się jak nowo narodzona.

– Czy jest ktoś inny? – zapytał, bo nagle przyszło mu to do głowy, i przez chwilę się wydawało, że byłby gotów o nią walczyć. Ale oboje wiedzieli, że nie jest to możliwe. Duch walki i życie już dawno ulotniły się z ich małżeństwa.

– Nie, nie mam nikogo – odpowiedziała szczerze. – Proszę, żebyś zabrał swoje rzeczy. Wieczorem wracam nad Tahoe, możesz się tym zająć do mojego powrotu. Uważam, że nie powinniśmy mieszkać pod jednym dachem. – Odrzucenie, którego doświadczała przez lata, było zbyt toksyczne: lekceważenie, zdrady, kłamstwa, brak miłości, a momentami nawet nienawiść. Czuła się poniżana. Miała za sobą okropne lata. – Myślę, że dzieci odbiorą nasz rozwód z ulgą – dodała.

Był w ogromnym szoku. Najpierw Kendall, która po południu zwolniła się z firmy, teraz Ruby i perspektywa rozwodu. Wszystkie kobiety, które miał w ciągu tych lat, wydały mu się nagle nic niewarte. Zaspokajały go, pod warunkiem że miał Ruby niczym trofeum nad kominkiem, którym mógł się chełpić. Żonę na pokaz. Ale ta rola jej nie zadowalała. Zabrało jej to dwadzieścia sześć lat, od czasu pierwszej zdrady, którą odkryła, ale wreszcie uwolniła się od niego. Wiele ją to kosztowało, lecz pocieszała się, że nigdy nie jest za późno. Miała prawie pięćdziesiąt lat i przed sobą widziała jasną przyszłość z obietnicą wielu dobrych lat, zwłaszcza ze świadomością, że będą już z Zackiem po rozwodzie. Teraz, kiedy wprawiła w ruch tryby machiny, nie mogła się doczekać przyszłości.

Stał jeszcze przez chwilę na korytarzu, smutny i oszołomiony, kiedy lekkim krokiem zbiegła po schodach na dół.

Jedyne, czego żałowała Ruby, to że Eleanor nie dożyła tej chwili. Wiedziała, że babcia byłaby z niej dumna. Dziadkowie uratowali ją, kiedy była niemowlęciem, a teraz jako dorosła kobieta wreszcie uratowała samą siebie. Wolałaby, żeby jej małżeństwo przypominało ich – pięćdziesiąt pięć lat zgodnego pożycia – i uważała, że byłoby to możliwe, gdyby trafiła na odpowiedniego mężczyznę. Ale niestety postawiła na złego konia. Teraz nareszcie odzyskała wolność.

Zack szybko doszedł do siebie, jak zresztą Ruby podejrzewała. Tuż po ich rozmowie o rozwodzie kupił sobie imponujący apartament w nowo wybudowanym najwyższym budynku w San Francisco.

Dzień po powrocie z miasta nad Tahoe, po spotkaniu z prawnikiem, zarejestrowaniu firmy i wszczęciu procedury rozwodowej, Ruby zauważyła ruch wokół głównej posiadłości nad jeziorem, która od osiemdziesięciu lat stała pusta i niezamieszkana. Hrabia, który kupił ziemię, widział ją tylko trzy razy w czasie krótkich wizyt. Jego syn nie przyjechał ani razu, zmarł mniej więcej w tym samym czasie co Alex. Posiadłość odziedziczył wnuk hrabiego. Nigdy nie przyjechał nad Tahoe, teraz jednak do domu, pod którym stały ciężarówki firmy przeprowadzkowej, wnoszono pudła. Zastanowiła się, czy majątek znów nie zmienił właściciela. Kiedy zapytała nadzorcę, poinformował ją, że do głównego budynku wprowadza się aktualny hrabia. Planuje zatrzymać się nad jeziorem na kilka miesięcy, żeby lepiej się przyjrzeć okolicy i ocenić, czy mu się podoba.

– To wspaniale – stwierdziła Ruby z nadzieją, że nowi sąsiedzi okażą się miłymi ludźmi. – Ma dużą rodzinę? Dzieci?

Trochę się obawiała, czy maluchy nie stratują jej kwietników, i rozważała ustawienie znaków. Nadzorca powiedział, że hrabia przyjechał sam. Po południu pracowała w ogrodzie, pielęgnując róże, kiedy usłyszała nieznajomy głos za plecami. Odwróciła się i zobaczyła ogromnego, merdającego ogonem psa rasy golden retriever, u którego boku siedział przysadzisty buldog angielski. Ich pan uśmiechnął się do niej.

– Ma pani zachwycające kwiaty. Spaceruję po okolicy i podziwiam je od samego rana. Pozwoliłem sobie zajrzeć do szklarni, orchidee są fenomenalne. – Mówił uprzejmym i serdecznym tonem, miał siwe włosy, niebieskie oczy i schludnie przystrzyżoną brodę. Był niezwykle dystyngowany. Stanowił kwintesencję brytyjskości. – Przepraszam, nie przedstawiłem się. James Beaulieu.

Domyśliła się, że to jest właśnie hrabia Chumley, ale nie znała go z imienia. Potem mężczyzna obrócił się nieznacznie i wskazał swoich czworonożnych towarzyszy. – To jest

Rupert – buldog – i Fred – golden retriever. – Czy jeśli obiecam nie zdradzić nikomu pani sekretów, zgodzi się pani pomóc mi w urządzeniu mojego ogrodu? Byłbym zachwycony, gdyby choć w ułamku przypominał pani. Przepraszam za najście. Posiadłość jest w rękach mojej rodziny już od osiemdziesięciu lat, ale nikt nie był skory tu przyjechać, przyjrzeć się jej z bliska i pokochać okolicę. Postanowiłem, że najwyższy czas to zmienić. Czy mieszka tu pani od dawna?

– Mój prapradziadek kupił ziemię w czasach pierwszych osadników, potem mój pradziadek postawił dom i budynki gospodarcze. Pradziadkowie i dziadkowie przeprowadzili się tutaj, kiedy stracili majątki i domy w mieście w wyniku krachu z tysiąc dziewięćset dwudziestego dziewiątego roku, a w tysiąc dziewięćset trzydziestym prawie całą posiadłość sprzedali pańskiej rodzinie – wyjaśniła. – Zachowali zaledwie małą działkę z budynkiem, w którym wcześniej mieszkała służba. Teraz to mój dom.

– Posiadłość kupił mój dziadek. – Uśmiechnął się do niej wyraźnie oczarowany. Podziwiał jej rude włosy, które z wiekiem nieco straciły blask, ale wciąż były zachwycające. – To niesamowite, że wciąż pani tu mieszka, choć minęło tyle lat.

– I że ziemia wciąż należy do pana – odpowiedziała z uśmiechem. – To moja rodzina spędziła tu osiemdziesiąt lat, ja – trochę mniej. Mieszkam tu od czasu do czasu. Tak się składa, że właśnie założyłam firmę ogrodniczą. Pokochałam pracę z ziemią i kwiaty. Babcia zaraziła mnie tą pasją, w niej zaś miłość do ogrodnictwa zaszczepiła matka.

– Muzyka dla moich uszu. Przyda mi się każda pomoc. – Wyciągnął rękę i wymienili uścisk dłoni. – Cieszę się, że mogliśmy się poznać. Nie dosłyszałem pani imienia.

– Przepraszam. Ruby Allen. Moja rodzina po kądzieli nosiła nazwisko Deveraux. To było rodowe nazwisko babci.

Niedawno wróciła do panieńskiego nazwiska. Ta zmiana była dla niej szalenie wyzwalająca.

– Cieszę się, że będziemy sąsiadami.

– Jeśli będzie pan czegokolwiek potrzebował, proszę dać znać. Większość łodzi w hangarze należy do pana, tylko dwie są moje. Mają swoje lata, ale działają bez zarzutu. Zachęcam do ich wypróbowania.

– Czy wybierze się pani ze mną na wycieczkę po jeziorze, żebym mógł zapoznać się z okolicą? – zapytał i zaraz dodał: – Obiecuję, że nie będę szalał za sterem.

Uśmiechnęła się do niego.

– Z wielką przyjemnością.

Pożegnali się i wrócił do siebie z Rupertem i Fredem. Wyglądał na równolatka Ruby i był bardzo przystojnym dżentelmenem. Poczuła się, jakby zaczęła nowe życie.

Ross i Kendall ukończyli remont drugiego domu nieco szybciej niż pierwszego. Tym razem nie potrzebowali aż tylu pozwoleń i po dziewięciu miesiącach budynek był gotowy. Nie potrzebowali nawet urządzać wnętrz pod wynajem – sprzedał się w dniu ukończenia renowacji, zanim firma zajmująca się wizażem nieruchomości zdążyła go wycenić. Ludzie mieszkający w sąsiedztwie przyglądali się pracom remontowym i dom ich zachwycił. Umówili się z Rossem, żeby ich oprowadził, i od razu złożyli przyzwoitą ofertę.

– Dobra robota! – Ross i Kendall gratulowali sobie nawzajem, a zysk tym razem był jeszcze wyższy niż poprzednio.

Wciąż się rozglądali za kolejnym projektem, ale postanowili najpierw zrobić sobie tydzień lub dwa tygodnie przerwy.

– Co teraz zrobimy? – zapytała Kendall, kiedy leżeli w łóżku po przyjęciu oferty kupna.

– Dobrze zarabiamy, więc może czas na wakacje. Europa? Japonia? Chiny? Paryż?

– Brzmi egzotycznie i bardzo mi się podoba. Może Wenecja? Kocham Włochy.

– Mam lepszy pomysł – powiedział, ujął ją za rękę, zsunął się z łóżka i przyklęknął na jedno kolano. – Według mnie Wenecja jest idealnym miejscem na podróż poślubną, nie sądzisz? Od dwóch lat działamy razem i uważam, że stanowimy zgrany zespół. Kendall Katz, czy zostaniesz moją żoną? – zapytał uroczyście, a ona popatrzyła na niego w osłupieniu, niepewna, czy mówi poważnie, czy tylko żartuje.

– Pytasz serio?

– Tak, serio. Chciałbym się z tobą ożenić, zanim zaczniemy następny projekt. Tym razem świetnie się spisaliśmy. Zróbmy sobie wolne, zasługujemy na prawdziwy miesiąc miodowy.

Europejską wyprawę. Paryż, Rzym, Wenecja. Co ty na to, panno Katz? Co mi odpowiesz?

Nachylił się, żeby ją pocałować, a kiedy oderwał usta od jej ust, uśmiechała się do niego. Kochała go bardziej, niż myślała, że jest to możliwe, i miała wrażenie, że z każdym dniem jej miłość jest większa.

– Odpowiem „tak", panie McLaughlin. Zdecydowanie tak. – Tym razem to ona go pocałowała.

Rozdział 21

Dom tonął w kwiatach. Wyglądał niemal tak samo, jak w dniu ślubu Eleanor i Alexa, tylko bez armii lokajów, choć niemal dorównywał jej liczebnością zespół kelnerów serwujących szampana na srebrnych tacach. Stroje gości były mniej formalne, obowiązywał smoking zamiast fraka, poza tym zaproszono jedynie dwieście, a nie osiemset osób.

Podenerwowany Zack czekał w swoim dawnym gabinecie, a Ruby pomagała córce się ubrać, delikatnie podtrzymując osiemdziesięciodwuletnią suknię. Wymagała jedynie niewielkich poprawek, kilka pereł trzeba było mocniej przyszyć. Kendall była trzecią panną młodą, która szła w niej do ślubu. Była odrobinę wyższa od matki. Dziewczyna założyła również welon i tiarę należącą do prababki. Ruby podała jej bukiet z identycznych kwiatów, jakie miała ona i Eleanor: z orchidei i konwalii. Pochodziły z jej własnej szklarni, którą postawiła nad Tahoe. Ruby włożyła prostą ciemnofioletową sukienkę, która idealnie pasowała do jej rudych loków i podkreślała piękną opaleniznę – efekt uboczny pracy w ogrodzie. Cofnęła się o krok i z uśmiechem popatrzyła na córkę, która poszła do ojca. Ręce Zacka drżały, gdy ją zobaczył. Wyglądała niemal identycznie jak jej matka przed laty, z tą różnicą, że miała jasne włosy.

Zack z Kendall powoli zeszli po głównych schodach, dziewczyna uśmiechała się do ojca. Wiedział, że jego grzechy nie zostały zapomniane, ale wciąż był jej ojcem i akceptowała go bez zastrzeżeń. Nie mógł liczyć na więcej, ale to mu w zupełności wystarczało. Cieszył się, że podarował Ruby jej rodową rezydencję. Jego była żona nocowała tam od czasu do czasu, kiedy przyjeżdżała do miasta, troszczyła się o ogród otaczający dom, zmodyfikowała jego układ, wzbogacając go o własny, niepowtarzalny styl. Posiadłość była idealnym miejscem na urządzenie ślubu i wesela córki, a może kiedyś w przyszłości posłuży także jej dzieciom. Suknia ślubna leżała na Kendall jak ulał, jakby była na nią szyta. Czekający u boku duchownego Ross wstrzymał oddech, gdy ją zobaczył. Panna młoda zbliżała się powoli z ręką wspartą na ramieniu Zacka.

– Dobry Boże, wyglądasz prześlicznie – wyszeptał, gdy już stanęła obok niego. – Jesteś najpiękniejszą kobietą pod słońcem.

– To zasługa sukni – odpowiedziała cicho, dumna, że może ją nosić, bo wcześniej należała do jej matki i prababki.

– Nie, to zasługa kobiety, która ją włożyła – zaprzeczył miękko.

Kendall niedawno skończyła dwadzieścia dziewięć lat, a Ross trzydzieści pięć. Współcześnie ludzie pobierali się później niż na początku dwudziestego wieku. Byli gotowi. Kendall odnalazła własną drogę i wiedziała, kim jest i z kim chce się zestarzeć.

Kiedy odwrócili się w stronę duchownego, dając tym znak rozpoczęcia ceremonii, Zack usiadł obok Ruby. Poklepała go po dłoni, a on się do niej uśmiechnął. Nie przyprowadził na wesele swojej obecnej partnerki. Była mu za to wdzięczna. Na czas ślubu był towarzyszem Ruby i tak było dobrze. Uśmiechnięty Nick siedział razem z Sophie z drugiej strony matki.

Po uroczystości wzniesiono toast szampanem i orkiestra zaczęła grać. Zack poprosił byłą żonę do tańca, po tym jak państwo młodzi skończyli swój pierwszy taniec. Ruby czuła się w ramionach byłego męża tak swobodnie, że Zack miał ochotę zapłakać nad własną głupotą, że ją stracił.

– Nie spodziewam się, żebyś była gotowa dać mi kolejną szansę – odezwał się cicho.

Pół roku wcześniej się rozwiedli. Podeszła do sprawy wręcz z absurdalną uczciwością i nie przyjęła ogromnej ugody, którą jej zaoferował, zadowalając się sumą pozwalającą na spokojne życie, kiedy już przejdzie na ogrodniczą emeryturę, o ile kiedykolwiek do tego dojdzie, a także konieczną na utrzymanie rezydencji Deveraux, która w przyszłości miała należeć do Kendall i Nicholasa. Ruby nie zamierzała zrezygnować z pracy. Miała tylko pięćdziesiąt dwa lata, była wolna i uwielbiała swoje zajęcie. Znów czuła, że czerpie z życia pełnym garściami i z optymizmem patrzyła w przyszłość.

– Nie, nie chcę znów próbować – odpowiedziała na jego pytanie – ale zawsze będę twoją przyjaciółką, Zack. Na początku połączyła nas przecież przyjaźń i lepiej niech tak pozostanie. Mamy cudowne dzieci i powinniśmy utrzymywać dobre relacje.

Przez długie lata nie byli nawet przyjaciółmi. Skinął głową, ale gdy słuchał jej wyjaśnień, czuł, jak ściska go w gardle. Uświadomił sobie, że drugiej takiej kobiety już nie spotka. Totalnie nawalił i zniszczył ich małżeństwo.

– Poza tym nie możesz się przecież ożenić ze swoim ogrodnikiem, to by było uwłaczające. Potrzebna ci zdecydowanie bardziej odlotowa dziewczyna.

Rozbawiła go, a kiedy muzyka ucichła, poszła porozmawiać z Nickiem i Sophie.

Ruby z uśmiechem myślała o tym, jak potoczyło się ich życie. Stolarz, ogrodnik i członek ekipy remontowej. Trudno było ich zajęcia uznać za spełnienie górnolotnych ambicji, ale każde z nich było zadowolone z obranej ścieżki. Bo było dokładnie tak, jak powiedziała kiedyś córce – czasem prostota jest najlepsza. Wszyscy troje byli szczęśliwi. Zack był geniuszem komputerowym, żywą legendą. Ruby zrozumiała, że o wiele trudniej kochać legendę niż zwykłego zjadacza chleba.

Patrzyła na Kendall tańczącą z Rossem. Dziewczyna pięknie wyglądała w sukni, choć zdjęła już welon i tiarę. Ruby żałowała, że Eleanor i Alex nie mogą zobaczyć prawnuczki. Była jednak pewna, że ją widzą stamtąd, dokąd trafili. Osiemdziesiąt dwa lata wcześniej brali ślub w tym samym miejscu. Suknia, którą teraz miała na sobie Kendall, nic nie straciła na urodzie od dnia, w którym nosiła ją Eleanor. Historia, która je połączyła, była wyjątkowa i niepowtarzalna, tak jak dom, który Zack podarował żonie. Był to najwspanialszy prezent, jaki od niego dostała.

Ruby uśmiechała się, zatopiona w myślach, kiedy podszedł do niej James Beaulieu. Wyglądał zniewalająco w idealnie skrojonym granatowym garniturze, z bujnymi siwymi włosami i perfekcyjnie przystrzyżoną brodą. Zaprosiła go jako osobę towarzyszącą na wesele. Był nieoczekiwanym gościem – nikt się go nie spodziewał, a już najmniej Ruby. Zjawił się w jej życiu w odpowiednim momencie. Oboje byli rozwiedzeni, ale gotowi na nową przygodę, mieszkali razem na ziemi, która należała do jego rodziny od prawie wieku, a do rodu Deveraux nawet dłużej.

James powiódł ją na parkiet, a Ruby szepnęła mu coś do ucha. Roześmiał się i zaczęli sunąć wśród tańczących z taką elegancją, że goście zatrzymywali się, żeby ich podziwiać. Tworzyli piękną parę i świetnie się czuli w swoim towarzystwie.

Rezydencja Deveraux i suknia Jeanne Lanvin, którą włożyła Kendall, ponownie wróciły do życia, historia zatoczyła krąg i nigdy nie zostanie zapomniana.